언제나 만점이고 싶은 친구들

Welcome!

공부하기 싫어, 놀고 싶어!
공부는 지겹고, 어려워!
그 마음 잘 알아요.
그럼에도 꾸준히 공부하고 있는 여러분은
정말 대단하고, 칭찬받아 마땅해요.

여러분, 정말 미안해요.
공부를 지겹고 어려운 것으로 느끼게 해서요.

그래서 열심히 연구했어요.
공부하는 시간이 기다려지는 책을 만들려고요.
당장은 어려운 문제를 풀지 못해도 괜찮아요.
지금 여러분에겐 공부가 즐거워지는 것이 가장 중요하니까요.

이제 우리와 함께 재미있는 공부의 세계로 떠나볼까요?

#초등수학심화서
#상위권이보는
#문제풀이동영상
#경시대회대비

최고수준 수학

Chunjae
Makes
Chunjae

▼

최고수준 수학

기획총괄	지유경
편집개발	정소현, 조선영, 최윤석
디자인총괄	김희정
표지디자인	윤순미, 권오현
내지디자인	박희춘, 이혜미
제작	황성진, 조규영

발행일	2019년 5월 15일 초판 2024년 4월 15일 7쇄
발행인	(주)천재교육
주소	서울시 금천구 가산로9길 54
신고번호	제2001-000018호
고객센터	1577-0902
본문 사진 제공	셔터스톡

★ **상위권** 실력 완성 ★

최고
수준

수학

 동영상 강의 무료 제공

+ 교재 홈페이지
(book.chunjae.co.kr)

동영상 강의는 QR 또는 교재 홈페이지에서 무료로 제공합니다.

6-2

5~6학년군

이 책의 **구성** 과 **특징**

STEP
1 START 개념

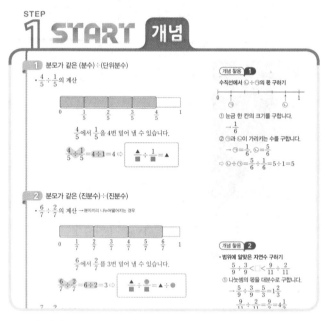

- 핵심 개념, 심화 학습에 필요한 개념을 정리하고 확인할 수 있어요.
- 상위 연계 개념을 미리 볼 수 있어요.

STEP
2 JUMP 유형

- 시험에 자주 출제되는 문제 유형을 뽑아 풀어 본 후 유사문제로 다질 수 있어요.
- 창의·융합 문제도 학습할 수 있어요.

STEP
3 MASTER 심화

- 심화 유형의 문제, 경시대회 기출문제, 창의·융합 문제를 풀어 보며 실력을 키울 수 있어요.

STEP
4 TOP 최고수준

- 교내외 경시대회에 출제되는 높은 수준의 문제들을 선별하여 수록하였어요.

수학 교과 역량을 기르는 창의·융합 문제

창의·융합 문제를 통해 수학과 타 교과의 실생활 지식, 기능, 경험을 수학과 연결·융합하여
새로운 지식, 기능, 경험을 생성하고 문제를 해결하는 능력을 기를 수 있어요.

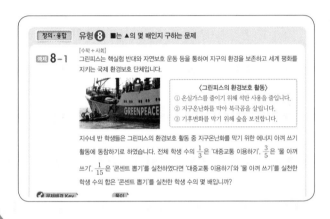

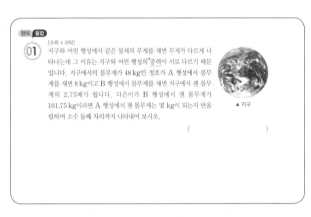

실전에 더욱 강해질 수 있는 각종 경시 유형 문제

각종 경시 유형 문제를 도전해 보며 **실전 경시대회를 대비**할 수 있고
수학 실력을 한층 높일 수 있어요.

◀ QR로 다운받아 활용!

이 책의 차례

최 | 고 | 수 | 준

1 분수의 나눗셈

꼭! 알아야 할 대표 유형

유형 ❶ 도형의 넓이를 활용하는 문제

유형 ❷ 약속에 맞는 식을 세워 계산하는 문제

유형 ❸ 전체와 부분의 양을 구하는 문제

유형 ❹ 수 카드로 분수를 만드는 문제

유형 ❺ 단위량과 관련된 문제

유형 ❻ 걸리는 시간을 구하는 문제

유형 ❼ 일한 양과 관련된 문제

유형 ❽ [창의·융합] ■는 ▲의 몇 배인지 구하는 문제

단계	쪽수	공부한 날	점수
1단계 START 개념	6~11	월 일	O X
2단계 JUMP 유형	12~19	월 일	O X
3단계 MASTER 심화	20~25	월 일	O X
4단계 TOP 최고수준	26~27	월 일	O X

※ O에는 맞힌 개수, X에는 틀린 개수를 써넣으세요.

1 분모가 같은 (분수)÷(단위분수)

• $\dfrac{4}{5} \div \dfrac{1}{5}$의 계산

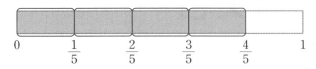

$\dfrac{4}{5}$에서 $\dfrac{1}{5}$을 4번 덜어 낼 수 있습니다.

$$\dfrac{4}{5} \div \dfrac{1}{5} = 4 \div 1 = 4 \Rightarrow \boxed{\dfrac{\blacktriangle}{\blacksquare} \div \dfrac{1}{\blacksquare} = \blacktriangle}$$

개념 활용 1

수직선에서 ㉡÷㉠의 몫 구하기

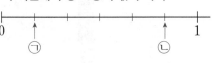

① 눈금 한 칸의 크기를 구합니다.

→ $\dfrac{1}{6}$

② ㉠과 ㉡이 가리키는 수를 구합니다.

→ ㉠ $= \dfrac{1}{6}$, ㉡ $= \dfrac{5}{6}$

⇒ ㉡÷㉠ $= \dfrac{5}{6} \div \dfrac{1}{6} = 5 \div 1 = 5$

2 분모가 같은 (진분수)÷(진분수)

• $\dfrac{6}{7} \div \dfrac{2}{7}$의 계산 → 분자끼리 나누어떨어지는 경우

$\dfrac{6}{7}$에서 $\dfrac{2}{7}$를 3번 덜어 낼 수 있습니다.

$$\dfrac{6}{7} \div \dfrac{2}{7} = 6 \div 2 = 3 \Rightarrow \boxed{\dfrac{\blacktriangle}{\blacksquare} \div \dfrac{\bullet}{\blacksquare} = \blacktriangle \div \bullet}$$

개념 활용 2

• 범위에 알맞은 자연수 구하기

$$\dfrac{5}{9} \div \dfrac{3}{9} < \square < \dfrac{9}{11} \div \dfrac{2}{11}$$

① 나눗셈의 몫을 대분수로 구합니다.

→ $\dfrac{5}{9} \div \dfrac{3}{9} = \dfrac{5}{3} = 1\dfrac{2}{3}$

$\dfrac{9}{11} \div \dfrac{2}{11} = \dfrac{9}{2} = 4\dfrac{1}{2}$

② $1\dfrac{2}{3}$보다 크고 $4\dfrac{1}{2}$보다 작은 자연수를 구합니다.

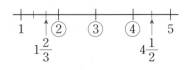

⇒ $\square = 2, 3, 4$

• $\dfrac{7}{8} \div \dfrac{2}{8}$의 계산 → 분자끼리 나누어떨어지지 않는 경우

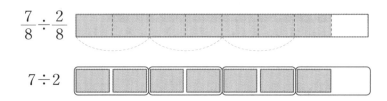

$\dfrac{7}{8}$은 $\dfrac{1}{8}$이 7개, $\dfrac{2}{8}$는 $\dfrac{1}{8}$이 2개이므로 7개를 2개로 나눈 것과 같습니다.

$$\dfrac{7}{8} \div \dfrac{2}{8} = 7 \div 2 = \dfrac{7}{2} = 3\dfrac{1}{2} \Rightarrow \boxed{\dfrac{\blacktriangle}{\blacksquare} \div \dfrac{\bullet}{\blacksquare} = \blacktriangle \div \bullet = \dfrac{\blacktriangle}{\bullet}}$$

분자끼리 나누어떨어지지 않을
때에는 몫을 분수로 구해요.

1 몫의 크기를 비교하여 ○ 안에 >, =, <를 알맞게 써넣으시오.

$$\frac{5}{6} \div \frac{1}{6} \bigcirc \frac{3}{10} \div \frac{1}{10}$$

2 계산 결과가 자연수가 <u>아닌</u> 것을 모두 고르시오.

.... (   )

① $\frac{8}{9} \div \frac{2}{9}$ ② $\frac{3}{4} \div \frac{1}{4}$

③ $\frac{11}{13} \div \frac{3}{13}$ ④ $\frac{14}{15} \div \frac{7}{15}$

⑤ $\frac{7}{12} \div \frac{5}{12}$

3 소정이네 집에서 제과점까지의 거리는 소정이네 집에서 놀이터까지의 거리의 몇 배입니까?

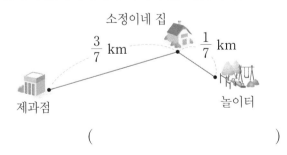

(   )

4 수직선을 보고 ㉡÷㉠의 몫을 구하시오.

(   )

5 $\frac{12}{13}$ L의 물을 그릇 한 개에 $\frac{4}{13}$ L씩 나누어 담았습니다. 물을 담은 그릇은 몇 개입니까?

식 _____

답 _____

6 □ 안에 들어갈 수 있는 자연수는 모두 몇 개입니까?

$$\frac{5}{7} \div \frac{4}{7} < \square < \frac{7}{9} \div \frac{2}{9}$$

(   )

1 분모가 다른 (분수)÷(분수)

• $\dfrac{5}{7} \div \dfrac{2}{3}$ 의 계산

방법 1 통분하여 분모가 같은 분수의 나눗셈으로 계산

$$\dfrac{5}{7} \div \dfrac{2}{3} = \dfrac{15}{21} \div \dfrac{14}{21} = 15 \div 14 = \dfrac{15}{14}\left(=1\dfrac{1}{14}\right)$$

방법 2 나눗셈을 곱셈으로 바꾸고 나누는 분수의 분모와 분자를 바꾸어 계산

$$\dfrac{5}{7} \div \dfrac{2}{3} = \dfrac{5}{7} \times \dfrac{3}{2} = \dfrac{15}{14}\left(=1\dfrac{1}{14}\right)$$

$$\dfrac{\blacktriangle}{\blacksquare} \div \dfrac{\bigstar}{\bullet} = \dfrac{\blacktriangle}{\blacksquare} \times \dfrac{\bullet}{\bigstar}$$

개념 활용 **1**

몫이 가장 큰 나눗셈식 만들기

⇨ 가장 큰 분수 ÷ 가장 작은 분수

몫이 가장 작은 나눗셈식 만들기

⇨ 가장 작은 분수 ÷ 가장 큰 분수

미리보기 **중1**

역수

두 수의 곱이 1이 될 때 한 수를 다른 수의 역수라고 합니다.

예 $\dfrac{3}{4} \times \dfrac{4}{3} = 1$

⇨ $\dfrac{3}{4}$ 의 역수는 $\dfrac{4}{3}$, $\dfrac{4}{3}$ 의 역수는 $\dfrac{3}{4}$

2 (자연수)÷(분수) → 자연수가 분자의 배수인 경우

• 수박 $\dfrac{2}{3}$ 통의 무게가 4 kg일 때 수박 1통의 무게 구하기

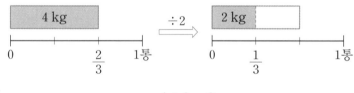

$$4 \div 2 = 2$$

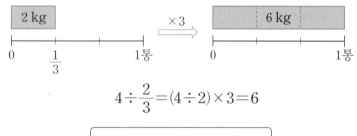

$$4 \div \dfrac{2}{3} = (4 \div 2) \times 3 = 6$$

$$\bigstar \div \dfrac{\blacktriangle}{\blacksquare} = (\bigstar \div \blacktriangle) \times \blacksquare$$

개념 활용 **2**

자연수가 분자의 배수가 아닌 (자연수)÷(분수)

나누는 수의 분모와 분자를 바꾸어 곱함

$$2 \div \dfrac{6}{7} = \overset{1}{2} \times \dfrac{7}{\underset{3}{6}} = \dfrac{7}{3}\left(=2\dfrac{1}{3}\right)$$

$$\blacksquare \div \dfrac{\bullet}{\blacktriangle} = \blacksquare \times \dfrac{\blacktriangle}{\bullet}$$

참고

(자연수)÷(진분수)의 계산 결과는 항상 나누어지는 수보다 큽니다.

1 계산 결과가 더 작은 것의 기호를 쓰시오.

$$㉠ \frac{3}{5} \div \frac{3}{4} \qquad ㉡ \frac{5}{8} \div \frac{2}{3}$$

(　　　　　　　　　)

2 40은 $\frac{5}{8}$의 몇 배입니까?

(　　　　　　　　　)

3 몫이 자연수가 <u>아닌</u> 것을 찾아 기호를 쓰시오.

$$㉠ 8 \div \frac{4}{7} \qquad ㉡ 4 \div \frac{2}{3} \qquad ㉢ 3 \div \frac{2}{5}$$

(　　　　　　　　　)

4 가장 큰 수를 가장 작은 수로 나눈 몫을 기약분수로 나타내어 보시오.

$$\frac{5}{9} \quad \frac{5}{8} \quad \frac{5}{7} \quad \frac{5}{6}$$

(　　　　　　　　　)

5 굵기가 일정한 철근 $\frac{5}{6}$ m의 무게가 10 kg입니다. 이 철근 1 m의 무게는 몇 kg입니까?

식 ＿＿＿＿＿＿＿＿＿＿＿＿＿＿＿＿＿

답 ＿＿＿＿＿＿＿＿＿＿＿＿＿＿

6 수 카드 2장을 골라 ☐ 안에 한 번씩만 써넣어 몫이 가장 큰 나눗셈식을 만들려고 합니다. 나눗셈식의 몫을 기약분수로 나타내어 보시오.

$$\boxed{3} \quad \boxed{5} \quad \boxed{6} \quad \boxed{9} \qquad \frac{\boxed{}}{10} \div \frac{\boxed{}}{7}$$

(　　　　　　　　　)

분수의 나눗셈 **1**

1 대분수의 나눗셈

・$2\dfrac{1}{4} \div 1\dfrac{1}{5}$ 의 계산

방법 **1** 대분수를 가분수로 고침 → 두 분수를 통분하여 분모가 같은 분수의 나눗셈으로 계산

$$2\dfrac{1}{4} \div 1\dfrac{1}{5} = \dfrac{9}{4} \div \dfrac{6}{5} = \dfrac{45}{20} \div \dfrac{24}{20} = 45 \div 24$$

$$= \dfrac{\overset{15}{\cancel{45}}}{\underset{8}{\cancel{24}}} = \dfrac{15}{8}\left(=1\dfrac{7}{8}\right)$$

방법 **2** 대분수를 가분수로 고침 → 나눗셈을 곱셈으로 바꾸고 나누는 분수의 분모와 분자를 바꾸어 계산

$$2\dfrac{1}{4} \div 1\dfrac{1}{5} = \dfrac{9}{4} \div \dfrac{6}{5} = \dfrac{\overset{3}{\cancel{9}}}{4} \times \dfrac{5}{\underset{2}{\cancel{6}}} = \dfrac{15}{8}\left(=1\dfrac{7}{8}\right)$$

2 분수의 나눗셈 활용

・곱셈식에서 모르는 수를 구할 때
  ⇨ 곱셈과 나눗셈의 관계를 이용하여 구합니다.
  예) $\dfrac{3}{4} \times \square = \dfrac{9}{4} \Rightarrow \square = \dfrac{9}{4} \div \dfrac{3}{4} = 9 \div 3 = 3$

・단위량을 구할 때
  예) $1\dfrac{4}{5}$ L의 휘발유로 $6\dfrac{3}{4}$ km를 가는 자동차의 경우

  ① 단위 휘발유의 양으로 갈 수 있는 거리 구하기
     └→1 L
     (1 L의 휘발유로 갈 수 있는 거리)
     =(전체 거리)÷(사용한 휘발유의 양)
     $$= 6\dfrac{3}{4} \div 1\dfrac{4}{5} = \dfrac{27}{4} \div \dfrac{9}{5} = \dfrac{\overset{3}{\cancel{27}}}{4} \times \dfrac{5}{\underset{1}{\cancel{9}}} = \dfrac{15}{4}\left(=3\dfrac{3}{4}\right) \text{(km)}$$

  ② 단위 거리만큼 갈 때 필요한 휘발유의 양 구하기
     └→1 km
     (1 km를 갈 때 필요한 휘발유의 양)
     =(사용한 휘발유의 양)÷(전체 거리)
     $$= 1\dfrac{4}{5} \div 6\dfrac{3}{4} = \dfrac{9}{5} \div \dfrac{27}{4} = \dfrac{\overset{1}{\cancel{9}}}{5} \times \dfrac{4}{\underset{3}{\cancel{27}}} = \dfrac{4}{15} \text{(L)}$$

개념 활용 **1**

분수의 나눗셈에서 몫의 크기 비교

① 나누는 수가 같으면 나누어지는 수가 클수록 몫이 커집니다.

예) $2\dfrac{1}{2} \div \dfrac{1}{3} < 3\dfrac{1}{2} \div \dfrac{1}{3}$
   └─ $2\dfrac{1}{2} < 3\dfrac{1}{2}$ ─┘

② 나누어지는 수가 같으면 나누는 수가 작을수록 몫이 커집니다.

예) $4\dfrac{2}{3} \div 1\dfrac{1}{4} > 4\dfrac{2}{3} \div 3\dfrac{1}{2}$
   └─ $1\dfrac{1}{4} < 3\dfrac{1}{2}$ ─┘

개념 활용 **2**

시간, 속력, 거리 문제
   └─ 일정한 시간 동안 가는 거리

(거리)=(속력)×(시간)
(속력)=(거리)÷(시간)
(시간)=(거리)÷(속력)

예) 일정한 빠르기로 $3\dfrac{1}{4}$ km를 가는데 $2\dfrac{3}{5}$ 분이 걸린다면 1분 동안 가는 거리 구하기

⇨ (속력)=(거리)÷(시간)이므로
  (1분 동안 가는 거리)─속력
  $$= 3\dfrac{1}{4} \div 2\dfrac{3}{5} = 1\dfrac{1}{4} \text{(km)}$$

참고

・진분수(眞分數): 1보다 작은 진짜 분수
  참 진

・가분수(假分數): 진짜 분수가 아님
  거짓 가

・대분수(帶分數): 자연수가 진분수에 띠를 두름
  띠 대

1 ㉠과 ㉡의 차를 구하시오.

$$㉠ \ 4\frac{4}{9} \div 2\frac{2}{3} \qquad ㉡ \ 3\frac{1}{9} \div 1\frac{1}{6}$$

(   )

2 □ 안에 알맞은 기약분수를 써넣으시오.

$$\frac{4}{5} \times \boxed{} = \frac{9}{10}$$

3 몫의 크기가 작은 것부터 순서대로 기호를 쓰시오.

$$㉠ \ 3\frac{3}{7} \div 2\frac{2}{5} \qquad ㉡ \ 4\frac{2}{3} \div 2\frac{2}{5}$$
$$㉢ \ 1\frac{1}{2} \div 2\frac{2}{5} \qquad ㉣ \ 3\frac{1}{2} \div 2\frac{2}{5}$$

(   )

4 어떤 수와 $2\frac{2}{3}$를 곱했더니 $4\frac{4}{5}$가 되었습니다. 어떤 수를 기약분수로 나타내어 보시오.

(   )

5 1분에 $1\frac{1}{5}$ km를 가는 자동차가 있습니다. 이 자동차가 같은 빠르기로 $4\frac{2}{3}$ km를 가는 데 걸리는 시간은 몇 분인지 기약분수로 나타내어 보시오.

(   )

6 휘발유 $1\frac{3}{5}$ L로 $8\frac{7}{10}$ km를 가는 자동차가 있습니다. 휘발유 4 L로 이 자동차가 갈 수 있는 거리는 몇 km인지 기약분수로 나타내어 보시오.

(   )

유형 ① 도형의 넓이를 활용하는 문제

예제 1-1 오른쪽 평행사변형의 넓이는 $2\frac{1}{3}$ cm²입니다. 밑변의 길이가 $1\frac{5}{9}$ cm 일 때 평행사변형의 높이는 몇 cm인지 기약분수로 나타내어 보시오.

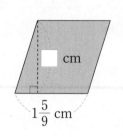

$1\frac{5}{9}$ cm

🔑 **문제해결 Key**

(평행사변형의 넓이)
＝(밑변의 길이)×(높이)

풀이

❶ 평행사변형의 높이를 구하는 식 쓰기

_____

❷ 평행사변형의 높이는 몇 cm인지 기약분수로 나타내기

_____

답 _____

예제 1-2 오른쪽 평행사변형의 넓이는 $6\frac{5}{8}$ cm²입니다. 높이가 $3\frac{1}{4}$ cm 일 때 평행사변형의 밑변의 길이는 몇 cm인지 기약분수로 나타내어 보시오.

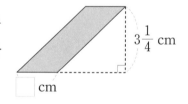

$3\frac{1}{4}$ cm

cm

(   )

응용 1-3 오른쪽 삼각형의 넓이는 $10\frac{5}{7}$ cm²입니다. 밑변의 길이가 $3\frac{6}{7}$ cm 일 때 삼각형의 높이는 몇 cm인지 기약분수로 나타내어 보시오.

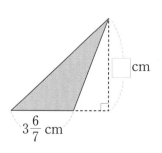

cm

$3\frac{6}{7}$ cm

(   )

유형 ❷ 약속에 맞는 식을 세워 계산하는 문제

예제 2-1 ㉮ ♥ ㉯ = (㉮ + ㉯) ÷ ㉯라 할 때 $\frac{1}{2}$ ♥ $\frac{1}{3}$ 을 계산하여 기약분수로 나타내어 보시오.

🔑 문제해결 Key

㉮의 자리에 $\frac{1}{2}$ 을, ㉯의 자리에 $\frac{1}{3}$ 을 넣어서 식을 세웁니다.

풀이

❶ 약속에 맞게 식 쓰기

_____

❷ 계산 순서에 맞게 계산하기

_____

_____

답 _____

예제 2-2 ㉮ ★ ㉯ = ㉮ ÷ ㉯ ÷ 4라 할 때 $1\frac{2}{7}$ ★ $\frac{3}{8}$ 을 계산하여 기약분수로 나타내어 보시오.

(   )

응용 2-3 ㉮ ▲ ㉯ = ㉮ + $\frac{8}{9}$ ÷ ㉯라 할 때 다음을 계산하여 기약분수로 나타내어 보시오.

$$\frac{2}{3} ▲ 4\frac{4}{5}$$

(   )

유형 ❸ 전체와 부분의 양을 구하는 문제

예제 3-1 보라네 반 전체의 $\dfrac{4}{7}$는 남학생이고, 남학생은 12명입니다. 보라네 반 여학생은 몇 명입니까?

🔑 문제해결 Key

전체의 $\dfrac{\triangle}{\blacksquare}$가 ●

⇨ (전체)$\times\dfrac{\triangle}{\blacksquare}=$●

예 전체의 $\dfrac{1}{2}$이 5

⇨ (전체)$\times\dfrac{1}{2}=5$

풀이

❶ 보라네 반 전체 학생 수 구하기

_____

_____

❷ 보라네 반 여학생 수 구하기

_____

_____

답 _____

예제 3-2 윤재는 오늘 받은 용돈의 $\dfrac{3}{4}$을 저금했습니다. 저금한 돈이 3600원이라면 남은 돈은 얼마입니까?

( )

응용 3-3 천재 초등학교에는 튤립과 국화를 심은 화단이 있습니다. 화단 전체의 $\dfrac{4}{9}$에 튤립을 심고 남은 부분에는 국화를 심었습니다. 국화를 심은 부분의 넓이가 $400 \ m^2$일 때 튤립을 심은 부분의 넓이는 몇 m^2입니까?

( )

유형 ④ 수 카드로 분수를 만드는 문제

예제 4-1 서정이는 ③, ④, ⑨, 태준이는 ⑥, ⑦, ⑧ 의 수 카드를 한 번씩만 사용하여 대분수를 각각 만들었습니다. 두 사람이 만든 대분수로 몫이 가장 큰 나눗셈식을 만들 때 몫을 기약분수로 나타내어 보시오.

🔑 **문제해결 Key**

> 나눗셈의 몫이 가장 크려면
>
> ⇩
>
> 나누어지는 수는 크게, 나누는 수는 작게

풀이

❶ 서정이와 태준이가 각각 만든 가장 큰 대분수와 가장 작은 대분수 구하기

서정: _____

태준: _____

❷ 몫이 가장 크게 되도록 나눗셈식을 만들고 몫을 기약분수로 나타내기

_____

_____

❸ 몫이 가장 큰 나눗셈의 몫 구하기

_____

답 _____

예제 4-2 윤재와 보라가 다음의 수 카드를 한 번씩만 사용하여 대분수를 각각 만들었습니다. 두 사람이 만든 대분수로 몫이 가장 작은 나눗셈식을 만들 때 몫을 기약분수로 나타내어 보시오.

윤재 ② ③ ⑧   보라 ⑤ ⑥ ⑦

( )

응용 4-3 다음 수 카드를 한 번씩만 사용하여 (가분수)÷(가분수)를 만들려고 합니다. 두 가분수 중 하나의 분모가 3이고, 두 가분수로 몫이 가장 큰 나눗셈식을 만들 때 몫을 구하시오.

③ ④ ⑤ ⑦

( )

유형 5 단위량과 관련된 문제

예제 5-1 넓이가 $19\frac{1}{2}$ m²인 간판을 칠하는 데 $2\frac{1}{7}$ L의 페인트가 사용되었습니다. 3 L의 페인트로 칠할 수 있는 간판의 넓이는 몇 m²인지 기약분수로 나타내어 보시오.

🔑 **문제해결 Key**

$$2\frac{1}{7}\,L \rightarrow 19\frac{1}{2}\,m^2$$

⇩

$$1\,L \rightarrow ?\,m^2$$

⇩

$$3\,L \rightarrow ?\,m^2$$

풀이

❶ 1 L의 페인트로 칠할 수 있는 간판의 넓이를 기약분수로 나타내기

_____

_____

❷ 3 L의 페인트로 칠할 수 있는 간판의 넓이 구하기

_____

_____

답 _____

예제 5-2 넓이가 $18\frac{2}{7}$ m²인 학교 담장을 칠하는 데 $6\frac{2}{3}$ L의 페인트가 사용되었습니다. 7 L의 페인트로 칠할 수 있는 담장의 넓이는 몇 m²인지 기약분수로 나타내어 보시오.

(   )

응용 5-3 지용이는 가로가 8 m, 세로가 $3\frac{3}{4}$ m인 직사각형 모양의 벽을 칠하는 데 $1\frac{1}{5}$ L의 페인트를 사용했습니다. 지용이가 5 L의 페인트로 칠할 수 있는 벽의 넓이는 몇 m²입니까?

(   )

유형 6 걸리는 시간을 구하는 문제

예제 6-1 빈 욕조에 수도를 틀어 놓고 15분 후에 보았더니 전체의 $\frac{1}{3}$만큼 물이 찼습니다. 같은 크기의
빈 욕조에 전체의 $\frac{4}{5}$만큼 물을 채우려면 몇 분 동안 수도를 틀어야 합니까?

(단, 수도에서 나오는 물의 양은 일정합니다.)

🔑 **문제해결 Key**

욕조에 가득 채운 물의 양을 1이라
할 때
(물을 가득 채우는 데 걸리는 시간)
＝(물을 1만큼 채우는 데 걸리는
  시간)

풀이

❶ 욕조에 물을 가득 채우는 데 걸리는 시간 구하기

_____

❷ 빈 욕조의 $\frac{4}{5}$만큼 물을 채우는 데 걸리는 시간 구하기

_____

답 _____

예제 6-2 빈 욕조에 수도를 틀어 놓고 14분 후에 보았더니 전체의 $\frac{1}{4}$만큼 물이 찼습니다. 같은 크기의
빈 욕조에 전체의 $\frac{3}{8}$만큼 물을 채우려면 몇 분 동안 수도를 틀어야 합니까?

(단, 수도에서 나오는 물의 양은 일정합니다.)

(   )

응용 6-3 길이가 15 cm인 양초에 불을 붙이고 $\frac{1}{5}$시간이 지난 후 길이를 재어 보니 1 cm만큼 탔습니다.
이 양초의 길이가 5 cm 남으려면 앞으로 몇 시간 몇 분 동안 더 타야 합니까?

(단, 양초가 타는 데 걸리는 시간은 일정합니다.)

(   )

유형 7 일한 양과 관련된 문제

예제 7-1 어떤 일을 하는데 서윤이는 5일 동안 전체의 $\frac{1}{6}$ 을, 우진이는 3일 동안 전체의 $\frac{1}{5}$ 을 합니다. 이 일을 두 사람이 같이 시작했을 때 일을 끝내는 데 걸리는 시간은 며칠입니까?

(단, 두 사람이 각각 하루 동안 하는 일의 양은 일정합니다.)

🔑 문제해결 Key

· (하루 동안 하는 일의 양)
  =(한 일의 양)÷(날수)

· 전체의 양을 모르는 경우에는 전체의 양을 1로 계산합니다.

풀이

❶ 전체 일의 양을 1이라 할 때 서윤이와 우진이가 각각 하루에 하는 일의 양 구하기

_____

_____

❷ 두 사람이 같이 일을 시작했을 때 하루에 하는 일의 양 구하기

_____

_____

❸ 두 사람이 같이 일을 시작했을 때 일을 끝내는 데 걸리는 날수 구하기

_____

_____

답 _____

예제 7-2 어떤 일을 하는데 보람이는 4일 동안 전체의 $\frac{1}{3}$ 을, 선우는 6일 동안 전체의 $\frac{1}{4}$ 을 합니다. 이 일을 두 사람이 같이 시작했을 때 일을 끝내는 데 걸리는 시간은 며칠입니까?

(단, 두 사람이 각각 하루 동안 하는 일의 양은 일정합니다.)

( )

응용 7-3 어떤 일을 하는데 윤재는 3일 동안 전체의 $\frac{1}{4}$ 을, 지아는 2일 동안 전체의 $\frac{1}{3}$ 을 합니다. 이 일을 윤재가 2일 동안 일한 후 지아가 나머지 일을 하여 모두 끝내려면 지아는 며칠 동안 일을 해야 합니까? (단, 두 사람이 각각 하루 동안 하는 일의 양은 일정합니다.)

( )

창의·융합 **유형 8** ■는 ▲의 몇 배인지 구하는 문제

예제 8-1

[수학 + 사회]

그린피스는 핵실험 반대와 자연보호 운동 등을 통하여 지구의 환경을 보존하고 세계 평화를 지키는 국제 환경보호 단체입니다.

〈그린피스의 환경보호 활동〉

① 온실가스를 줄이기 위해 석탄 사용을 줄입니다.

② 지구온난화를 막아 북극곰을 살립니다.

③ 기후변화를 막기 위해 숲을 보전합니다.

지수네 반 학생들은 그린피스의 환경보호 활동 중 지구온난화를 막기 위한 에너지 아껴 쓰기 활동에 동참하기로 하였습니다. 전체 학생 수의 $\frac{1}{3}$은 '대중교통 이용하기', $\frac{3}{5}$은 '물 아껴 쓰기', $\frac{1}{15}$은 '콘센트 뽑기'를 실천하였다면 '대중교통 이용하기'와 '물 아껴 쓰기'를 실천한 학생 수의 합은 '콘센트 뽑기'를 실천한 학생 수의 몇 배입니까?

🔑 **문제해결 Key**

■는 ▲의 몇 배 ⇨ (■÷▲)배

풀이

❶ '대중교통 이용하기'와 '물 아껴 쓰기'를 실천한 학생 수의 합은 전체 학생 수의 얼마인지 구하기

❷ '대중교통 이용하기'와 '물 아껴 쓰기'를 실천한 학생 수는 '콘센트 뽑기'를 실천한 학생 수의 몇 배인지 구하기

답

예제 8-2

[수학 + 사회]

우리나라에는 돌로 만든 석탑이 많습니다. 우리나라의 다음 세 석탑 중 가장 높은 탑의 높이는 가장 낮은 탑의 높이의 몇 배인지 기약분수로 나타내어 보시오.

• 분황사 모전석탑
  (국보 제30호): 신라시대
• 감은사지 삼층석탑
  (국보 제112호):
  통일신라시대
• 월정사 팔각구층석탑
  (국보 제48호): 고려시대

▲ 분황사 모전석탑: $9\frac{3}{10}$ m

▲ 감은사지 삼층석탑: $13\frac{2}{5}$ m

▲ 월정사 팔각구층석탑: $15\frac{1}{5}$ m

(   )

01 $\dfrac{11}{12}$을 어떤 수로 나누어야 할 것을 잘못하여 곱했더니 $\dfrac{55}{72}$가 되었습니다. 바르게 계산하면 얼마인지 기약분수로 나타내어 보시오.

(   )

유형 **8** ■는 ▲의 몇 배인지 구하는 문제

02 ㉮는 ㉯의 몇 배입니까?

$$㉮\ 5\dfrac{5}{6} \div 1\dfrac{1}{4} \qquad ㉯\ 4\dfrac{1}{5} \div \dfrac{9}{5}$$

(   )

03 ☐ 안에 공통으로 들어갈 수 있는 자연수를 구하시오.

$$\dfrac{3}{11} \div \dfrac{2}{11} < ☐ < \dfrac{7}{9} \div \dfrac{2}{9}$$
$$\dfrac{2}{3} \div \dfrac{4}{5} < ☐ < 3\dfrac{1}{5} \div \dfrac{16}{15}$$

(   )

유형 ❶ 도형의 넓이를 활용하는 문제

04 사다리꼴의 높이는 몇 cm인지 기약분수로 나타내어 보시오.

$2\dfrac{1}{3}$ cm

넓이: $3\dfrac{13}{20}$ cm²

$3\dfrac{3}{4}$ cm

( )

유형 ❷ 약속에 맞는 식을 세워 계산하는 문제

05 가 ◆ 나를 보기 와 같이 약속할 때 $1\dfrac{3}{5}$ ◆ $\dfrac{1}{10}$ 을 계산하시오.

> **보기**
>
> 가 ◆ 나＝(가÷나)÷(나÷가)

( )

06 다음 나눗셈의 몫이 자연수가 되도록 ▢ 안에 들어갈 수 있는 수 중 1보다 큰 자연수를 쓰시오. (단, $\dfrac{16}{▢}$ 은 기약분수입니다.)

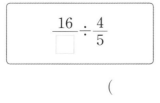

$$\dfrac{16}{▢} \div \dfrac{4}{5}$$

( )

창의 융합

[수학 + 과학] 유형 ⑤ 단위량과 관련된 문제

07 자동차의 계기판은 내장된 *트립컴퓨터를 통해 평균 속도, 연비, 타이어 공기압 등 많은 정보를 알려줍니다. 트립컴퓨터는 자동차가 이동한 거리와 시간을 파악하여 평균 속도를 계산하고, 자동차가 이동한 거리와 사용된 연료의 양을 측정하여 연비(1 L의 연료로 갈 수 있는 거리)를 계산합니다. 다음 두 자동차의 평균 속도와 연비를 표의 빈칸에 기약분수로 나타내어 보시오.

▲ 자동차 계기판

*트립컴퓨터: 주행 평균 속도, 주행 거리, 외기 온도 등 주행과 관련된 다양한 정보를 LCD 표시창을 통해 운전자에게 알려 주는 차량 정보 시스템

자동차	이동 거리	시간	평균 속도(km/시)
트럭	$120\frac{3}{4}$ km	1시간 30분	

자동차	이동 거리	연료 사용량	연비(km/L)
승용차	273 km	$10\frac{1}{2}$ L	

유형 ⑥ 걸리는 시간을 구하는 문제

08 지영이는 $\frac{1}{2}$ km를 걷는 데 $\frac{5}{24}$ 시간이 걸렸습니다. 같은 빠르기로 9 km를 가려면 몇 시간 몇 분이 걸리겠습니까?

( )

유형 ⑤ 단위량과 관련된 문제

09 한 변의 길이가 $\frac{2}{3}$ m인 정사각형 모양 유리판의 무게는 $\frac{7}{12}$ kg입니다.

이 유리판 $\frac{10}{21}$ m²의 무게는 몇 kg인지 기약분수로 나타내어 보시오.

(단, 유리판의 두께는 일정합니다.)

( )

유형 ❸ 전체와 부분의 양을 구하는 문제

10 색칠한 부분이 전체 길이의 $\frac{5}{8}$일 때 전체 길이는 몇 cm인지 구하시오.

전체 길이

15 cm   21 cm

(   )

해법 경시 유형

11 다음 식에서 ▲와 ■는 자연수입니다. 다음 식이 성립할 수 있는 (▲, ■)는 모두 몇 쌍입니까?

$$14 \div \frac{\blacktriangle}{3} = \blacksquare$$

(   )

성대 경시 유형

12 $1\frac{13}{14}$으로 나누어도 결과가 자연수가 되고, $2\frac{4}{7}$로 나누어도 결과가 자연수가 되는 분수 중 가장 작은 분수를 구하시오.

(   )

유형 ❼ 일한 양과 관련된 문제

13 어떤 일을 4명이 2시간 동안 같이 하여 전체의 $\frac{4}{7}$ 를 끝냈습니다. 한 명이 한 시간 동안 할 수 있는 일의 양이 서로 같다고 할 때, 한 명이 남은 일을 할 때 일을 끝내는 데 몇 시간이 걸리겠습니까?

(   )

유형 ❻ 걸리는 시간을 구하는 문제

14 길이가 13 cm인 양초에 불을 붙이고 $1\frac{3}{5}$ 시간이 지난 후 남은 길이를 재어 보니 $7\frac{2}{3}$ cm였습니다. 남은 양초가 다 타는 데 걸리는 시간은 몇 시간 몇 분입니까? (단, 양초가 타는 데 걸리는 시간은 일정합니다.)

(   )

15 어떤 날의 낮의 길이는 밤의 길이의 $\frac{9}{11}$ 였습니다. 이 날의 낮의 길이는 몇 시간 몇 분입니까?

(   )

성대 경시 유형   유형 ❹ 수 카드로 분수를 만드는 문제

16 다음의 수 카드를 한 번씩만 사용하여 대분수 2개를 만들었습니다. 만든 두 대분수로 몫이 가장 큰 나눗셈을 만들 때 몫을 기약분수로 구하시오.

$$\boxed{1} \quad \boxed{2} \quad \boxed{3} \quad \boxed{4} \quad \boxed{5} \quad \boxed{6}$$

(   )

유형 ❻ 걸리는 시간을 구하는 문제

17 수현이의 시계는 하루에 $\frac{1}{3}$분씩 빨라지고, 민주의 시계는 하루에 $\frac{1}{5}$분씩 느려진다고 합니다. 두 사람이 3월 3일 낮 12시에 시계를 정확히 맞추었다면 두 사람 시계의 시각의 차가 $\frac{2}{5}$시간이 될 때는 몇 월 며칠 몇 시입니까?

(   )

해법 경시 유형

18 성미는 같은 길이의 빨간 끈과 파란 끈을 각각 한 개씩 가지고 있습니다. 쌓여 있는 상자의 높이를 재기 위해 빨간 끈을 4등분 한 것 중 하나를 위에서부터 늘어뜨렸더니 끈이 45 cm 모자랐고, 파란 끈을 3등분 한 것 중 하나를 위에서부터 늘어뜨렸더니 끈이 30 cm 남았습니다. 쌓여 있는 상자의 높이는 몇 cm입니까?

(   )

고대 경시 유형

01 $\dfrac{\blacksquare}{\bullet} \div \dfrac{\blacktriangle}{\blacktriangledown}$ 에 대해 바르게 설명한 것을 모두 골라 기호를 쓰시오.

> ㉠ 몫은 $\dfrac{\blacksquare}{\bullet}$ 보다 항상 큽니다.
>
> ㉡ $\dfrac{\blacksquare}{\bullet} \div \dfrac{\blacktriangle}{\blacktriangledown}$ 는 $\dfrac{\blacksquare}{\bullet} \times \dfrac{\blacktriangledown}{\blacktriangle}$ 와 같습니다.
>
> ㉢ $\dfrac{\blacktriangledown}{\blacktriangle}$ 가 진분수이면 몫은 $\dfrac{\blacksquare}{\bullet}$ 보다 항상 큽니다.
>
> ㉣ $\dfrac{\bullet}{\blacksquare}$ 가 1보다 큰 수이면 몫은 $\dfrac{\blacktriangledown}{\blacktriangle}$ 보다 항상 큽니다.

( )

창의 융합

[수학 + 체육]

02 올림픽에서 가장 빠른 도착순으로 우열을 가리는 경기 종목에는 육상 경기에서는 마라톤, 100 m 달리기 등이 있고 빙상 경기에는 스피드 스케이팅, 수상 경기에는 수영, 조정 등이 있습니다. 다음은 각 경기별로 선수들의 대표 기록을 나타낸 표입니다. 경기별로 선수들이 1분 동안 간 거리를 비교했을 때 가장 빠른 선수가 1분 동안 간 거리는 몇 m입니까? (단, 1분 동안 간 거리는 각각 일정합니다.)

경기	수영	마라톤	스피드 스케이팅
거리	200 m	42 km	1000 m
시간	1분 40초	2시간 6분	1분 20초

( )

성대 경시 유형

03 두 개의 공 ㉮, ㉯를 같은 높이에서 수직으로 바닥에 떨어뜨렸습니다. ㉮는 떨어진 높이의 $\dfrac{1}{2}$ 만큼 튀어 오르고 ㉯는 떨어진 높이의 $\dfrac{1}{5}$ 만큼 튀어 오릅니다. 두 공 ㉮, ㉯가 두 번째로 튀어 오른 높이의 차가 $1\dfrac{2}{5}$ m일 때, 처음 공을 떨어뜨린 높이는 몇 m인지 기약분수로 나타내어 보시오.

( )

04 A, B, C 세 사람이 일정한 빠르기로 자전거를 타고 각각 600 m를 달렸습니다. A가 1분 만에 가장 먼저 결승선에 들어왔고 이때 B는 결승선에서 40 m 떨어진 곳에 있었습니다. 또, B가 결승선에 들어온 지 6초 후에 C가 결승선에 들어왔습니다. A가 결승선에 들어왔을 때, C는 결승선에서 몇 m 떨어진 곳에 있었는지 기약분수로 나타내어 보시오.

( )

해법 경시 유형

05 길이가 다른 3개의 막대 ㉮, ㉯, ㉰를 물이 들어 있는 물통에 수직으로 넣었더니 ㉯는 $\frac{3}{10}$만큼, ㉰는 $\frac{4}{11}$만큼 물에 잠겼습니다. (㉮의 길이)+(㉯의 길이)=240 cm, (㉮의 길이)+(㉰의 길이)=233 cm일 때 물통에 들어 있는 물의 높이는 몇 cm입니까? (단, 물통의 바닥은 평평하고, 막대의 부피는 생각하지 않습니다.)

( )

06 오른쪽과 같이 원 가, 나, 다가 겹쳐져 있습니다. ㉠의 넓이는 원 나의 넓이의 $\frac{1}{6}$이고, ㉡의 넓이는 원 다의 넓이의 $\frac{2}{5}$입니다. ㉠의 넓이가 ㉡의 넓이의 $\frac{5}{6}$라면 원 나의 넓이는 원 다의 넓이의 몇 배입니까?

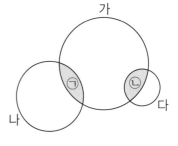

( )

이집트의 단위분수인 호루스 분수

이집트 신화 속에서 단위분수의 유래를 찾을 수 있다고 합니다.

이집트의 신 중에는 인간의 눈과 매의 눈을 가진 호루스란 신이 있었습니다. 호루스의 오른쪽 눈은 태양, 왼쪽 눈은 달을 상징하였다고 합니다.

호루스의 아버지 오시리스가 자신의 동생인 악의 신 세트에게 죽임을 당하자 호루스는 세트와 전쟁을 해서 이겼습니다.
그러나 호루스는 전쟁 중에 왼쪽 눈을 잃게 되었고 세트는 호루스의 왼쪽 눈을 6조각 낸 후 이집트 전 지역에 뿌려버렸습니다. 그러자 지혜와 마법의 신 토트가 호루스의 왼쪽 눈의 조각들을 모두 모아서 기적적으로 원래 모습을 되찾아 주었습니다.

▲ 이집트 신화의 호루스

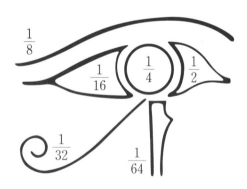

이 이야기를 들은 이집트인들은 호루스의 눈 전체를 1이라 생각하고 분자가 1인 6개의 분수를 적어 넣었습니다. 그런데 이 분수들을 모두 더하면 1에서 $\frac{1}{64}$이 모자랐다고 합니다. 그래서 지혜의 신인 토트가 마법으로 $\frac{1}{64}$을 더해 완전한 1을 만들어 호루스의 왼쪽 눈을 완성해 주었습니다.

그 후 호루스의 눈은 이집트 사람들에게 부적처럼 사용되고 있답니다.

2 소수의 나눗셈

꼭! 알아야 할 대표 유형

유형 ❶   도형의 넓이를 활용하는 문제

유형 ❷   나누어지는 수를 구하는 식을 이용하는 문제

유형 ❸   몫의 소수점 아래의 숫자를 구하는 문제

유형 ❹   일정한 간격으로 놓인 물건의 수를 구하는 문제

유형 ❺   수 카드로 소수의 나눗셈식을 만드는 문제

유형 ❻   양초가 타는 데 걸리는 시간을 구하는 문제

유형 ❼   반올림한 몫의 범위를 알아보는 문제

유형 ❽   [창의·융합] 소수의 나눗셈을 활용한 문제

단계	쪽수	공부한 날	점수	
1단계 START 개념	30~35	월 일	O	X
2단계 JUMP 유형	36~43	월 일	O	X
3단계 MASTER 심화	44~49	월 일	O	X
4단계 TOP 최고수준	50~51	월 일	O	X

※ O에는 맞힌 개수, X에는 틀린 개수를 써넣으세요.

1 (소수 한 자리 수)÷(소수 한 자리 수)

• 3.2÷0.4의 계산

방법 1 분수의 나눗셈으로 바꾸어 계산

$$3.2 \div 0.4 = \frac{32}{10} \div \frac{4}{10} = 32 \div 4 = 8$$

방법 2 소수점을 옮겨 세로로 계산

$$0.4 \overline{)3.2} \quad \Rightarrow \quad 0.4 \overline{)3.2}$$

소수점을 각각 오른쪽으로 한 자리씩 옮겨서 계산합니다.

개념 활용 1

나누어지는 수가 같을 때 나누는 수가 클수록 몫이 작아집니다.

예 4.8÷0.8과 4.8÷1.2의 몫의 비교

몫이 작아집니다.

$$0.8 \overline{)4.8} \qquad 1.2 \overline{)4.8}$$

나누는 수가 커지면

2 (소수 두 자리 수)÷(소수 두 자리 수)

• 1.68÷0.24의 계산

방법 1 분수의 나눗셈으로 바꾸어 계산

$$1.68 \div 0.24 = \frac{168}{100} \div \frac{24}{100} = 168 \div 24 = 7$$

방법 2 소수점을 옮겨 세로로 계산

$$0.24 \overline{)1.68} \quad \Rightarrow \quad 0.24 \overline{)1.68}$$

소수점을 각각 오른쪽으로 두 자리씩 옮겨서 계산합니다.

개념 활용 2

자연수의 나눗셈을 이용하여 소수의 나눗셈 계산하기

예 3.6÷1.2=3
10배 ↓   10배 ↓
36 ÷ 12 = 3

0.36÷0.12=3
100배 ↓   100배 ↓
36 ÷ 12 = 3

3 자릿수가 다른 두 소수의 나눗셈

→ 3.12와 0.6을 각각 10배씩해서 계산할 수도 있습니다.
3.12÷0.6=5.2
10배 ↓   10배 ↓
31.2÷6=5.2

• 3.12÷0.6의 계산

방법 1 자연수의 나눗셈을 이용하여 계산

100배
$$3.12 \div 0.6 = 5.2 \qquad 312 \div 60 = 5.2$$
100배

방법 2 소수점을 옮겨 세로로 계산

$$0.6 \overline{)3.12} \quad \Rightarrow \quad 0.6 \overline{)3.12}$$

나누는 수가 자연수가 되도록 나누는 수와 나누어지는 수의 소수점을 오른쪽으로 같은 자리 만큼씩 옮겨서 계산합니다.

개념 활용 3

몫의 소수점의 위치

나누어지는 수의 옮긴 소수점의 위치와 같습니다.

예
$$2.7 \overline{)19.98} \quad (\times)$$

$$2.7 \overline{)19.98} \quad (\bigcirc)$$

1 몫이 나머지 넷과 <u>다른</u> 것은 어느 것입니까?

··· ( )

① $8.4 \div 0.7$　　　② $0.84 \div 0.07$

③ $\dfrac{84}{10} \div \dfrac{7}{10}$　　　④ $\dfrac{84}{100} \div \dfrac{7}{10}$

⑤ $84 \div 7$

2 □ 안에 들어갈 수 있는 자연수를 모두 구하시오.

$$4.25 \div 0.85 > \boxed{}$$

( )

3 계산에서 <u>잘못된</u> 곳을 찾아 바르게 고치고, 잘못된 이유를 쓰시오.

```
            4 2
8.2 ) 3 4.4 4
        3 2 8
        1 6 4
        1 6 4
              0
```
⇨ 〔　　　　　〕

이유 _____

_____

4 몫의 크기가 작은 것부터 순서대로 기호를 쓰시오.

┌─────────────────────────────┐
ㄱ $3.6 \div 0.9$　　ㄴ $3.6 \div 1.2$

ㄷ $3.6 \div 0.6$　　ㄹ $3.6 \div 1.8$
└─────────────────────────────┘

( )

5 지호의 몸무게는 $41.84\,\mathrm{kg}$, 강아지의 무게는 $5.23\,\mathrm{kg}$입니다. 지호의 몸무게는 강아지의 무게의 몇 배입니까?

( )

6 어떤 수를 5.3으로 나누어야 하는데 잘못하여 곱했더니 10.07이 되었습니다. 어떤 수를 구하시오.

( )

1 (자연수)÷(소수)

- 17÷3.4의 계산

방법 1 분수의 나눗셈으로 바꾸어 계산

$$17÷3.4=\frac{170}{10}÷\frac{34}{10}=170÷34=5$$

방법 2 소수점을 옮겨 세로로 계산

$$3.4\overline{)17} \Rightarrow 3.4\overline{)17.0}$$

나누는 수가 자연수가 되도록 소수점을 오른쪽으로 한 자리씩 옮겨서 계산합니다.

→ 나누어지는 수의 끝자리 아래에 0이 계속 있는 것으로 생각하고 계산합니다.
예) 17=17.0=17.00……

$$\begin{array}{r} 5 \\ 3.4\overline{)17.0} \\ \underline{170} \\ 0 \end{array}$$

개념 활용 1

나누어지는 수와 몫, 나누는 수와 몫의 관계

- 나누어지는 수가 같을 때

$$■÷▲=★$$
$$■÷0.▲=★0$$
$$■÷0.0▲=★00$$

나누는 수가 $\frac{1}{10}$배씩 작아지면 몫은 10배씩 커집니다.

- 나누는 수가 같을 때

$$0.0■÷0.0▲=★$$
$$0.■÷0.0▲=★0$$
$$■÷0.0▲=★00$$

나누어지는 수가 10배씩 커지면 몫도 10배씩 커집니다.

2 몫을 반올림하여 나타내기

- 4.3÷3의 몫을 반올림하여 나타내기

$$\begin{array}{r} 1.433 \\ 3\overline{)4.3} \\ \underline{3} \\ 13 \\ \underline{12} \\ 10 \\ \underline{9} \\ 10 \\ \underline{9} \\ 1 \end{array}$$

① 몫을 반올림하여 자연수로 나타내려면 소수 첫째 자리에서 반올림해야 합니다.

⇨ 4.3÷3=1.4…… → 1

② 몫을 반올림하여 소수 첫째 자리까지 나타내려면 소수 둘째 자리에서 반올림해야 합니다.

⇨ 4.3÷3=1.43…… → 1.4

③ 몫을 반올림하여 소수 둘째 자리까지 나타내려면 소수 셋째 자리에서 반올림해야 합니다.

⇨ 4.3÷3=1.433…… → 1.43

참고

몫을 자연수까지 구하고 나머지 구하기

$$\begin{array}{r} 2 \\ 2\overline{)4.7} \\ \underline{4} \\ 0.7 \end{array}$$

→ 나머지의 소수점 위치는 나누어지는 수의 처음 소수점 위치와 같습니다.

나눗셈의 몫이 나누어떨어지지 않거나 너무 복잡할 때에는 몫을 반올림하여 나타낼 수 있어요.

1 ☐ 안에 알맞은 수를 써넣으시오.

$$72 \div 6 = \boxed{}$$

$$72 \div 0.6 = \boxed{}$$

$$72 \div 0.06 = \boxed{}$$

2 계산에서 <u>잘못된</u> 곳을 찾아 바르게 고치시오.

```
         5.5
3.4)1 8 7.0
      1 7 0
      1 7 0
      1 7 0
          0
```
⇨

3 ㉠＋㉡＋㉢의 값을 구하시오.

> ㉠ $1.88 \div 0.47$
> ㉡ $18.8 \div 0.47$
> ㉢ $188 \div 0.47$

( )

4 $3.2 \div 3$의 몫을 반올림하여 소수 첫째 자리까지 나타내어 보시오.

( )

5 몫을 반올림하여 소수 첫째 자리까지 나타낸 값과 반올림하여 소수 둘째 자리까지 나타낸 값의 차를 구하시오.

> $6.7 \div 1.2$

( )

6 무게가 다음과 같은 과일이 있습니다. 배의 무게는 방울토마토의 무게의 몇 배인지 반올림하여 자연수로 나타내어 보시오.

←배

←방울토마토

750.4 g   15.2 g

( )

1 나누어 주고 남는 양

- 끈 19.4 m를 한 사람에게 6 m씩 나누어 줄 때 나누어 줄 수 있는 사람 수와 남는 끈의 길이는 몇 m인지 구하기

$$
6\overline{)19.4} \Rightarrow
\begin{array}{r}
3 \\
6\overline{)19.4} \\
\underline{18} \\
1.4
\end{array}
$$

→ 나머지의 소수점은 19.4와 같은 위치에 찍습니다.

$19.4 \div 6 = 3 \cdots 1.4$

몫을 자연수까지 구하고 나머지를 구해 봐요.

⇨ 나누어 줄 수 있는 사람 수는 3명이고 남는 끈의 길이는 1.4 m입니다.

2 소수의 나눗셈의 활용

- 거리, 속력, 시간과 관련된 문제
  └ 일정한 시간 동안 가는 거리

$$
(\text{거리}) = (\text{속력}) \times (\text{시간}) \Rightarrow
\begin{array}{l}
(\text{시간}) = (\text{거리}) \div (\text{속력}) \\
(\text{속력}) = (\text{거리}) \div (\text{시간})
\end{array}
$$

예 1시간 30분 동안 97.5 km를 달리는 자동차의 경우, 1시간 동안 갈 수 있는 거리는 $97.5 \div 1.5 = 65$ (km)입니다.
　　　　　　　　　　　　　　　　　　　　　　속력

- 일의 자리 미만을 올려 몫을 구하는 문제
  − 물건을 바구니에 나누어 담을 때 필요한 바구니의 최소 개수
  − 물을 병에 나누어 담을 때 필요한 병의 최소 개수
    예 물 75.5 L를 1.4 L 들이 병 여러 개에 담으려면
    $75.5 \div 1.4 = 53.9\cdots\cdots$이므로
    병이 적어도 $53 + 1 = 54$(개) 필요합니다.

- 일의 자리 미만을 버려 몫을 구하는 문제
  − 물건을 나누어 줄 수 있는 최대 인원 수
  − 끈으로 포장할 수 있는 상자의 최대 개수
    예 상자 한 개를 포장하는 데 끈이 2.75 m 필요하고 끈 50 m가 있다면 $50 \div 2.75 = 18.1\cdots\cdots$이므로 상자를 최대한 18개까지 포장할 수 있습니다.

개념 활용 1

나누어지는 수 구하기

(나누어지는 수)
＝(나누는 수)×(몫)＋(나머지)

예 □ 안에 알맞은 수 구하기
　　$\square \div 2 = 2 \cdots 0.7$
⇨　$\square = 2 \times 2 + 0.7$
　　$\square = 4.7$

개념 활용 2

단위량을 구하는 경우

예 벽 $0.32\ m^2$를 칠하는 데 $0.8\ L$의 페인트를 사용
① (벽 $1\ m^2$를 칠하는 데 사용한 페인트의 양)
＝(페인트 양)÷(벽의 넓이)
＝$0.8 \div 0.32 = 2.5$ (L)
② (페인트 1 L로 칠할 수 있는 벽의 넓이)
＝(벽의 넓이)÷(페인트 양)
＝$0.32 \div 0.8 = 0.4\ (m^2)$

미리보기 중2

- **유한소수**: 소수점 아래의 0이 아닌 숫자의 개수를 셀 수 있는 소수
  예 0.7, 8.42

- **무한소수**: 소수점 아래의 0이 아닌 숫자가 계속되는 소수
  예 3.444……, 1.78954……

1 상자 하나를 포장하는 데 리본이 3 m 필요합니다. 길이가 76.8 m인 리본으로 상자를 몇 개까지 포장할 수 있습니까? 그리고 남는 리본은 몇 m입니까?

> ☐ 개까지 포장할 수 있고, 남는 리본은
>
> ☐ m입니다.

2 한 포대에 32.3 kg씩 들어 있는 콩이 3포대 있습니다. 이 콩을 한 봉지에 7 kg씩 담으면 봉지에 담고 남는 콩은 몇 kg입니까?

( )

3 ☐ 안에 알맞은 수를 써넣으시오.

$$☐ \div 5 = 12 \cdots 0.9$$

4 1분에 1.3 km를 달리는 자동차가 있습니다. 같은 빠르기로 182 km를 달리는 데 걸리는 시간은 몇 시간 몇 분입니까?

( )

5 990 kg까지 실을 수 있는 엘리베이터가 있습니다. 몸무게가 50.5 kg인 사람은 최대 몇 명까지 탈 수 있습니까?

( )

6 넓이가 33.2 m²인 직사각형 모양의 벽을 칠하는 데 페인트 30.8 L가 필요하다고 합니다. 페인트 1 L로 칠할 수 있는 벽의 넓이는 몇 m²인지 반올림하여 소수 첫째 자리까지 나타내어 보시오.

( )

유형 ❶ 도형의 넓이를 활용하는 문제

예제 1-1 오른쪽과 같이 가로가 6.7 cm, 넓이가 33.5 cm²인 직사각형이 있습니다. 이 직사각형의 세로는 몇 cm입니까?

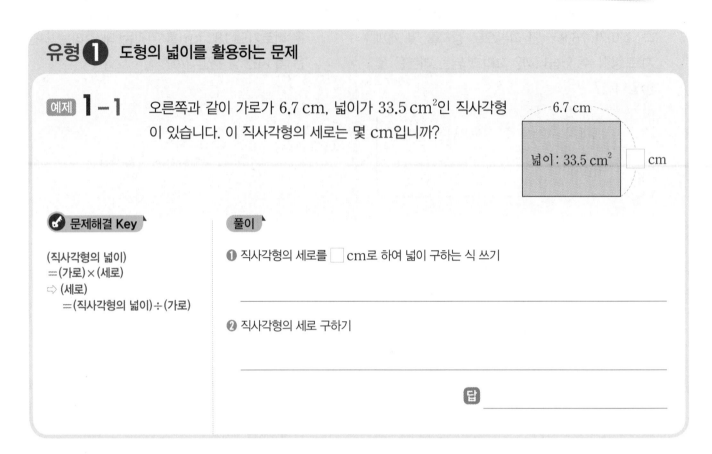

🎻 **문제해결 Key**

(직사각형의 넓이)
＝(가로)×(세로)
➡ (세로)
　＝(직사각형의 넓이)÷(가로)

풀이

❶ 직사각형의 세로를 ☐ cm로 하여 넓이 구하는 식 쓰기

_____

❷ 직사각형의 세로 구하기

_____

답 _____

예제 1-2 오른쪽과 같이 세로가 8.4 cm, 넓이가 45.36 cm²인 직사각형이 있습니다. 이 직사각형의 가로는 몇 cm입니까?

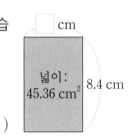

(   )

응용 1-3 오른쪽과 같이 한 대각선의 길이가 3.7 cm, 넓이가 8.88 cm²인 마름모가 있습니다. 이 마름모의 다른 대각선의 길이는 몇 cm입니까?

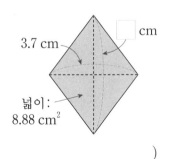

(   )

유형 ❷ 나누어지는 수를 구하는 식을 이용하는 문제

예제 2-1 어떤 수를 8.4로 나누어 몫을 자연수 부분까지 구했더니 몫은 6이고 나머지는 1.70이었습니다. 어떤 수를 7.4로 나누었을 때의 몫을 자연수 부분까지 구하고 나머지를 구하시오.

🔑 **문제해결 Key**

(나누어지는 수)
＝(나누는 수)×(몫)＋(나머지)

풀이

❶ 어떤 수를 ☐로 하여 8.4로 나눈 나눗셈식 쓰기

_____

❷ 나누어지는 수를 구하는 식을 이용하여 어떤 수 구하기

_____

❸ (어떤 수)÷7.4에서 몫, 나머지 구하기

_____

답 몫 _____

나머지 _____

예제 2-2 어떤 수를 2.9로 나누어 몫을 자연수 부분까지 구했더니 몫은 50이고 나머지는 2.8이었습니다. 어떤 수를 4.2로 나누었을 때의 몫을 자연수 부분까지 구하고 나머지를 구하시오.

몫 (   )

나머지 (   )

응용 2-3 어떤 수를 3.4로 나누어 몫을 자연수 부분까지 구했더니 몫은 4이고 나머지는 2.3이었습니다. 어떤 수를 8.2로 나누었을 때 몫을 반올림하여 소수 첫째 자리까지 나타내어 보시오.

(   )

유형 ❸ 몫의 소수점 아래의 숫자를 구하는 문제

예제 3-1 다음 나눗셈의 몫을 구할 때 몫의 소수 10째 자리 숫자를 구하시오.

$$8.9 \div 3$$

🎸 문제해결 Key

몫의 소수점 아래 숫자가 반복되는 규칙을 찾아봅니다.

예) $4.6 \div 3 = 1.5333\cdots\cdots$

⇨ 소수 둘째 자리부터 3이 반복됩니다.

풀이

❶ $8.9 \div 3$을 계산하기

_____

❷ 몫의 소수점 아래에서 반복되는 숫자 찾기

_____

❸ 몫의 소수 10째 자리 숫자 구하기

_____

_____

답 _____

예제 3-2 다음 나눗셈의 몫을 구할 때 몫의 소수 55째 자리 숫자는 얼마입니까?

$$7.1 \div 4.95$$

(   )

응용 3-3 다음 나눗셈의 몫을 반올림하여 소수 100째 자리까지 나타냈을 때 소수 100째 자리 숫자는 얼마입니까?

$$15.7 \div 6.6$$

(   )

유형 ④ 일정한 간격으로 놓인 물건의 수를 구하는 문제

예제 4-1 길이가 15.12 m인 직선 도로 한쪽에 0.42 m 간격으로 나무를 심었습니다. 도로의 시작 점과 끝나는 점에도 나무를 심었다면 심은 나무는 모두 몇 그루입니까? (단, 나무의 두께는 생각하지 않습니다.)

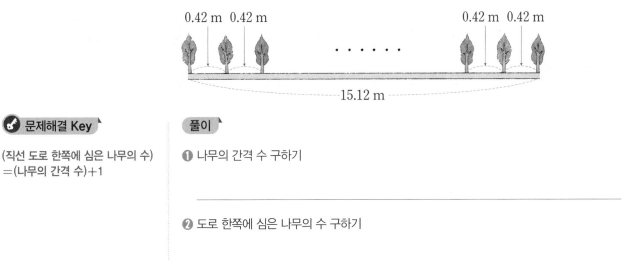

0.42 m　0.42 m　　　　　0.42 m　0.42 m

15.12 m

🔑 **문제해결 Key**

(직선 도로 한쪽에 심은 나무의 수)
＝(나무의 간격 수)+1

풀이

❶ 나무의 간격 수 구하기

＿＿＿＿＿＿＿＿＿＿＿＿＿＿＿＿＿＿＿＿＿＿＿＿＿＿＿

❷ 도로 한쪽에 심은 나무의 수 구하기

＿＿＿＿＿＿＿＿＿＿＿＿＿＿＿＿＿＿＿＿＿＿＿＿＿＿＿

답 ＿＿＿＿＿＿＿＿＿＿＿＿＿＿

예제 4-2 길이가 600 m인 직선 도로 한쪽에 2.5 m 간격으로 가로등을 세웠습니다. 도로의 시작 점과 끝나는 점에도 가로등을 세웠다면 세운 가로등은 모두 몇 개입니까? (단, 가로등의 두께는 생각하지 않습니다.)

(　　　　　　　　　　　)

응용 4-3 길이가 0.36 km인 직선 도로 양쪽에 2.4 m 간격으로 가로등을 세우려고 합니다. 도로의 시작 점과 끝나는 점에도 가로등을 세운다면 필요한 가로등은 모두 몇 개입니까? (단, 가로등의 두께는 생각하지 않습니다.)

(　　　　　　　　　　　)

유형 5 수 카드로 소수의 나눗셈식을 만드는 문제

예제 5-1 수 카드 3, 5, 7, 8, 9 중에서 4장을 골라 한 번씩 사용하여 몫이 가장 크게 되도록 다음 나눗셈식을 완성하고 몫을 구하시오.

$$0.\boxed{}\,)\,\overline{\boxed{}.\boxed{}\boxed{}}$$

🔑 **문제해결 Key**

몫이 가장 큰 나눗셈식
⇨ 나누어지는 수는 가장 큰 수
⇨ 나누는 수는 가장 작은 수

풀이

❶ 나누어지는 수 구하기 (소수 두 자리 수)

_____

❷ 나누는 수 구하기 (소수 한 자리 수)

_____

❸ 나눗셈의 몫 구하기

_____

답 _____

예제 5-2 수 카드 1, 3, 5, 6, 9 중에서 4장을 골라 한 번씩 사용하여 몫이 가장 작게 되도록 다음 나눗셈식을 완성하고 몫을 구하시오.

$$0.\boxed{}\,)\,\overline{\boxed{}.\boxed{}\boxed{}}$$

(   )

응용 5-3 수 카드 7장 중에서 6장을 골라 한 번씩 사용하여 몫이 가장 큰 (소수 두 자리 수)÷(소수 두 자리 수)의 나눗셈식을 만들고 그 몫을 구하시오.

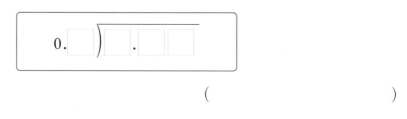

6   7   1   0   2   5   8

나눗셈식 $\boxed{}.\boxed{}\boxed{} ÷ \boxed{}.\boxed{}\boxed{}$, 몫 (   )

유형 6 양초가 타는 데 걸리는 시간을 구하는 문제

예제 6-1 길이가 16.4 cm인 양초가 한 개 있습니다. 이 양초가 4분 동안 0.32 cm 탄다면 같은 빠르기로 양초가 모두 타는 데 걸리는 시간은 몇 시간 몇 분입니까?

🔑 **문제해결 Key**

양초가 ■분 동안 ㉠ cm 탄다면 1분 동안에는 (㉠÷■) cm 탑니다.

⒟ 양초가 2분 동안 4 cm 탄다면 1분 동안에는 4÷2=2(cm) 탑니다.

풀이

❶ 1분 동안 타는 양초의 길이 구하기

_____

❷ 양초가 모두 타는 데 걸리는 시간 구하기

_____

❸ ❷를 시간, 분 단위로 나타내기

_____

답 _____

예제 6-2 길이가 14.85 cm인 양초가 한 개 있습니다. 이 양초가 3분 동안 0.27 cm 탄다면 같은 빠르기로 양초가 모두 타는 데 걸리는 시간은 몇 시간 몇 분입니까?

(   )

응용 6-3 길이가 21.7 cm인 양초가 한 개 있습니다. 이 양초에 불을 붙이면 10분 동안 0.24 cm씩 일정한 빠르기로 탑니다. 이 양초에 불을 붙인 다음 몇 시간 몇 분이 지나면 9.7 cm가 남게 되겠습니까?

(   )

2 소수의 나눗셈

유형 7 반올림한 몫의 범위를 알아보는 문제

예제 7-1 다음 나눗셈의 몫을 반올림하여 자연수로 나타내면 6입니다. ☐ 안에 알맞은 수를 구하시오.

$$\boxed{}.67 \div 0.8$$

🔑 문제해결 Key

반올림하여 자연수로 나타내면 ▲
가 되는 수의 범위
⇨ (▲−0.5) 이상
(▲+0.5) 미만

풀이

❶ 반올림하여 자연수로 나타내면 6이 되는 수의 범위 알아보기

_____

❷ 나누어지는 수의 범위 알아보기

_____

_____

❸ ☐ 안에 알맞은 수 구하기

_____

답 _____

예제 7-2 다음 나눗셈의 몫을 반올림하여 자연수로 나타내면 2입니다. ☐ 안에 알맞은 수를 구하시오.

$$\boxed{}.59 \div 0.9$$

(   )

응용 7-3 다음 소수 한 자리 수끼리의 나눗셈에서 몫을 반올림하여 소수 첫째 자리까지 나타내면 7.8입니다. ☐ 안에 들어갈 수 있는 숫자는 모두 몇 개입니까?

$$64.\boxed{} \div 8.3$$

(   )

창의·융합 **유형 ⑧** 소수의 나눗셈을 활용한 문제

[수학＋음악]

예제 8-1

다음 오선지에 음표를 그리려고 합니다. ♩(4분음표)가 한 개 그려져 있는 첫째 마디에 ♪.(점 8분음표)만을 그려서 첫째 마디를 완성한다면 첫째 마디에 ♪.(점8분음표)를 몇 개 그려야 합니까? (단, $\frac{4}{4}$박자에서 위의 숫자 4는 마디당 4박자임을 나타내고, 아래 숫자 4는 ♩(4분 음표)가 1박자임을 나타냅니다.)

$\frac{4}{4}$박자일 때 음표가 나타내는 박자

음표	♩(2분음표)	♩.(점4분음표)	♩(4분음표)	♪.(점8분음표)	♪(8분음표)
박자	2박자	1.5박자	1박자	0.75박자	0.5박자

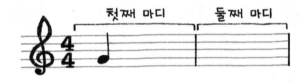

🔑 문제해결 Key

$\frac{4}{4}$박자는 한 마디 안에 그려진 음표의 박자의 합이 4박자가 되어야 합니다.

풀이

❶ 첫째 마디에 더 그려야 할 박자 수 구하기

_____

❷ ♪.를 몇 개 그려야 하는지 구하기

_____

답 _____

[수학＋사회]

예제 8-2

평소에 자가용으로 출퇴근을 하시던 희정이 아버지는 대중교통 이용의 날에 버스와 지하철을 타고 출근하셨습니다. 버스와 지하철을 탄 시간이 1시간 30분일 때, 버스와 지하철을 탄 시간은 지하철을 탄 시간의 몇 배인지 소수로 나타내어 보시오.

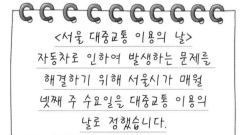

<서울 대중교통 이용의 날>
자동차로 인하여 발생하는 문제를
해결하기 위해 서울시가 매월
넷째 주 수요일을 대중교통 이용의
날로 정했습니다.

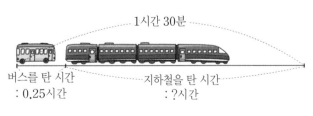

1시간 30분

버스를 탄 시간
: 0.25시간

지하철을 탄 시간
: ?시간

(   )

01 ☐ 안에 알맞은 수가 가장 작은 것을 찾아 기호를 쓰시오.

> ㉠ $1.955 \div \square = 0.85$
> ㉡ $1.25 \times \square = 3.5$
> ㉢ $6.048 \div 1.12 = \square$

( )

유형 **8** 소수의 나눗셈을 활용한 문제

02 물이 37.72 L 들어 있는 큰 물통이 있습니다. 이 물통에 들어 있는 물을 들이가 6.3 L인 작은 물통에 나누어 모두 담으려고 합니다. 작은 물통은 적어도 몇 개 필요합니까?

( )

창의 융합

[수학+과학] 유형 **3** 몫의 소수점 아래의 숫자를 구하는 문제

03 *미생물의 한 종류인 곰팡이는 따뜻하고 습기가 많은 곳에서 잘 자랍니다. 식빵에 지름이 각각 2.8 cm, 1.1 cm인 원 모양으로 곰팡이가 피었습니다. 지름 2.8 cm는 지름 1.1 cm의 몇 배인지 몫을 반올림하여 소수 15째 자리까지 나타냈을 때 소수 15째 자리 숫자를 구하시오.

( )

*미생물: 매우 작아서 눈으로 볼 수 없는 생물

곰팡이

유형 ① 도형의 넓이를 활용하는 문제

04 오른쪽 사다리꼴의 높이는 몇 cm입니까?

2.7 cm

넓이 :
7.375 cm²

3.2 cm

(   )

유형 ⑤ 수 카드로 소수의 나눗셈식을 만드는 문제

05 수 카드를 한 번씩만 사용하여 몫이 가장 큰 수가 되도록 ㉠.㉡㉢÷㉣.㉤ 의 나눗셈식을 만들고, 그 몫을 구하시오. (단, ㉠, ㉡, ㉢, ㉣, ㉤은 한 자리 수입니다.)

| 1 | 3 | 5 | 7 | 9 |

나눗셈식 ☐☐☐ ÷ ☐☐ , 몫 (   )

유형 ⑥ 양초가 타는 데 걸리는 시간을 구하는 문제

06 길이가 12 cm인 양초가 한 개 있습니다. 이 양초가 0.25시간 동안 0.75 cm씩 일정한 빠르기로 탈 때 이 양초에 불을 붙인 다음 1시간 30분 후에 남은 양초의 길이는 몇 cm입니까?

(   )

07 다음 나눗셈의 몫이 소수 첫째 자리에서 나누어떨어지도록 나누어지는 수에 얼마를 더하려고 합니다. 더해야 하는 수 중에서 가장 작은 수를 구하시오.

$$3.54 \div 1.46$$

( )

유형 ❹ 일정한 간격으로 놓인 물건의 수를 구하는 문제

08 둘레가 59.8 m인 원 모양의 울타리에 2.3 m 간격으로 기둥을 세우려고 합니다. 기둥을 몇 개 세울 수 있습니까? (단, 기둥의 두께는 생각하지 않습니다.)

( )

09 3.5 m²의 벽을 칠하는 데 0.56 L의 페인트가 필요합니다. 140 m²의 벽을 칠하려고 하는데 페인트가 20 L 있다면 페인트는 몇 L가 더 필요합니까?

( )

[해법 경시 유형] 유형 **7** 반올림한 몫의 범위를 알아보는 문제

10 다음 나눗셈의 몫을 반올림하여 소수 둘째 자리까지 나타내면 0.44입니다. ☐ 안에 알맞은 숫자를 구하시오.

$$1.47\boxed{}2 \div 3.4$$

( )

유형 **8** 소수의 나눗셈을 활용한 문제

11 어떤 자전거는 바퀴가 한 바퀴 돌 때 144 cm씩 가고, 페달을 한 번 돌릴 때마다 바퀴는 2.5바퀴씩 돈다고 합니다. 이 자전거로 46.8 m를 가려면 페달을 몇 번 돌려야 합니까?

( )

창의 융합

[수학 + 체육]

12 *표준체중이란 개인의 키에 적당한 체중을 말합니다. 표준체중을 구하는 방법은 다음과 같습니다. 표준체중이 54 kg인 사람의 키는 몇 cm입니까?

*표준체중의 1.2배 이상인 경우 비만이라고 합니다.

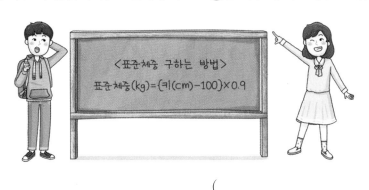

〈표준체중 구하는 방법〉

표준체중(kg)=(키(cm)−100)×0.9

( )

13 오른쪽 그림과 같은 직사각형 모양의 바닥에 한 변이 0.25 m인 정사각형 모양의 타일을 빈틈없이 이어서 붙이려고 합니다. 타일은 모두 몇 장 필요합니까?

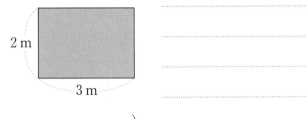

(   )

14 어떤 기차가 일정한 빠르기로 2시간 45분 동안 270.6 km를 갔다면 이 기차는 15분 동안 몇 km를 간 것입니까?

(   )

해법 경시 유형 유형 **8** 소수의 나눗셈을 활용한 문제

15 공기 중에서 빛의 속도는 소리의 속도보다 빠릅니다. 공기 중에서 소리는 기온이 ㉠ ℃일 때 1초에 (331.5＋0.61×㉠) m를 이동합니다. 보라는 번개가 친 지 2초 후에 천둥소리를 들었습니다. 보라가 있는 곳에서 번개가 친 곳까지의 거리가 690.4 m라면 현재 기온은 몇 ℃인지 반올림하여 소수 첫째 자리까지 나타내어 보시오. (단, 번개와 천둥은 동시에 쳤고 번개의 속도는 생각하지 않습니다.)

(   )

성대 경시 유형 유형 **8** 소수의 나눗셈을 활용한 문제

16 어떤 물건을 원래 가격의 0.2만큼 이익을 붙여 판매 가격을 정했습니다. 이 물건을 판매 가격의 0.1만큼 할인하여 팔면 1000원의 이익이 생긴다고 합니다. 이 물건의 원래 가격은 얼마입니까?

( )

성대 경시 유형 해법 경시 유형

17 길이가 74 m인 기차가 한 시간에 108 km씩 일정한 빠르기로 달리고 있습니다. 이 기차가 길이가 650 m인 터널을 완전히 통과하는 데 걸리는 시간은 몇 초인지 반올림하여 자연수로 나타내어 보시오.

( )

성대 경시 유형 유형 **2** 나누어지는 수를 구하는 식을 이용하는 문제

18 어떤 수를 1.9로 나눈 몫을 소수 첫째 자리에서 반올림하면 10이 됩니다. 어떤 수가 소수 한 자리 수일 때, 어떤 수는 모두 몇 개입니까? (단, 3.0, 12.0과 같이 소수 첫째 자리 숫자가 0인 경우는 없습니다.)

( )

[수학 + 과학]

01 지구와 어떤 행성에서 같은 물체의 무게를 재면 무게가 다르게 나타나는데 그 이유는 지구와 어떤 행성의*중력이 서로 다르기 때문입니다. 지구에서의 몸무게가 48 kg인 정호가 A 행성에서 몸무게를 재면 8 kg이고 B 행성에서 몸무게를 재면 지구에서 잰 몸무게의 2.75배가 됩니다. 다은이가 B 행성에서 잰 몸무게가 101.75 kg이라면 A 행성에서 잰 몸무게는 몇 kg이 되는지 반올림하여 소수 둘째 자리까지 나타내어 보시오.

*중력: 지구 또는 어떤 행성이 자신의 중심으로 물체를 끌어당기는 힘

▲ 지구

(   )

02 오른쪽 그림에서 삼각형 ㄱㄴㄷ의 넓이는 삼각형 ㄹㅁㄷ의 넓이의 4배입니다. 삼각형 ㄱㄴㄷ의 넓이가 12.22 cm²라면 선분 ㄴㅁ의 길이는 몇 cm입니까?

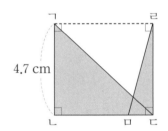

4.7 cm

(   )

03 1시간 30분 동안 20.1 km를 일정한 빠르기로 흐르는 강이 있습니다. 흐르지 않는 물에서 1시간에 36 km를 가는 배가 강물이 흐르는 반대 방향으로 56.5 km를 가려면 몇 시간 몇 분이 걸리겠습니까?

(   )

04 그림과 같이 한 장의 길이가 12.7 cm인 색 테이프를 2.2 cm씩 겹치게 이어 붙였더니 색 테이프의 전체 길이는 327.7 cm가 되었습니다. 이은 색 테이프는 모두 몇 장입니까?

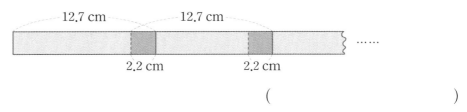

(   )

성대 경시 유형

05 소수 2.48을 자연수 ㉠으로 나눈 몫이 소수 두 자리 수가 되는 자연수 ㉠은 모두 몇 개입니까?

(   )

해법 경시 유형

06 길이가 20 m인 선분 가 위에서 점 ㉠, 점 ㉡, 점 ㉢이 일정한 빠르기로 움직이고 있습니다. 점 ㉠은 점 ㉡ 방향으로 1분에 0.5 m씩, 점 ㉡은 점 ㉠ 방향으로 1분에 0.3 m씩 움직입니다. 또, 점 ㉢은 점 ㉠과 점 ㉡ 사이에서 1분에 1.2 m씩 움직이는데 점 ㉡을 만나면 점 ㉠ 방향으로 방향을 바꾸어 움직이고, 점 ㉠을 만나면 다시 점 ㉡ 방향으로 방향을 바꾸어 움직이는 방법으로 계속 움직입니다. 점 ㉠, ㉡, ㉢이 동시에 움직이기 시작하여 세 점이 한 점에서 만날 때까지 점 ㉢이 움직인 거리는 몇 m입니까?

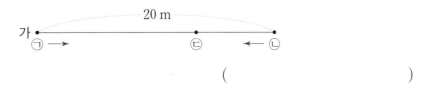

(   )

소수의 역사

벨기에의 시몬 스테빈은 네덜란드 군에 입대해서 회계를 담당하는 장교가 되었습니다. 스테빈은 네덜란드가 스페인으로부터 전쟁을 하던 시기에 자금을 빌리고 이자를 계산하면서 이자율 때문에 머리가 아팠습니다. 그래서 스테빈은 '좀 더 쉽게 계산할 수 있는 방법은 없을까?'하고 고민하던 중 소수를 발견하게 되었답니다.

▲ 시몬 스테빈

스테빈의 소수 표기법: $\dfrac{345}{1000}=$ ⓪ 3 ① 4 ② 5 ③ ⇨ 현재의 0.345

자연수 뒤
소수 첫째 자리 숫자 뒤
소수 둘째 자리 숫자 뒤
소수 셋째 자리 숫자 뒤

독일의 크리스토프 루돌프는 어떤 수를 각각 10, 100, 1000으로 나눌 때 나누는 수에 들어 있는 0의 개수만큼 콤마(,)를 찍어서 구분하는 방법을 생각해 냈습니다.
예를 들면 '53÷10＝5, 3' 이런 식이지요.

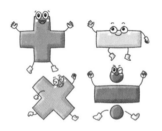

우리가 사용하고 있는 많은 수학 기호들 중 대부분 세계적으로 공통적인 기호를 사용하는 데 아직도 세계화되지 못한 것들도 있습니다. 바로, 나누기 기호인 '÷'와 소수를 표현하는 소수점이랍니다.

세계 여러 나라의 소수 표현

프랑스, 독일: 콤마(,)를 사용하여 소수점 표현　예 2,47
미국, 우리나라: 점(.)을 사용하여 소수점 표현　예 2.47
영국: 처음에 가운데 점(·)을 찍어 소수점을 표현하였는데, 곱셈의 기호로 '×'와 함께 가운데 점(·)을 사용하고 있었기 때문에 혼란이 생겨 점(.) 또는 콤마(,)를 사용하고 있습니다.

최 | 고 | 수 | 준

3 공간과 입체

꼭! 알아야 할 대표 유형

유형 ❶   각 층에 쌓인 쌓기나무의 수를 구하는 문제

유형 ❷   빼내거나 더 필요한 쌓기나무의 수를 구하는 문제

유형 ❸   조건에 맞도록 위, 앞, 옆에서 본 모양을 그리는 문제

유형 ❹   색칠된 쌓기나무의 수를 구하는 문제

유형 ❺   쌓기나무의 최대, 최소 개수를 구하는 문제

유형 ❻   쌓기나무를 쌓는 가짓수를 구하는 문제

유형 ❼   ★층에 알맞은 모양을 찾는 문제

유형 ❽   [창의·융합] 쌓기나무로 쌓은 모양의 겉넓이를 구하는 문제

단계	쪽수	공부한 날	점수	
1단계 START 개념	54~59	월　일	O	X
2단계 JUMP 유형	60~67	월　일	O	X
3단계 MASTER 심화	68~73	월　일	O	X
4단계 TOP 최고수준	74~75	월　일	O	X

※ O에는 맞힌 개수, X에는 틀린 개수를 써넣으세요.

1 사용한 쌓기나무의 개수

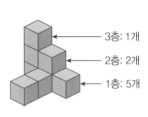

3층: 1개
2층: 2개
1층: 5개

┌─ 1층에 쌓인 쌓기나무는 5개인
│ 것을 알 수 있어요.

위에서 본 모양

(사용한 쌓기나무의 수)=5+2+1=8(개)

개념 활용 1

숨겨진 쌓기나무가 있는 경우

위에서 본 모양

⇨ 위에서 본 모양에서 ㉡에 쌓인 쌓기나무는 ㉠ 뒤에 있어서 왼쪽 그림에서는 보이지 않습니다.

2 위, 앞, 옆 또는 층별로 본 모양

• 7개의 쌓기나무로 쌓은 모양을 보고 위, 앞, 옆에서 본 모양 그리기

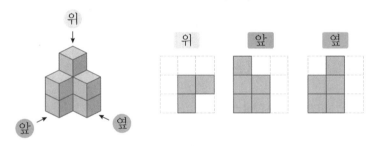

• 위에서 본 모양에 수를 쓴 것을 보고 앞과 옆에서 본 모양 그리기

┌─ 쌓기나무로 쌓은 모양을 위에서 보았을 때 각 자리에 쌓인 쌓기나무의 수를 쓴 것이에요.

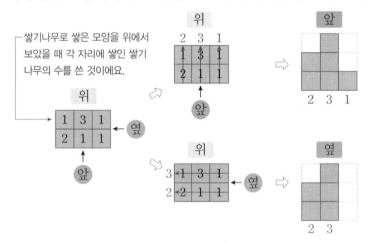

• 6개의 쌓기나무로 쌓은 모양을 보고 1층과 2층 모양 그리기

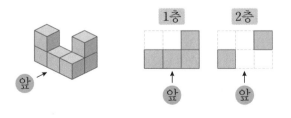

개념 활용 2

층별로 나타낸 모양을 보고 위에서 본 모양에 수를 쓰는 방법

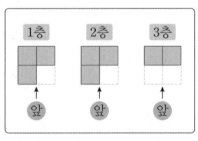

• 위에서 본 모양은 1층의 모양과 같습니다.
• 층별로 나타낸 모양에서 ㉠과 ㉡부분은 3층까지, ㉢부분은 2층까지 쌓여 있습니다.
  ⇨ ㉠과 ㉡에 쌓인 쌓기나무 3개, ㉢에 쌓인 쌓기나무 2개

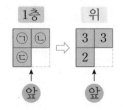

1 사용한 쌓기나무의 수가 더 많은 것을 찾아 기호를 쓰시오.

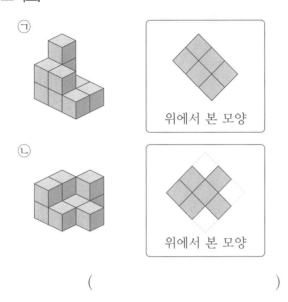

ㄱ

위에서 본 모양

ㄴ

위에서 본 모양

(　　　　　　　　)

2 쌓기나무로 쌓은 모양을 보고 위에서 본 모양에 수를 쓴 것입니다. 앞과 옆에서 본 모양을 각각 그려 보시오.

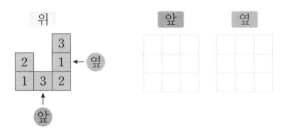

3 다음은 쌓기나무 7개로 쌓은 모양입니다. 위에서 본 모양이 오른쪽과 같은 것을 찾아 기호를 쓰시오.

위

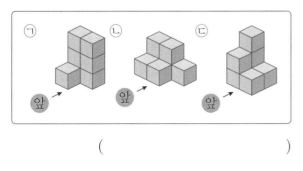

(　　　　　　　　)

4 쌓기나무로 쌓은 모양을 층별로 나타낸 모양을 보고 위에서 본 모양에 수를 쓰는 방법으로 나타내어 보시오.

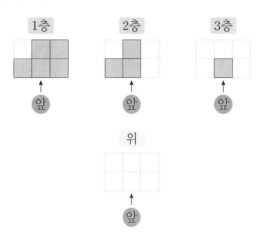

5 쌓기나무로 쌓은 모양을 보고 위에서 본 모양에 수를 쓴 것입니다. 쌓기나무 12개로 쌓은 모양일 때, 앞과 옆에서 본 모양을 각각 그려 보시오.

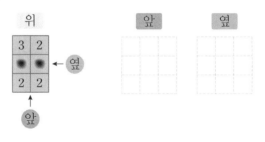

6 쌓기나무를 쌓은 모양에서 뒤쪽에 쌓인 쌓기나무는 보이지 않을 수 있습니다. 쌓기나무를 가장 많이 사용했을 때 쌓기나무는 몇 개입니까?

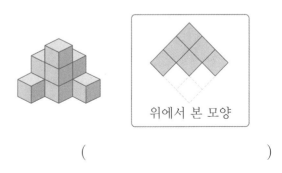

위에서 본 모양

(　　　　　　　　)

3

공간과 입체

1 위, 앞, 옆(오른쪽)에서 본 모양을 보고 쌓은 모양과 필요한 쌓기나무의 개수 구하기

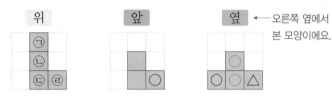

← 오른쪽 옆에서 본 모양이에요.

- 앞과 옆에서 본 모양의 ○부분에 의해서 ㉢, ㉣에 쌓인 쌓기나무는 각각 1개씩입니다.
- 옆에서 본 모양의 △부분에 의해서 ㉠에 쌓인 쌓기나무는 1개입니다.
- 옆에서 본 모양의 ○부분에 의해서 ㉡에 쌓인 쌓기나무는 2개입니다.

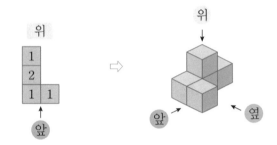

⇨ (필요한 쌓기나무의 수)=1+2+1+1=5(개)

2 쌓은 모양을 층별로 나타낸 모양을 보고 쌓은 모양과 필요한 쌓기나무의 개수 구하기

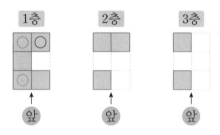

- 1층의 ○부분은 쌓기나무가 3층까지, ○부분은 쌓기나무가 2층까지, 나머지 부분은 1층만 있습니다.

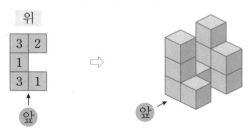

⇨ (필요한 쌓기나무의 수)=3+2+1+3+1=10(개)

개념 활용 **1**

위에서 본 모양에 쓰인 수를 보고 층별 쌓기나무의 수 구하기

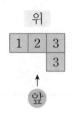

⇨ 1층: 위에서 본 모양의 칸 수 → 4개
2층: 2 이상의 수가 쓰인 칸 수 → 3개
3층: 3 이상의 수가 쓰인 칸 수 → 2개

개념 활용 **2**

1층 모양을 알 때 2층과 3층으로 알맞은 모양 찾기

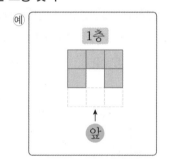

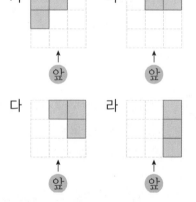

- 2층 모양으로 가능한 것: 가, 나, 다
- 2층이 가 또는 나라면 3층에 놓을 수 있는 모양이 없습니다.

⇨ 2층: 다, 3층: 나

1 쌓기나무로 쌓은 모양을 위, 앞, 옆(오른쪽)에서 본 모양입니다. 쌓은 모양을 찾아 기호를 쓰시오.

위   앞   옆

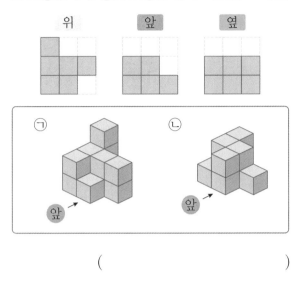

(   )

2 쌓기나무로 쌓은 모양을 보고 위에서 본 모양에 수를 쓴 것입니다. 쌓은 모양을 찾아 기호를 쓰시오.

위

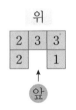

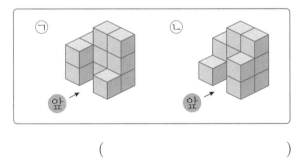

(   )

3 쌓기나무로 쌓은 모양을 층별로 나타낸 모양입니다. 똑같은 모양으로 쌓는 데 필요한 쌓기나무는 모두 몇 개입니까?

1층   2층   3층

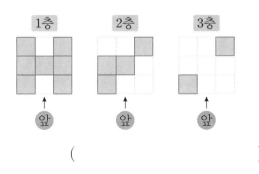

(   )

4 쌓기나무로 쌓은 모양을 위, 앞, 옆(오른쪽)에서 본 모양입니다. 똑같은 모양으로 쌓는 데 필요한 쌓기나무는 모두 몇 개입니까?

위   앞   옆

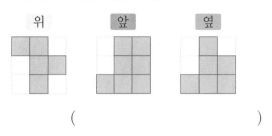

(   )

5 쌓기나무로 쌓은 모양을 보고 위에서 본 모양에 수를 쓴 것입니다. 3층에 쌓인 쌓기나무는 몇 개입니까?

위

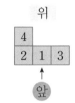

(   )

6 쌓기나무로 1층 위에 2층과 3층을 쌓으려고 합니다. 2층과 3층으로 알맞은 모양을 각각 찾아 기호를 쓰시오.

1층

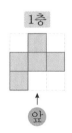

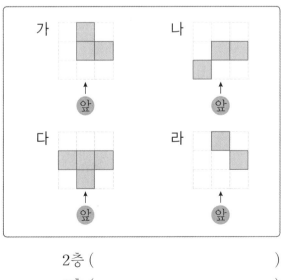

2층 (   )

3층 (   )

1 여러 가지 모양 만들기

• 쌓기나무 1개를 더 붙여서 만들기

① 모양에 쌓기나무 1개를 더 붙여서 만들기

② 모양에 쌓기나무 1개를 더 붙여서 만들기

예

• 쌓기나무를 각각 4개씩 붙여서 만든 두 가지 모양을 이용하여 만들기

예 ⇨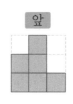

2 쌓기나무의 최대, 최소 개수 구하기

위 앞 옆 ← 오른쪽 옆에서 본 모양이에요.

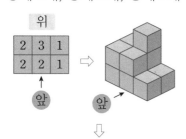

> 위에서 본 모양의 각 자리에 쌓은 쌓기나무의 수를 확실히 알 수 있는 것부터 쓰기
>
> 위
> | ㉠ | 3 | 1 |
> | ㉡ | ㉢ | 1 |
> ↑
> 앞

〈쌓기나무의 최대 개수〉
㉠에 2개, ㉡에 2개, ㉢에 2개

위
| 2 | 3 | 1 |
| 2 | 2 | 1 |
↑
앞

⇨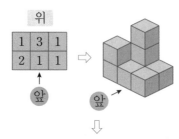
앞

2+3+1+2+2+1=11(개)

〈쌓기나무의 최소 개수〉
㉠에 1개, ㉡에 2개, ㉢에 1개

위
| 1 | 3 | 1 |
| 2 | 1 | 1 |
↑
앞

⇨ 앞

1+3+1+2+1+1=9(개)

모양을 뒤집거나 돌려서 모양이 같으면 같은 모양입니다.

예 =

 =

 =

개념 활용

위, 앞, 옆(오른쪽)에서 본 모양을 보고 쌓은 모양의 가짓수 구하기

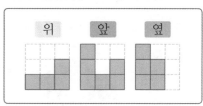

위 앞 옆

앞, 옆(오른쪽)에서 본 모양을 보고 위에서 본 모양에 수를 쓰는 방법으로 나타냅니다.

위
| | | 2 | ← ㉠ 자리에 쌓
| 3 | 1 | ㉠ | 기나무의 수는
↑ 1 또는 2가 될
앞 수 있습니다.

⇨ 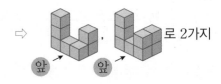 로 2가지
앞 앞

1 뒤집거나 돌렸을 때 왼쪽과 <u>다른</u> 모양을 찾아 기호를 쓰시오. (단, 왼쪽 모양은 쌓기나무 4개를 붙여서 만든 것입니다.)

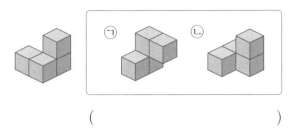

(   )

2 오른쪽 모양은 똑같은 모양을 2개 이용하여 만든 것입니다. 다음 중 이용한 모양을 찾아 기호를 쓰시오. (단, ㉠~㉣은 쌓기나무를 각각 4개, 5개를 붙여서 만든 모양입니다.)

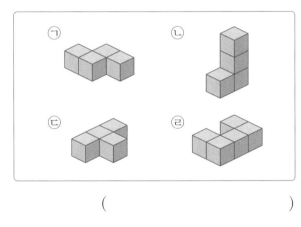

(   )

3 쌓기나무로 쌓은 모양을 위, 앞, 옆(오른쪽)에서 본 모양입니다. 필요한 쌓기나무는 최소 몇 개입니까?

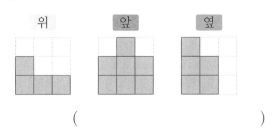

(   )

4 쌓기나무로 쌓은 모양을 위, 앞, 옆(오른쪽)에서 본 모양입니다. 필요한 쌓기나무는 최대 몇 개입니까?

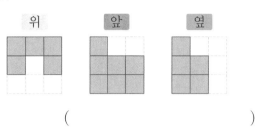

(   )

5 쌓기나무로 쌓은 모양을 위, 앞, 옆(오른쪽)에서 본 모양입니다. 쌓기나무를 가장 적게 사용할 때, 위에서 본 모양에 수를 쓰는 방법으로 나타내어 보시오.

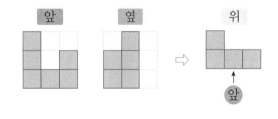

6 쌓기나무로 쌓은 모양을 위, 앞, 옆(오른쪽)에서 본 모양입니다. 쌓은 모양의 가짓수는 몇 가지입니까?

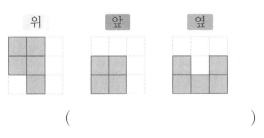

(   )

3. 공간과 입체 • **59**

3
공간과 입체

유형 ❶ 각 층에 쌓인 쌓기나무의 수를 구하는 문제

예제 1-1 쌓기나무로 쌓은 모양을 보고 위에서 본 모양에 수를 쓴 것입니다. 2층 이상에 쌓인 쌓기나무는 모두 몇 개입니까?

```
        위
      2       4
    1   1   3   2
    3
        ↑
        앞
```

🔑 **문제해결 Key**

(전체 쌓기나무의 수)
─ (1층의 쌓기나무의 수)
─────────────
(2층 이상의 쌓기나무의 수)
    ↳ 2층, 3층, 4층

💬 **풀이**

❶ 전체 쌓기나무의 수 구하기

_____

❷ 1층에 쌓인 쌓기나무의 수 구하기

_____

❸ 2층 이상에 쌓인 쌓기나무의 수 구하기

_____

답 _____

예제 1-2 쌓기나무로 쌓은 모양을 보고 위에서 본 모양에 수를 쓴 것입니다. 2층 이상에 쌓인 쌓기나무는 모두 몇 개입니까?

```
          위
        2   3
      4   1   1   1
      3           2
          ↑
          앞
```

( )

응용 1-3 쌓기나무로 쌓은 모양을 보고 위에서 본 모양에 수를 쓴 것입니다. 전체 쌓기나무의 수에서 1층과 2층에 쌓인 쌓기나무의 수를 빼면 몇 개입니까?

```
      위
    5   1   2   4
    1           1
        ↑
        앞
```

( )

유형 ② 빼내거나 더 필요한 쌓기나무의 수를 구하는 문제

예제 2-1 다음 정육면체 모양에서 쌓기나무를 몇 개 빼냈더니 오른쪽 모양이 되었습니다. 빼낸 쌓기
나무는 몇 개입니까?

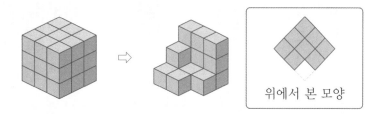

위에서 본 모양

🔑 **문제해결 Key**

(처음 쌓기나무의 수)
−(남은 쌓기나무의 수)
=(빼낸 쌓기나무의 수)

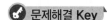
예
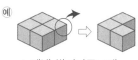

⇨ 빼낸 쌓기나무: 1개

풀이

❶ 정육면체 모양의 쌓기나무의 수 구하기

_____

❷ 남은 쌓기나무의 수 구하기

_____

❸ 빼낸 쌓기나무의 수 구하기

_____

답 _____

예제 2-2 다음 정육면체 모양에서 쌓기나무를 몇 개 빼냈더니 오른쪽 모양이 되었습니다. 빼낸 쌓기나무는
몇 개입니까?

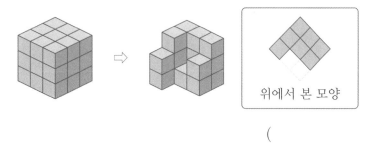

위에서 본 모양

(   )

응용 2-3 다음과 같은 모양으로 쌓기나무를 쌓았습니다. 여기에 쌓기나무를 더 쌓아 가장 작은 정육면체
모양을 만들 때 더 필요한 쌓기나무는 몇 개입니까?

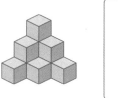 

위에서 본 모양

(   )

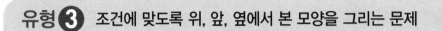

유형 ③ 조건에 맞도록 위, 앞, 옆에서 본 모양을 그리는 문제

예제 3-1 쌓기나무 12개로 쌓은 모양입니다. 빨간색 쌓기나무 3개를 빼낸 후 옆에서 본 모양을 그려 보시오.

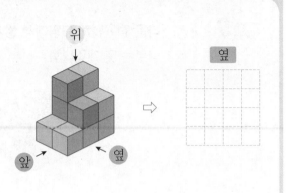

🔑 **문제해결 Key**

· (전체 쌓기나무의 수)
　－(2층과 3층 쌓기나무의 수)
　＝(1층 쌓기나무의 수)

· 위에서 본 모양의 각 칸에 쌓인 쌓기나무의 수를 씁니다.
　└▸1층의 모양

풀이

❶ 1층의 쌓기나무의 수 구하기
＿＿＿＿＿＿＿＿＿＿＿＿＿＿＿＿＿

❷ 빼내기 전과 후의 쌓기나무의 수를 위에서 본 모양에 수를 쓰는 방법으로 나타내기

❸ 빨간색 쌓기나무 3개를 빼낸 후 옆에서 본 모양을 위 그림에 그리기

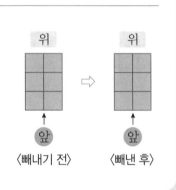

예제 3-2 쌓기나무 12개로 쌓은 모양에서 빨간색 쌓기나무 4개를 빼낸 후 앞에서 본 모양을 그려 보시오.

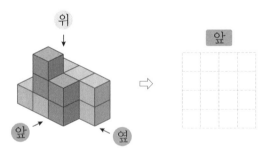

응용 3-3 쌓기나무 11개로 쌓은 모양입니다. 빨간색으로 색칠한 쌓기나무 위에 쌓기나무를 1개씩 더 쌓았을 때 위, 앞, 옆에서 본 모양을 각각 그려 보시오.

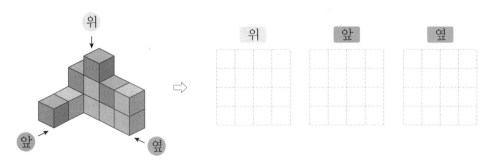

유형 4 색칠된 쌓기나무의 수를 구하는 문제

예제 4-1 오른쪽과 같이 정육면체 모양으로 쌓기나무를 쌓고 바깥쪽 면을 페인트로 모두 칠했습니다. 세 면에 페인트가 칠해진 쌓기나무는 모두 몇 개입니까? (단, 바닥에 닿는 면도 칠합니다.)

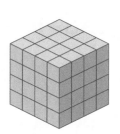

🔑 **문제해결 Key**

세 면에 페인트가 칠해진
쌓기나무의 수

||

큰 정육면체의 꼭짓점 수

풀이

❶ 세 면에 페인트가 칠해진 쌓기나무를 찾아 오른쪽 그림에 색칠하기

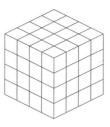

❷ 세 면에 페인트가 칠해진 쌓기나무의 수 구하기

_____

답 _____

예제 4-2 예제 4-1번과 같이 정육면체 모양으로 쌓기나무를 쌓고 바깥쪽 면을 페인트로 모두 칠했습니다. 한 면에 페인트가 칠해진 쌓기나무는 모두 몇 개입니까? (단, 바닥에 닿는 면도 칠합니다.)

(   )

응용 4-3 영석이는 오른쪽과 같이 쌓기나무로 만든 정육면체 모양의 바깥쪽 면을 초록색 페인트로 모두 칠했습니다. 두 면에 초록색 페인트가 칠해진 쌓기나무는 모두 몇 개입니까? (단, 바닥에 닿는 면도 칠합니다.)

(   )

유형 ⑤ 쌓기나무의 최대, 최소 개수를 구하는 문제

예제 **5-1** 위, 앞, 옆(오른쪽)에서 본 모양이 각각 다음과 같도록 쌓기나무를 쌓으려고 합니다. 쌓은 쌓기나무의 수가 가장 많은 경우와 가장 적은 경우는 각각 몇 개인지 차례로 쓰시오.

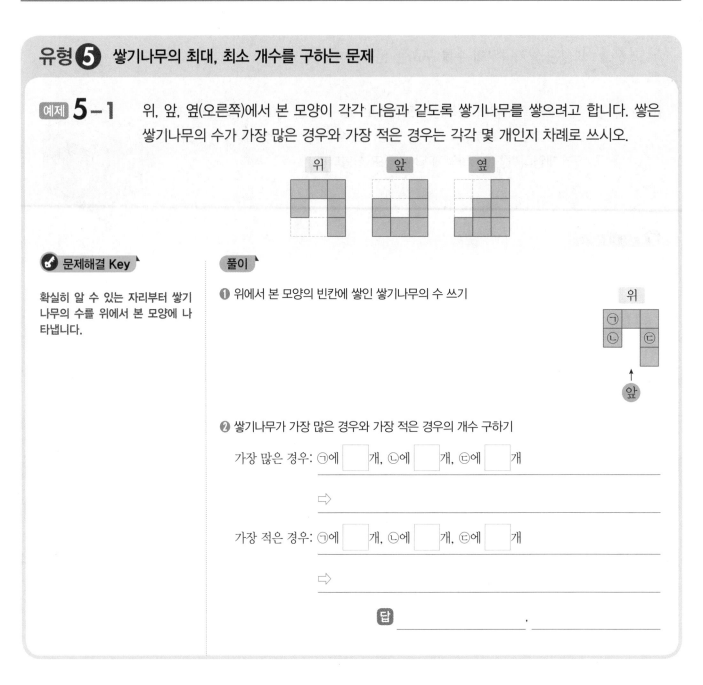

🎸 **문제해결 Key**

확실히 알 수 있는 자리부터 쌓기나무의 수를 위에서 본 모양에 나타냅니다.

풀이

❶ 위에서 본 모양의 빈칸에 쌓인 쌓기나무의 수 쓰기

❷ 쌓기나무가 가장 많은 경우와 가장 적은 경우의 개수 구하기

가장 많은 경우: ㉠에 ☐ 개, ㉡에 ☐ 개, ㉢에 ☐ 개

⇨ _____

가장 적은 경우: ㉠에 ☐ 개, ㉡에 ☐ 개, ㉢에 ☐ 개

⇨ _____

답 _____ , _____

예제 **5-2** 위, 앞, 옆(오른쪽)에서 본 모양이 각각 다음과 같도록 쌓기나무를 쌓으려고 합니다. 쌓은 쌓기나무의 수가 가장 많은 경우와 가장 적은 경우는 각각 몇 개인지 구하시오.

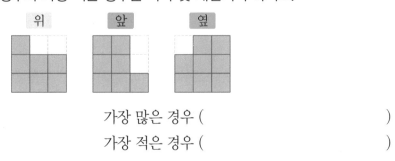

가장 많은 경우 (   )

가장 적은 경우 (   )

유형 **6** 쌓기나무를 쌓는 가짓수를 구하는 문제

예제 6-1 오른쪽의 위, 앞, 옆(오른쪽)에서 본 모양을 보고 쌓기나무를 쌓으려고 합니다. 모두 몇 가지 모양을 만들 수 있습니까?

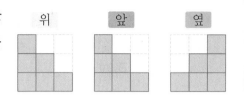

🔑 **문제해결 Key**

위에서 본 모양에 확실히 알 수 있는 자리부터 쌓기나무의 수 쓰기

⇩

나머지 칸에 쌓기나무를 몇 개 쌓을 수 있는지 알아보기

💬 **풀이**

❶ 위에서 본 모양의 빈칸에 쌓인 쌓기나무의 수 쓰기

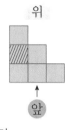

❷ 위에서 본 모양의 각 자리에 쌓을 수 있는 쌓기나무의 수를 쓰고 가짓수 구하기

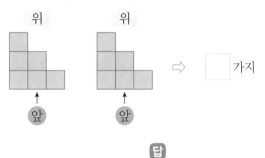

➡ ☐ 가지

답 _____

예제 6-2 오른쪽의 위, 앞, 옆(오른쪽)에서 본 모양을 보고 쌓기나무를 쌓으려고 합니다. 모두 몇 가지 모양을 만들 수 있습니까?

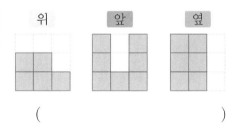

(   )

응용 6-3 위, 앞, 옆(오른쪽)에서 본 모양을 보고 쌓기나무를 쌓으려고 합니다. 모두 몇 가지 모양을 만들 수 있습니까?

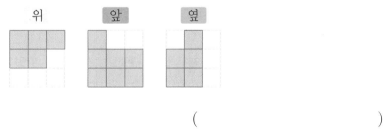

(   )

3
공간과 입체

유형 7 ★층에 알맞은 모양을 찾는 문제

예제 7-1 쌀기나무를 쌓은 모양의 1층과 3층 모양을 나타낸 것입니다. 2층에 놓인 쌀기나무의 수가 4개일 때 2층 모양이 될 수 있는 경우를 모두 그려 보시오.

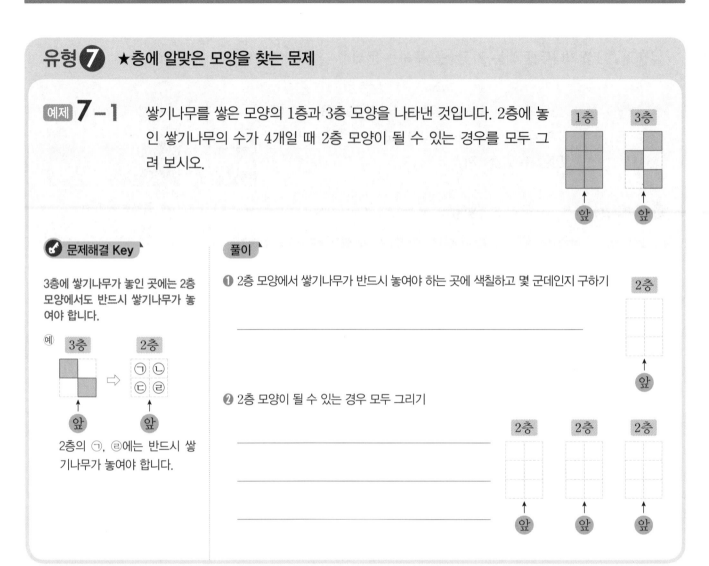

문제해결 Key

3층에 쌀기나무가 놓인 곳에는 2층 모양에서도 반드시 쌀기나무가 놓여야 합니다.

2층의 ㉠, ㉣에는 반드시 쌀기나무가 놓여야 합니다.

풀이

❶ 2층 모양에서 쌀기나무가 반드시 놓여야 하는 곳에 색칠하고 몇 군데인지 구하기

❷ 2층 모양이 될 수 있는 경우 모두 그리기

예제 7-2 쌀기나무를 쌓은 모양의 1층과 3층 모양을 나타낸 것입니다. 2층에 놓인 쌀기나무의 수가 4개일 때 2층 모양이 될 수 있는 경우를 모두 그려 보시오.

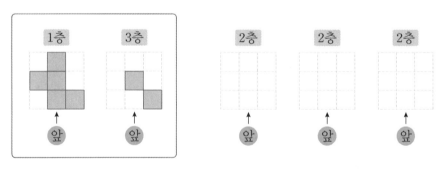

응용 7-3 쌀기나무 9개로 쌓은 모양의 1층과 3층 모양을 나타낸 것입니다. 2층 모양이 될 수 있는 경우는 모두 몇 가지입니까?

(   )

창의·융합 **유형 ❽ 쌓기나무로 쌓은 모양의 겉넓이를 구하는 문제**

[수학＋사회]

예제 8-1

이집트 쿠푸 왕의 피라미드는 쿠푸 왕이 자신의 무덤으로 쓰기 위해 만든 것으로 이집트 전 지역에 있는 피라미드 중 규모가 가장 크다고 합니다. 또 엄청난 규모와 복잡한 내부 때문에 세계 7대 불가사의 중 하나로 꼽힙니다. 사진 속 피라미드를 보고 한 모서리의 길이가 2 cm인 정육면체 모양의 쌓기나무 35개로 피라미드 모양을 만들었습니다. 쌓기나무로 쌓은 모양의 겉넓이는 몇 cm^2입니까? (단, 바닥에 닿는 면도 포함합니다.)

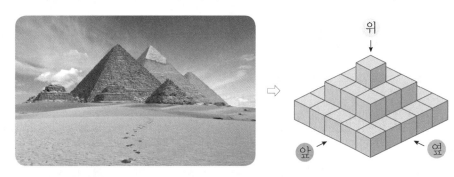

🔑 문제해결 Key

(쌓기나무로 쌓은 모양의 겉넓이)
＝(쌓기나무 한 면의 넓이)
　×(보이는 면의 수)

예

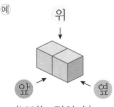

(보이는 면의 수)
＝(위)＋(아래)＋(앞)＋(뒤)
　＋(양옆)
＝(위)×2＋(앞)×2＋(옆)×2

풀이

❶ 쌓기나무 한 면의 넓이 구하기

_____

❷ 보이는 면의 수 구하기

_____

❸ 쌓기나무로 쌓은 모양의 겉넓이 구하기

_____

답 _____

3
공간과 입체

[수학＋미술]

예제 8-2

민준이는 한 모서리의 길이가 3 cm인 정육면체 모양의 블록 10개로 다음과 같은 모양을 만들었습니다. 민준이가 블록으로 만든 모양의 겉넓이는 몇 cm^2입니까? (단, 바닥에 닿는 면도 포함합니다.)

(　　　　　　　　　)

01 ㉮와 ㉯에 사용된 쌓기나무 수의 차는 몇 개입니까?

㉮

위에서 본 모양

㉯

위에서 본 모양

(   )

02 쌓기나무로 1층 위에 2층과 3층을 쌓으려고 합니다. 1층 모양을 보고 2층과 3층에 알맞은 모양을 짝 지을 때 짝 지은 가짓수는 모두 몇 가지입니까?

1층

↑
앞

㉮
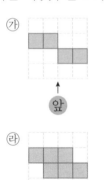
↑
앞

㉯
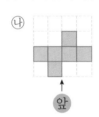
↑
앞

㉰
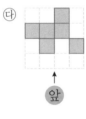
↑
앞

㉱
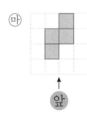
↑
앞

㉲
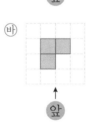
↑
앞

㉳
↑
앞

(   )

유형 ❶ 각 층에 쌓인 쌓기나무의 수를 구하는 문제

03 쌓기나무로 쌓은 모양을 보고 위에서 본 모양에 수를 쓴 것입니다. ㉮와 ㉯에서 3층에 쌓인 쌓기나무는 모두 몇 개입니까?

㉮ 위
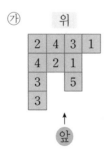
↑
앞

㉯ 위
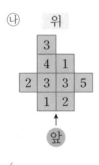
↑
앞

(   )

창의 융합

[수학 + 게임]

04 다음은 7개의 조각으로 이루어진 3차원 입체 퍼즐인 *소마큐브입니다. 소마큐브는 다음과 같이 정육면체 3개로 만들어진 블록 1개와 정육면체 4개로 만들어진 블록 6개로 구성되어 있습니다.

*소마큐브: 1933년 피에트 하인이 베르너 하인즈베르그의 양자 역학 강의 도중 개발한 3차원 퍼즐

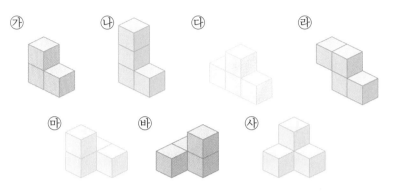

▲ 7개의 조각으로 만든 3×3×3의 정육면체

위 7개의 블록 중 서로 다른 3개를 골라 한 번씩만 사용하여 다음과 같은 모양을 만들었습니다. 사용한 블록의 기호를 ☐ 안에 써넣으시오.

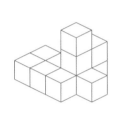

위에서 본 모양

☐ , ☐ , ㉐

3

공간과 입체

유형 **6** 쌓기나무를 쌓는 가짓수를 구하는 문제

05 쌓기나무 6개를 이용하여 다음 조건 을 모두 만족하는 모양을 만들 때 만들 수 있는 모양은 모두 몇 가지입니까?

조건

• 쌓기나무로 쌓은 모양은 3층입니다.

• 각 층의 쌓기나무의 수는 모두 다릅니다.

• 위에서 본 모양은 ⬚ 입니다.

(   )

유형 ② 빼내거나 더 필요한 쌓기나무의 수를 구하는 문제

06 앞에서 본 모양이 변하지 않도록 ㉠과 ㉡ 위에 쌓기나무를 최대한 더 쌓으려고 합니다. ㉠과 ㉡ 위에 쌓을 수 있는 쌓기나무는 모두 몇 개입니까?

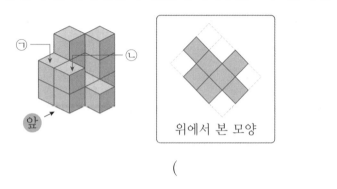

위에서 본 모양

(   )

07 쌓기나무로 쌓은 모양을 보고 위에서 본 모양에 수를 쓴 것입니다. 완성된 모양을 각각 앞과 옆에서 보았을 때 모양이 서로 같은 것의 기호를 쓰시오.

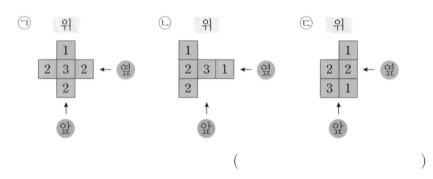

(   )

유형 ③ 조건에 맞도록 위, 앞, 옆에서 본 모양을 그리는 문제

08 쌓기나무 11개로 쌓은 모양에서 빨간색 쌓기나무 3개를 빼낸 후 위, 앞, 옆에서 본 모양을 각각 그려 보시오.

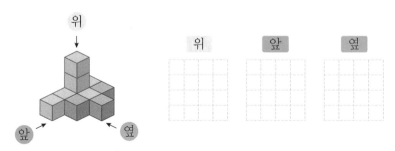

위	앞	옆

해법 경시 유형 ▸ 유형 ❷ 빼내거나 더 필요한 쌓기나무의 수를 구하는 문제

09 쌓기나무로 쌓은 모양에 쌓기나무를 더 쌓아 가장 작은 정육면체 모양을 만들려고 합니다. 더 필요한 쌓기나무는 몇 개입니까?

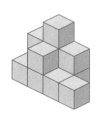

위에서 본 모양

( )

성대 경시 유형 ▸ 유형 ❺ 쌓기나무의 최대, 최소 개수를 구하는 문제

10 위, 앞, 옆(오른쪽)에서 본 모양이 다음과 같이 되도록 쌓기나무를 쌓을 때 필요한 쌓기나무는 최대 몇 개입니까?

위   앞   옆

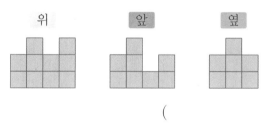

( )

11 다음은 주희가 쌓기나무로 쌓은 모양입니다. 같은 모양을 만들기 위해서 필요한 쌓기나무는 최대 몇 개입니까? (단, 쌓기나무로 쌓은 모양은 면끼리 맞닿게 쌓았습니다.)

( )

3

공간과 입체

성대 경시 유형 유형 ④ 색칠된 쌓기나무의 수를 구하는 문제

12 승요는 오른쪽과 같이 쌓기나무로 쌓은 정육면체 모양의 바깥쪽 면에 물감으로 색칠했습니다. 쌓기나무를 모두 떼어 보았을 때 물감이 한 면도 묻지 않은 쌓기나무는 모두 몇 개입니까? (단, 바닥에 닿는 면도 칠합니다.)

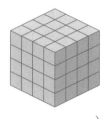

(   )

유형 ❼ ★층에 알맞은 모양을 찾는 문제

13 조건 에 맞게 쌓기나무를 쌓으려고 합니다. 쌓을 수 있는 모양은 모두 몇 가지입니까?

조건

- 14개의 쌓기나무를 모두 사용하여 만듭니다.
- 4층까지 쌓습니다.
- 1층과 4층 모양은 오른쪽과 같습니다.

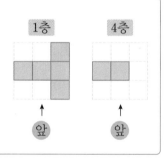

(   )

유형 ❽ 쌓기나무로 쌓은 모양의 겉넓이를 구하는 문제

14 오른쪽은 한 모서리의 길이가 1 cm인 정육면체 모양의 쌓기나무 14개로 쌓은 모양입니다. 이 모양의 겉넓이는 몇 cm²입니까? (단, 바닥에 닿는 면도 포함합니다.)

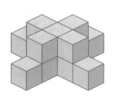

(   )

15 쌓기나무 14개로 쌓은 모양을 위, 앞, 옆(오른쪽)에서 본 모양을 그린 것입니다. 쌓은 모양을 앞에서 볼 때 보이지 않는 쌓기나무는 몇 개입니까?

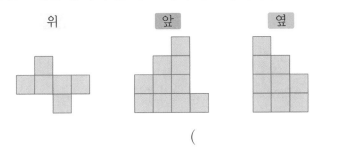

( )

고대 경시 유형 유형 **8** 쌓기나무로 쌓은 모양의 겉넓이를 구하는 문제

16 한 모서리의 길이가 2 cm인 정육면체 모양의 쌓기나무로 쌓은 모양을 보고 위에서 본 모양에 수를 썼습니다. 이 모양의 바깥쪽 면에 페인트를 칠했습니다. 페인트를 칠한 면의 넓이는 모두 몇 cm²입니까? (단, 바닥에 닿는 면도 칠합니다.)

( )

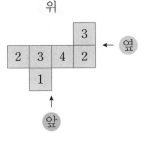

고대 경시 유형

17 크기가 같은 정육면체 모양의 투명한 유리 상자 12개로 다음과 같이 직육면체를 만든 다음 몇 개의 유리 상자를 빼내고 그 자리에 같은 크기의 초록색 쌓기나무를 넣었습니다. 이 직육면체를 앞과 옆(오른쪽)에서 본 모양이 다음과 같을 때 초록색 쌓기나무는 몇 개입니까?

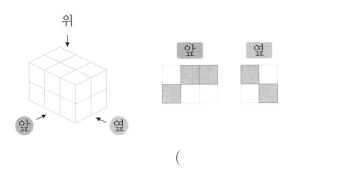

( )

3

공간과 입체

01 쌓기나무 2개, 3개, 4개를 붙여서 만든 오른쪽 3가지 모양을 이용하여 만들 수 <u>없는</u> 모양을 찾아 기호를 쓰시오.

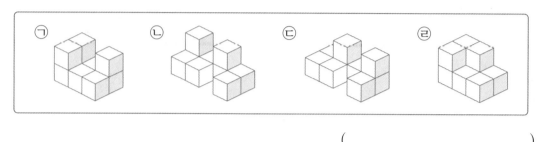

(   )

02 앞, 옆(오른쪽)에서 본 모양이 오른쪽과 같이 되도록 쌓을 때 필요한 쌓기나무는 최대 몇 개이고, 최소 몇 개인지 각각 구하시오.
(단, 쌓기나무로 쌓은 모양은 면끼리 맞닿게 쌓았습니다.)

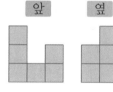

최대 (   )

최소 (   )

03 [수학 + 과학]
각설탕은 직육면체 모양으로 만든 설탕입니다. 소비자문제연구소가 대형마트에서 판매하는 어린이 음료 40개 제품의 당 함량을 조사한 결과, 어린이 음료에 각설탕 4개에서 8개 정도의 당분이 포함되어 있는 것으로 나타났습니다. 정육면체 모양의 각설탕 8개를 사용하여 정육면체나 직육면체 모양을 만들려고 합니다. 만들 수 있는 모양은 모두 몇 가지입니까? (단, 뒤집거나 돌려서 모양이 같으면 같은 모양입니다.)

▲ 각설탕

(   )

해법 경시 유형

04 쌓기나무로 쌓은 모양을 위, 앞, 옆(오른쪽)에서 본 모양입니다. 이와 같은 모양이 되도록 쌓기나무를 쌓는 방법은 모두 몇 가지입니까?

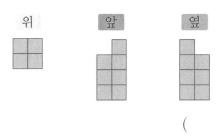

(   )

성대 경시 유형

05 쌓기나무 40개를 사용하여 오른쪽과 같은 모양을 만들었습니다. 5개의 빨간색 면과 마주 보는 면 방향으로 끝까지 구멍을 뚫었을 때, 구멍이 뚫린 쌓기나무는 모두 몇 개입니까?

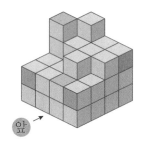

(   )

고대 경시 유형

06 오른쪽 그림과 같이 쌓기나무 16개를 직육면체 모양으로 쌓았습니다. 가, 나, 다 세 점을 지나는 평면으로 잘랐을 때 잘린 쌓기나무는 모두 몇 개입니까?

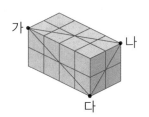

(   )

3 공간과 입체

생각하기

성벽을 쌓은 규칙은 무엇일까?

쌓기나무나 블록은 엇갈리지 않게 쌓을 수 있고, 서로 엇갈리게 쌓을 수도 있습니다. 우리가 배운 공간과 입체 단원은 쌓기나무를 엇갈리지 않게 쌓아, 쌓은 쌓기나무의 수와 쌓은 모양을 알아보는 것이었습니다.

우리 주위에서 건물의 돌담이나 성벽, 탑을 살펴보면 돌이 어떤 규칙에 의해서 쌓여 있는지 짐작할 수 있습니다. 특히, 우리나라의 남한산성의 벽은 엇갈리지 않게, 중국의 만리장성의 벽은 엇갈리게 쌓여 있다고 합니다.

그런데 건물의 돌담, 성벽을 보면 벽돌과 벽돌을 서로 반듯하게 쌓은 것보다는 서로 엇갈리게 쌓아 올린 것이 많습니다. 그 이유는 서로 엇갈려 쌓은 것이 반듯하게 쌓은 것보다 더 튼튼하기 때문입니다.

최 | 고 | 수 | 준

4 비례식과 비례배분

꼭! 알아야 할 대표 유형

유형 ❶ 조건에 알맞은 비를 구하는 문제

유형 ❷ 도형의 넓이와 관련된 비례배분 문제

유형 ❸ 톱니바퀴의 톱니 수와 회전수를 알아보는 문제

유형 ❹ 겹쳐진 부분이 있는 도형에서 넓이의 비를 알아보는 문제

유형 ❺ 이익금을 비례배분하는 문제

유형 ❻ 원래 가격의 비를 구하는 문제

유형 ❼ 바뀐 비를 이용하여 준 물건의 수를 구하는 문제

유형 ❽ [창의·융합] 비례식을 활용하는 문제

단계	쪽수	공부한 날	점수
1단계 START 개념	78~83	월 일	O X
2단계 JUMP 유형	84~91	월 일	O X
3단계 MASTER 심화	92~97	월 일	O X
4단계 TOP 최고수준	98~99	월 일	O X

※ O에는 맞힌 개수, X에는 틀린 개수를 써넣으세요.

1 비의 성질

- 비의 항—비 2 : 3에서 2와 3

  2 : 3
  전항 후항
  항
  ① 전항—기호 ':' 앞에 있는 2
  ② 후항—기호 ':' 뒤에 있는 3

- 비의 전항과 후항에 0이 아닌 같은 수를 곱하여도 비율은 같습니다.

- 비의 전항과 후항을 0이 아닌 같은 수로 나누어도 비율은 같습니다.

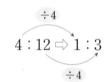

2 간단한 자연수의 비로 나타내기

- (소수) : (소수)는 각 항에 10, 100, 1000……을 곱합니다.

  예 $0.3 : 0.7 \Rightarrow (0.3 \times 10) : (0.7 \times 10) \Rightarrow 3 : 7$

- (분수) : (분수)는 각 항에 두 분모의 공배수를 곱합니다.

  예 $\dfrac{1}{4} : \dfrac{1}{5} \Rightarrow \left(\dfrac{1}{4} \times 20\right) : \left(\dfrac{1}{5} \times 20\right) \Rightarrow 5 : 4$

- (자연수) : (자연수)는 각 항을 두 수의 공약수로 나눕니다.

  예 $12 : 20 \Rightarrow (12 \div 4) : (20 \div 4) \Rightarrow 3 : 5$

- 소수와 분수의 비는 소수를 분수로 고치거나 분수를 소수로 고친 후 간단한 자연수의 비로 나타냅니다.

3 비례식

- 비례식—비율이 같은 두 비를 기호 '='를 사용하여 2 : 3=4 : 6과 같이 나타낸 식

  외항
  2 : 3 = 4 : 6
  내항
  ① 외항—바깥쪽에 있는 2와 6
  ② 내항—안쪽에 있는 3과 4

개념 활용 1

비의 전항과 후항에 0을 곱하거나 전항과 후항을 0으로 나눌 수 없는 이유

① $3 : 4 \Rightarrow (3 \times 0) : (4 \times 0) \Rightarrow 0 : 0$
비가 0이 되어 비율이 달라집니다.

② $3 : 4 \Rightarrow (3 \div 0) : (4 \div 0)$
모든 수는 0으로 나눌 수 없습니다.

개념 활용 2

가장 간단한 자연수의 비로 나타내기

① (소수) : (소수)
⇨ 소수를 자연수로 고친 다음 각 항을 두 수의 최대공약수로 나누기

② (분수) : (분수)
⇨ 각 항에 두 분모의 최소공배수를 곱한 다음 각 항을 두 수의 최대공약수로 나누기

③ (자연수) : (자연수)
⇨ 각 항을 두 수의 최대공약수로 나누기

참고

- 비, 비율, 백분율
  ① 비: 두 수를 나눗셈으로 비교하기 위하여 기호 : 을 사용
  ② 비율: $\dfrac{(비교하는 양)}{(기준량)}$
  ③ 백분율: 비율에 100을 곱한 값
- 연비: 셋 이상의 수를 비로 나타낸 것
  예 2 : 1 : 3

1 비의 전항과 후항에 0이 아닌 같은 수를 곱하여도 비율은 같습니다. 이 성질을 이용하여 4 : 7과 비율이 같은 비를 2개 쓰시오.

( )

2 다음 중 두 비로 나타낼 수 있는 비례식은 모두 몇 개입니까? (단, 1 : 2＝2 : 4는 2 : 4＝1 : 2와 같은 비례식으로 생각합니다.)

3 : 5	1 : 4	0.5 : 2
4 : 8	9 : 15	2 : 4

( )

3 다음 중 비례식을 찾아 기호를 쓰시오.

㉠ 18×6＝3	㉡ 4 : 1＝8 : 3
㉢ 2 : 5＝6 : 15	㉣ 28＝7 : 4

( )

4 동희는 강아지와 고양이를 키웁니다. 강아지와 고양이의 무게의 비는 1.75 : 2.25입니다. 동희네 강아지 무게와 고양이 무게의 비를 가장 간단한 자연수의 비로 나타내어 보시오.

( )

5 다음을 보고 단아네 집에서 학교까지의 거리와 집에서 공원까지의 거리의 비를 가장 간단한 자연수의 비로 나타내어 보시오.

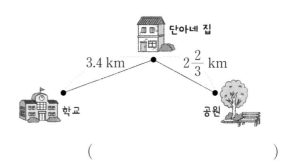

3.4 km   단아네 집 $2\frac{2}{3}$ km

학교   공원

( )

6 다음을 보고 조건을 만족하는 두 수를 각각 구하시오.

• 어떤 두 수의 비 ➡ 8 : 3
• (두 수의 곱)＝1176

( )

비례식과 비례배분

4

1 비례식의 성질

비례식에서 외항의 곱과 내항의 곱은 같습니다.

외항의 곱: $3 \times 10 = 30$

$$3 : 5 = 6 : 10$$

내항의 곱: $5 \times 6 = 30$

비례식인지 알아볼 때 외항의 곱과 내항의 곱이 같은지 확인해요.

미리보기 고1

비례식의 여러 가지 성질

$$㉠ : ㉡ = ㉢ : ㉣$$

$$\Rightarrow \frac{㉠}{㉡} = \frac{㉢}{㉣}, \ \frac{㉠+㉡}{㉡} = \frac{㉢+㉣}{㉣},$$

$$\frac{㉠+㉡}{㉠-㉡} = \frac{㉢+㉣}{㉢-㉣}$$

2 비례식 풀기

• 비례식 $4 : 5 = 8 : \square$에서 $\square$의 값 구하기

$$4 : 5 = 8 : \square$$

$4 \times \square$

5×8

$\Rightarrow 4 \times \square = 5 \times 8$

$\quad\ 4 \times \square = 40$

$\quad\quad\quad\ \square = 10$

개념 활용

두 곱을 각각 외항의 곱과 내항의 곱으로 생각하여 비례식을 세울 수 있습니다.

예 $4 \times 6 = 3 \times 8$일 때

$\Rightarrow 4 : 3 = 8 : 6, \ 3 : 4 = 6 : 8$

내항   내항

외항   외항

3 비례식을 이용하여 문제 해결하기

예 식탁에 사탕과 과자 수의 비가 5 : 2이고 사탕이 20개 있습니다. 과자는 몇 개 있습니까?

구하려고 하는 것을 $\square$라 하기 → 과자의 수: $\square$개

⇩

$\square$를 이용하여 조건에 맞게 비례식 세우기 → $5 : 2 = 20 : \square$

⇩

비례식의 성질을 이용하여 문제 해결하기 → $5 \times \square = 2 \times 20$

└→ 비례식에서 외항의 곱과 내항의 곱은 같습니다. $5 \times \square = 40$

$\square = 8$

$\Rightarrow$ 식탁에 있는 과자는 8개입니다.

주의

비례식은 비율이 같은 두 비를 등호를 사용하여 나타낸 식이므로 비례식으로 나타낼 때에는 비의 순서를 같게 해 주어야 합니다.

1 비례식에서 □ 안에 알맞은 수를 써넣으시오.

(1) □ : 7 = 9 : 63

(2) $\frac{1}{4}$: $\frac{1}{6}$ = □ : 2

2 비례식인 것을 모두 찾아 기호를 쓰시오.

> ㉠ 6 : 8 = 4 : 3   ㉡ 3 : 5 = 9 : 15
> ㉢ 15 : 2 = 30 : 4   ㉣ 25 : 20 = 4 : 5

(   )

3 ㉮×㉯=4×7을 비례식으로 나타내려고 합니다. □ 안에 알맞게 써넣으시오.

> ㉮ : 4 = □ : □

4 소연이는 자전거를 타고 15분 동안 3 km를 달렸습니다. 소연이가 같은 빠르기로 1시간 15분을 쉬지 않고 달린다면 달린 거리는 몇 km입니까?

(   )

5 어느 야구 선수가 12*타수마다 안타를 3번씩 쳤습니다. 이와 같은 타율로 친다면 100타수 중에서 안타를 몇 번 칠 것으로 예상됩니까?

*타수: 타자가 타석에서 타격을 완료한 횟수

(   )

6 삼각형의 밑변의 길이와 높이의 비는 3 : 2입니다. 이 삼각형의 높이가 16 cm일 때, 넓이는 몇 cm²입니까?

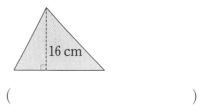

(   )

1 비례배분

- 비례배분: 전체를 주어진 비로 배분하는 것

예 32를 3 : 5로 비례배분하기

$$32 \times \frac{3}{3+5} = 12, \quad 32 \times \frac{5}{3+5} = 20$$으로 나눌 수 있습니다.

전체에 대하여 각
부분이 차지하는 비율

참고 가장 간단한 자연수의 비로 나타낸 다음 비례배분하는 것이 편리합니다.

예 500을 $1 : \frac{1}{4}$로 비례배분하기

$$\Rightarrow 1 : \frac{1}{4} = (1 \times 4) : (\frac{1}{4} \times 4) = 4 : 1$$

$$500 \times \frac{4}{4+1} = 500 \times \frac{4}{5} = 400$$

$$500 \times \frac{1}{4+1} = 500 \times \frac{1}{5} = 100$$

참고
비례배분은 영어로
⇨ proportional distribution
~에 비례하는   배분, 나눔
⇨ 비례하게 나눔

개념 활용
전체의 양 구하기
(부분의 양)
＝(전체의 양)
　×(전체에 대한 부분의 비율)

⇩

(전체의 양)
＝(부분의 양)
　÷(전체에 대한 부분의 비율)

예 ㉮는 연필을 6자루 가지고 있고 ㉮와 ㉯가 가진 연필 수의 비가 2 : 3입니다. ㉮와 ㉯가 가진 연필은 모두 몇 자루입니까? 자루

$$\Rightarrow \square \times \frac{2}{2+3} = 6,$$

$$\square \times \frac{2}{5} = 6$$

$$\square = 6 \div \frac{2}{5} = 6 \times \frac{5}{2} = 15$$

2 비례배분의 활용

예 4000원짜리 과자를 사려고 합니다. 돈을 A와 B가 2 : 3으로 나누어 낸다면 각각 얼마를 내야 합니까?

① 비례배분할 비 알아보기

⇨ A : B = 2 : 3

② 비례배분하기

A: $4000 \times \frac{2}{2+3} = 4000 \times \frac{2}{5} = 1600$(원)

B: $4000 \times \frac{3}{2+3} = 4000 \times \frac{3}{5} = 2400$(원)

⇨ A는 1600원, B는 2400원을 내야 합니다.

1600+2400=4000(원)

비례배분한 양의 합은 전체의 양과 같아요.

참고
셋 이상의 비를 한꺼번에 나타낸 연비로 비례배분할 수도 있습니다.

예 30을 1 : 2 : 3으로 비례배분하기

$$30 \times \frac{1}{1+2+3} = 5$$

$$30 \times \frac{2}{1+2+3} = 10$$

$$30 \times \frac{3}{1+2+3} = 15$$

1 다음 수를 주어진 비로 비례배분하여 [.] 안에 써넣으시오.

$$120$$

$3 : 5 \Rightarrow$ [,   ]

2 연필 45자루를 서준이와 현우에게 $2 : 7$의 비로 나누어 주었습니다. 각각 연필을 몇 자루씩 나누어 주었습니까?

서준 (   )

현우 (   )

3 가로와 세로의 합이 180 cm인 직사각형입니다. 이 직사각형의 가로와 세로의 비가 $7 : 8$일 때 ☐ 안에 알맞은 수를 써넣으시오.

4 용돈 10000원을 단희와 동생이 $1.5 : \frac{1}{2}$로 나누어 가지려고 합니다. 단희와 동생이 각각 얼마씩 가져야 합니까?

단희 (   )

동생 (   )

5 가로가 40 cm, 세로가 20 cm인 직사각형 모양의 도화지를 넓이의 비가 $1\frac{1}{2} : 2.5$가 되도록 나누려고 합니다. 나누어진 두 개의 도화지 중 더 좁은 도화지의 넓이는 몇 cm²입니까?

(   )

6 주머니에 있는 구슬을 다은이와 서은이가 $8 : 5$로 나누어 가졌습니다. 다은이가 가진 구슬이 32개일 때, 처음 주머니에 있던 구슬은 모두 몇 개입니까?

(   )

유형 ① 조건에 알맞은 비를 구하는 문제

예제 1-1 15 : 40과 비율이 같은 비를 구하려고 합니다. 각 항이 자연수로 이루어진 비 중에서 전항이 10보다 작은 비는 모두 몇 개입니까?

🔑 문제해결 Key

■ : ▲의 비율 ⇨ $\frac{■}{▲}$

예 2 : 3의 비율 ⇨ $\frac{2}{3}$

풀이

❶ 15 : 40을 가장 간단한 자연수의 비로 나타내기

_____

❷ ❶에서 구한 비의 각 항을 2배, 3배, 4배…… 한 비 구하기

_____

❸ 전항이 10보다 작은 비의 수 구하기

_____

답 _____

예제 1-2 24 : 42와 비율이 같은 비를 구하려고 합니다. 각 항이 자연수로 이루어진 비 중에서 후항이 30보다 작은 비는 모두 몇 개입니까?

(   )

예제 1-3 16 : 20과 비율이 같은 비를 구하려고 합니다. 각 항이 자연수로 이루어진 비 중에서 전항이 15보다 작은 비를 모두 쓰시오.

(   )

응용 1-4 48 : 40과 비율이 같은 비를 구하려고 합니다. 각 항이 자연수로 이루어진 비 중에서 후항이 10보다 크고 30보다 작은 비는 모두 몇 개입니까?

(   )

유형 ② 도형의 넓이와 관련된 비례배분 문제

예제 2-1 오른쪽 그림에서 평행한 두 직선 사이에 있는 삼각형과 직사각형의 넓이의 비는 3 : 5입니다. 두 도형의 넓이의 합이 184 cm²일 때, 직사각형의 세로는 몇 cm인지 소수로 쓰시오.

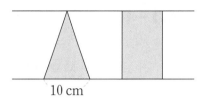
10 cm

🔑 **문제해결 Key**

평행한 두 직선 사이에 있는 도형은 높이(세로)가 같습니다.

 풀이

❶ 비례배분을 하여 삼각형의 넓이 구하기

_____

❷ 직사각형의 세로 구하기

_____

_____

답 _____

예제 2-2 오른쪽 그림에서 평행한 두 직선 사이에 있는 삼각형과 사다리꼴의 넓이의 비는 4 : 5입니다. 두 도형의 넓이의 합이 207 cm²일 때, 사다리꼴의 높이는 몇 cm인지 소수로 쓰시오.

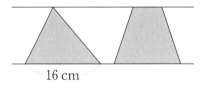
16 cm

(   )

응용 2-3 오른쪽 삼각형 ㄱㄴㄷ에서 선분 ㄴㄹ과 선분 ㄹㅁ의 길이의 비는 2 : 3이고, 선분 ㄴㄹ과 선분 ㅁㄷ의 길이의 비는 2 : 5입니다. 삼각형 ㄱㄴㄷ의 넓이가 160 cm²일 때, 삼각형 ㄱㄹㅁ의 넓이는 몇 cm²입니까?

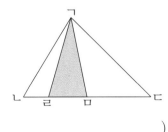

(   )

유형 ③ 톱니바퀴의 톱니 수와 회전수를 알아보는 문제

예제 **3-1** 맞물려 돌아가는 두 톱니바퀴 ㉮와 ㉯가 있습니다. 톱니바퀴 ㉮의 톱니는 16개이고 톱니바퀴 ㉯의 톱니는 20개입니다. 톱니바퀴 ㉮가 10바퀴 도는 동안 톱니바퀴 ㉯는 몇 바퀴 돌겠습니까?

🔑 문제해결 Key

톱니 수의 비 ➡ ■ : ▲일 때
회전수의 비 ➡ ▲ : ■

예 톱니 수의 비 ➡ 4 : 7
회전수의 비 ➡ 7 : 4

풀이

❶ ㉮와 ㉯의 톱니 수의 비를 가장 간단한 자연수의 비로 나타내기

_____

❷ ㉮와 ㉯의 회전수의 비를 가장 간단한 자연수의 비로 나타내기

_____

❸ ㉮가 10바퀴 도는 동안 ㉯의 회전수 구하기

_____

_____

답 _____

예제 **3-2** 맞물려 돌아가는 두 톱니바퀴 ㉮와 ㉯가 있습니다. 톱니바퀴 ㉮의 톱니는 32개이고, 톱니바퀴 ㉯의 톱니는 18개입니다. 톱니바퀴 ㉯가 48바퀴 도는 동안 톱니바퀴 ㉮는 몇 바퀴 돌겠습니까?

( )

응용 **3-3** 맞물려 돌아가는 두 톱니바퀴 ㉮와 ㉯가 있습니다. 톱니바퀴 ㉮의 톱니는 15개이고 톱니바퀴 ㉯의 톱니는 20개입니다. 톱니바퀴 ㉮가 8바퀴 돌 때, 톱니바퀴 ㉮와 ㉯의 회전수의 차는 몇 바퀴입니까?

( )

유형 4 겹쳐진 부분이 있는 도형에서 넓이의 비를 알아보는 문제

예제 **4-1** 오른쪽과 같이 겹쳐진 두 원 ㉮, ㉯에서 겹쳐진 부분의 넓이는 ㉮의 $\frac{2}{3}$이고 ㉯의 $\frac{1}{4}$입니다. ㉮와 ㉯의 넓이의 비를 가장 간단한 자연수의 비로 나타내어 보시오.

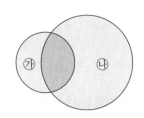

🔑 문제해결 Key

· 두 도형에서 겹쳐진 부분의 넓이는 서로 같습니다.

· 곱셈식 → 비례식
  예 $2×6=3×4$
  $2:3=4:6$

풀이

❶ 겹쳐진 부분의 넓이를 이용하여 알맞은 곱셈식 만들기

_____

❷ 곱셈식을 비례식으로 나타내기

_____

❸ ㉮와 ㉯의 넓이의 비를 가장 간단한 자연수의 비로 나타내기

_____

답 _____

예제 **4-2** 오른쪽과 같이 겹쳐진 두 원 ㉮, ㉯에서 겹쳐진 부분의 넓이는 ㉮의 0.5이고 ㉯의 $\frac{2}{5}$입니다. ㉮와 ㉯의 넓이의 비를 가장 간단한 자연수의 비로 나타내어 보시오.

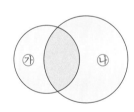

(   )

응용 **4-3** 오른쪽과 같이 겹쳐진 두 도형 삼각형 ㉮와, 사각형 ㉯에서 ㉮와 ㉯의 넓이의 비는 9 : 8입니다. 겹쳐진 부분의 넓이가 ㉮의 $\frac{1}{3}$일 때 겹쳐진 부분의 넓이는 ㉯의 넓이의 몇 %인지 소수로 쓰시오.

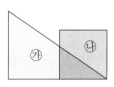

(   )

유형 5 이익금을 비례배분하는 문제

예제 5-1 갑, 을 두 사람이 각각 200만 원, 160만 원을 투자하여 얻은 이익금을 투자한 금액의 비로 나누어 가지려고 합니다. 갑이 받은 이익금이 40만 원이라면 두 사람이 얻은 전체 이익금은 얼마입니까?

🔑 **문제해결 Key**

전체 이익금을 □라 놓고 비례배분하는 식을 세웁니다.

풀이

❶ 두 사람이 투자한 금액의 비를 가장 간단한 자연수의 비로 나타내기

_____

❷ 전체 이익금 구하기

_____

_____

답 _____

예제 5-2 ㈎ 회사는 1000만 원, ㈏ 회사는 2000만 원을 투자하여 이익을 얻었습니다. 두 회사가 투자한 금액의 비에 따라 이익금을 비례배분하였더니 ㈏ 회사가 1500만 원을 받았다고 합니다. 두 회사가 얻은 전체 이익금은 얼마입니까?

(   )

응용 5-3 A가 180만 원, B가 120만 원을 투자하여 이익금 80만 원을 얻었습니다. 이 이익금을 A와 B에게 투자한 금액의 비로 나누어 주려고 합니다. A와 B가 같은 비율로 다시 투자를 할 때 B가 받을 수 있는 이익금이 160만 원이 되려면 B는 얼마를 투자해야 합니까? (단, 투자한 금액에 대한 이익금은 비율이 일정합니다.)

(   )

유형 **6** 원래 가격의 비를 구하는 문제

예제 6-1 물건 (개)의 원래 가격에서 15 % 할인하여 판매한 금액과 물건 (내)의 원래 가격에서 20 % 할인하여 판매한 금액이 같았습니다. 물건 (개)와 (내)의 원래 가격의 비를 가장 간단한 자연수의 비로 나타내어 보시오.

🔑 **문제해결 Key**

■원을 ▲ %만큼 할인하여 판매한 금액

⇨ $\{■ \times \left(1 - \dfrac{▲}{100}\right)\}$원

예 1000원을 10 %만큼 할인하여 판매한 금액

⇨ $\{1000 \times \left(1 - \dfrac{10}{100}\right)\}$원

= (1000 × 0.9)원

풀이

❶ 할인하여 판매한 금액을 곱셈식으로 나타내기

_____

_____

❷ ❶을 비례식으로 나타내기

_____

❸ 물건 (개)와 (내)의 원래 가격의 비를 가장 간단한 자연수의 비로 나타내기

_____

_____

답 _____

예제 6-2 문구점에서 스케치북 한 권을 원래 가격에서 10 % 할인하여 판매한 금액과 공책 한 권을 원래 가격에서 5 % 인상하여 판매한 금액이 같았습니다. 스케치북 한 권과 공책 한 권의 원래 가격의 비를 가장 간단한 자연수의 비로 나타내어 보시오.

(   )

응용 6-3 상품 ㉠의 원래 가격에 20 %를 더한 금액과 상품 ㉡의 원래 가격에서 15 %를 할인한 금액이 같다고 합니다. 상품 ㉡의 원래 가격이 3600원일 때, 상품 ㉠의 원래 가격은 얼마입니까?

(   )

유형 ⑦ 바뀐 비를 이용하여 준 물건의 수를 구하는 문제

예제 7-1 설아와 현우는 처음에 사탕을 각각 20개씩 가지고 있었습니다. 현우가 설아에게 사탕을 몇 개 주었더니 설아와 현우가 가진 사탕 수의 비가 13 : 7이 되었습니다. 현우가 설아에게 준 사탕은 몇 개입니까?

🔑 **문제해결 Key**

전체 사탕 수는 변하지 않습니다.

풀이

❶ 설아와 현우가 처음에 가지고 있었던 사탕 수의 합 구하기

_____

_____

❷ 현우가 설아에게 주고 남은 사탕 수 구하기

_____

_____

❸ 현우가 설아에게 준 사탕 수 구하기

_____

답 _____

예제 7-2 빨간색 주머니와 파란색 주머니에 구슬이 각각 50개씩 있었습니다. 빨간색 주머니에 있는 구슬 몇 개를 파란색 주머니로 옮겼더니 빨간색 주머니와 파란색 주머니에 있는 구슬 수의 비가 1 : 4가 되었습니다. 빨간색 주머니에서 파란색 주머니로 옮긴 구슬은 몇 개입니까?

(   )

응용 7-3 상자에 노란색 구슬과 파란색 구슬 수의 비가 5 : 6으로 들어 있었습니다. 그중 노란색 구슬 몇 개를 빼서 동생에게 주었더니 노란색 구슬과 파란색 구슬 수의 비가 4 : 5가 되었고, 구슬은 모두 216개가 되었습니다. 동생에게 준 노란색 구슬은 몇 개입니까?

(   )

유형 ⑧ 비례식을 활용하는 문제

[수학＋미술]

예제 8-1

재현이는 고대 그리스 시대의 유명한 조각 작품인 밀로의 비너스를 보고 오른쪽과 같이 만들었습니다. 머리끝부터 배꼽까지의 길이는 40 cm입니다. 머리끝부터 배꼽까지의 길이와 배꼽에서 발끝까지 길이의 비가 1 : 1.6이라면 비너스의 머리끝 ㉠부터 발끝 ㉡까지의 길이는 몇 cm입니까?

🔑 **문제해결 Key**

머리끝 ㉠ ~ 발끝 ㉡

‖

머리끝 ㉠ ~ 배꼽

＋

배꼽 ~ 발끝 ㉡

풀이

❶ 배꼽부터 발끝 ㉡까지의 길이를 ☐cm라 하고 비례식 세우기

_____

❷ 배꼽부터 발끝 ㉡까지의 길이 구하기

_____

_____

❸ 머리끝 ㉠부터 발끝 ㉡까지의 길이 구하기

_____

답 _____

[수학＋과학]

응용 8-2

세상에서 가장 빠른 동물이 무엇인지 물으면 흔히 치타를 떠올리게 됩니다. 실제로 1초에 4걸음을 가는데 한 걸음에 무려 8 m를 가는 치타가 있습니다. 이 치타가 타조를 잡으려고 타조의 120 m 뒤에서 타조를 향해 달립니다. 타조와 치타가 1초에 이동하는 거리의 비는 5 : 8이고 각각 일정한 빠르기로 달립니다. 타조와 치타가 동시에 달리기 시작한 지 몇 초 후에 타조가 잡히는지 구하시오.

(_____)

유형 **1** 조건에 알맞은 비를 구하는 문제

01 ㉮ : ㉯의 비율은 0.14입니다. ㉮ : ㉯를 자연수의 비로 나타낼 때 두 항의 차가 150 미만인 비를 모두 쓰시오.

(   )

02 똑같은 수학 문제집 한 권을 푸는 데 지훈이는 45일 걸렸고, 윤서는 55일 걸렸습니다. 지훈이와 윤서가 하루에 문제집을 푼 양을 가장 간단한 자연수의 비로 나타내어 보시오. (단, 매일 문제집을 푼 양은 각자 같습니다.)

(   )

창의 융합

[수학 + 미술]

03 두 가지 이상의 색을 서로 섞어서 만든 색을 *혼합색이라고 합니다. 빨간색과 노란색을 섞으면 주황색이 되고, 빨간색과 파란색을 섞으면 보라색이 됩니다. 빨간색 물감과 노란색 물감을 3 : 2로, 빨간색 물감과 파란색 물감을 5 : 4로 섞어서 각각 주황색과 보라색을 만들었습니다. 주황색이 30 g, 보라색이 27 g일 때 주황색과 보라색 중 어느 색에 사용한 빨간색 물감이 몇 g 더 많습니까?

(   )
(   )

*혼합색의 예: 주황색, 보라색

빨간색   노란색
주황색

빨간색   파란색
보라색

성대 경시 유형 유형 ② 도형의 넓이와 관련된 비례배분 문제

04 세로와 가로의 비가 3 : 4인 직사각형입니다.
색칠한 부분의 넓이는 몇 cm²입니까?

4 cm

←세로

6 cm

3 cm

( )

05 시계에서 긴바늘이 1바퀴 돌 때 짧은바늘은 숫자와 숫자 사이 한 칸을 움직입니다. 긴바늘이 10분 움직이는 동안 짧은바늘은 몇 도 움직입니까?

( )

유형 ⑥ 원래 가격의 비를 구하는 문제

06 어느 문구점에서 필통의 가격이 5 % 올라서 5250원이 되었습니다. 필통의 오르기 전 가격과 오른 후 가격의 비를 가장 간단한 자연수의 비로 나타내어 보시오.

( )

07 책꽂이에 동화책과 위인전이 3 : 4의 비로 꽂혀 있습니다. 이 중에서 위인전의 $\frac{1}{4}$이 28권이라면 책꽂이에 꽂혀 있는 책은 모두 몇 권입니까?

( )

유형 ❸ 톱니바퀴의 톱니 수와 회전수를 알아보는 문제

08 맞물려 돌아가는 두 톱니바퀴 ㉮와 ㉯가 있습니다. 톱니바퀴 ㉮가 76바퀴 도는 동안 톱니바퀴 ㉯는 95바퀴 돈다고 합니다. 톱니바퀴 ㉮의 톱니가 35개일 때, 두 톱니바퀴 ㉮와 ㉯의 톱니 수의 차는 몇 개입니까?

( )

유형 ❹ 겹쳐진 부분이 있는 도형에서 넓이의 비를 알아보는 문제

09 오른쪽 그림과 같이 정사각형 ㉮와 ㉯가 겹쳐져 있습니다. 겹쳐진 부분의 넓이는 ㉮의 $\frac{1}{5}$이고, ㉯의 15 %입니다. ㉮의 넓이가 36 cm²일 때, ㉯의 넓이는 몇 cm²입니까?

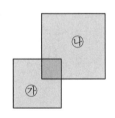

( )

정답은 **42**쪽에

창의 융합

10 [수학＋사회]

실제 길이를 $\dfrac{1}{25000}$로 *축소시킨 지도에 직사각형 모양의 밭이 그려져 있습니다. 지도에 있는 이 직사각형의 길이를 재어 보니 가로가 4 cm, 세로가 5 cm였습니다. 이 밭의 실제 넓이는 몇 m²입니까?

(   )

*실제 거리를 지도상에 축소하여 표시하였을 때의 축소 비율을 축척이라고 합니다. 축척을 이용하면 실제 거리와 넓이 등을 계산할 수 있습니다.

해법 경시 유형

11 하루에 3분씩 일정하게 느려지는 시계가 있습니다. 어느 날 정오에 시계를 12시로 정확히 맞추었다면 다음날 오후 8시에 이 시계가 가리키는 시각은 오후 몇 시 몇 분입니까?

(   )

유형 **7** 바뀐 비를 이용하여 준 물건의 수를 구하는 문제

12 처음에 지호와 윤주가 가진 우표 수의 비는 7 : 3입니다. 지호가 우표 6장을 윤주에게 주었더니 지호와 윤주가 가진 우표 수의 비는 3 : 2가 되었습니다. 처음에 지호가 가진 우표는 몇 장입니까?

(   )

4 비례식과 비례배분

13 오른쪽 그림과 같이 가, 나, 다로 나누어진 땅이 있습니다. 가의 넓이는 전체의 40 %이고, 나와 다의 넓이의 비는 1 : 2입니다. 나의 넓이가 80 cm²일 때, 가의 넓이는 몇 cm²입니까?

(   )

유형 5 이익금을 비례배분하는 문제

14 A는 120만 원, B는 A의 $1\frac{1}{5}$배를 투자하여 얻은 이익금을 투자한 금액의 비로 나누어 각자의 투자금과 함께 돌려받기로 했습니다. B가 돌려받을 금액이 198만 원일 때, A가 돌려받을 금액은 얼마입니까?

(   )

창의 융합

[수학＋사회]   고대 경시 유형

15 *태극기는 정해진 비에 따라 그려야 합니다. 다음은 태극기의 비를 나타낸 것입니다. 둘레가 200 cm인 태극기를 그린다면 이 태극기의 괘의 길이는 몇 cm로 그려야 합니까?

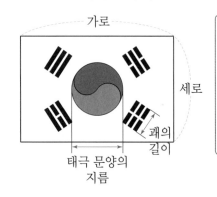

가로

세로

괘의 길이

태극 문양의 지름

• (가로):(세로)＝3 : 2
• (세로):(태극 문양의 지름)
  ＝2 : 1
• (태극 문양의 지름) : (괘의 길이)
  ＝2 : 1

(   )

*태극기에 담긴 여러 뜻
① 가운데의 태극 문양
  ⇨ 음(파랑)과 양(빨강)의 조화
② 네 모서리의 괘
  ⇨ 하늘, 땅, 물, 불을 상징
③ 흰색 바탕
  ⇨ 밝음, 순수, 평화를 상징

유형 8 비례식을 활용하는 문제

16 1분에 8.4 L의 물이 나오는 수도로 빈 통에 물을 받으려고 합니다. 이 통은 구멍이 나서 물이 새고 1분 동안 나오는 물의 양과 새는 물의 양의 비가 8 : 1입니다. 1시간 12분 동안 빈 통에 받을 수 있는 물은 몇 L입니까?

(   )

성대 경시 유형

17 수학 문제집에서 설아와 호진이가 푼 문제 수의 비는 6 : 5입니다. 설아와 호진이가 푼 문제 중에서 맞힌 문제 수의 비는 2 : 1이며 틀린 문제 수의 비는 2 : 3입니다. 설아가 40개의 문제를 맞혔을 때, 설아가 푼 문제는 모두 몇 개입니까?

(   )

해법 경시 유형

18 길이가 다른 2개의 막대를 바닥이 평평한 수영장의 같은 곳에 수직으로 세웠더니 물 위로 나온 막대의 길이는 각각 막대 길이의 $\frac{1}{3}$, $\frac{1}{4}$이었습니다. 두 막대의 길이의 합이 3.4 m라면 막대를 세운 수영장의 물의 깊이는 몇 m인지 소수로 쓰시오. (단, 막대의 부피는 생각하지 않습니다.)

(   )

01 수직선에서 선분 ㄱㄴ을 7 : 5로 나눈 곳이 ㄷ, 5 : 3으로 나눈 곳이 ㄹ입니다. 선분 ㄷㄹ의 길이가 2 cm일 때 선분 ㄱㄴ의 길이는 몇 cm입니까?

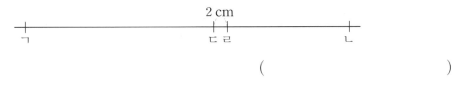

(   )

02 일정한 빠르기로 달리는 기차가 있습니다. 이 기차가 길이가 900 m인 터널을 완전히 통과할 때는 30초가 걸렸고, 길이가 650 m인 터널을 완전히 통과할 때는 22초가 걸렸다고 합니다. 이 기차의 길이는 몇 m인지 소수로 쓰시오.

(   )

고대 경시 유형

03 서윤이는 정확한 시계와 이상한 시계를 가지고 있습니다. 이상한 시계는 한 시간에 45초씩 빨라진다고 합니다. 서윤이는 어느 날 오전 10시에 정확한 시계와 이상한 시계를 정확히 10시로 각각 맞추어 놓았습니다. 다음날 이상한 시계가 오후 1시를 가리킬 때, 정확한 시계는 오후 몇 시 몇 분을 가리키겠습니까?

(   )

창의 융합

[수학＋과학]

04 물, 설탕, 소금과 같이 한 가지 물질로 이루어진 것을 순물질, 설탕물, 소금물과 같이 두 가지 이상의 물질이 섞여 있는 것을 혼합물이라고 합니다. 설탕과 소금이 반씩 섞여 있는 혼합물 가와 설탕과 소금을 3 : 1로 섞은 혼합물 나를 섞어 설탕과 소금의 비가 2 : 1인 혼합물 420 g을 만들었습니다. 혼합물 가와 나를 각각 몇 g씩 섞었습니까?

가 (   ), 나 (   )

성대 경시 유형

05 바구니 안에 100원짜리 동전과 500원짜리 동전이 섞여 있었습니다. 이때 100원짜리 동전의 수는 500원짜리 동전의 수의 3배입니다. 바구니 안에서 100원짜리 동전 5개와 500원짜리 동전 3개를 동시에 몇 번 꺼냈습니다. 10번 미만으로 동전을 몇 번 꺼내고 나니 남은 100원짜리 동전 수는 500원짜리 동전 수의 8배가 되었습니다. 동전을 몇 번 꺼냈고, 처음에 바구니 안에 있던 500원짜리 동전은 몇 개였는지 차례로 쓰시오.

(   ), (   )

해법 경시 유형

06 오른쪽 그림에서 (선분 ㄴㅁ)＝(선분 ㅁㅂ)＝(선분 ㅂㄷ)이고 (선분 ㄱㄹ) : (선분 ㄹㄷ)＝2 : 1입니다. 각 ㄴㅁㅅ과 각 ㅂㅁㄹ의 크기가 같을 때 삼각형 ㄴㅅㅁ의 넓이와 삼각형 ㄱㄴㄷ의 넓이의 비를 가장 간단한 자연수의 비로 나타내어 보시오.

(단, 선분 ㄱㅅ과 선분 ㄹㅂ은 서로 평행합니다.)

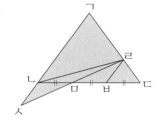

(   )

비례식으로 구한 피라미드의 높이

어느 날, 고대 이집트의 왕이었던 아모세 1세는 신하들을 데리고 피라미드를 구경하러 갔다고 합니다. 피라미드를 바라보던 왕은 갑자기 피라미드의 높이가 궁금해졌습니다.

피라미드의 높이를 아는 사람?

왕의 말을 들은 신하들은 전부 아무 말도 하지 못한 채 어쩔 줄 몰라 했습니다.

그때 이집트를 여행 중이던 고대 그리스의 철학자이자 수학자인 탈레스가 피라미드의 높이를 재어 주었습니다.

(피라미드 높이) : (피라미드 그림자 길이) = (막대 길이) : (막대 그림자 길이)

$$(\text{피라미드 높이}) = \frac{(\text{피라미드 그림자 길이}) \times (\text{막대 길이})}{(\text{막대 그림자 길이})}$$ 로 잴 수 있죠.

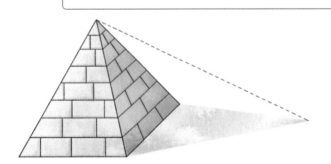

탈레스는 위와 같이 피라미드 그림자 길이와 막대 길이, 막대 그림자 길이를 재어 피라미드의 높이를 구하는 비례식을 만들고 피라미드의 높이를 구했다고 합니다.

5 원의 넓이

꼭! 알아야 할 대표 유형

유형 ❶ 원의 크기를 비교하는 문제

유형 ❷ 원주를 이용하여 굴러간 거리를 구하는 문제

유형 ❸ 색칠한 부분의 둘레를 구하는 문제

유형 ❹ 색칠한 부분의 넓이를 구하는 문제

유형 ❺ 여러 개의 원을 묶은 끈의 길이를 구하는 문제

유형 ❻ 겹친 부분의 넓이와 관련된 문제

유형 ❼ 원이 지나간 자리의 넓이를 구하는 문제

유형 ❽ [창의·융합] 규칙이 있는 원주에 관한 문제

단계	쪽수	공부한 날	점수	
1단계 START 개념	102~107	월 일	O	X
2단계 JUMP 유형	108~115	월 일	O	X
3단계 MASTER 심화	116~121	월 일	O	X
4단계 TOP 최고수준	122~123	월 일	O	X

※ O에는 맞힌 개수, X에는 틀린 개수를 써넣으세요.

1 원주율

• 원주: 원의 둘레
• 원주율: 원의 지름에 대한 원주의 비율

$$(원주율) = (원주) \div (지름)$$

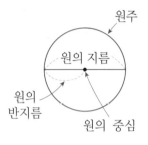
원주
원의 지름
원의 반지름
원의 중심

• 원주율을 소수로 나타내면
3.1415926535897932……와 같이
끝없이 이어집니다.

개념 활용 1

원주율을 반올림하여 나타내기
┌ 소수 둘째 자리까지 ⇨ 3.14
├ 소수 첫째 자리까지 ⇨ 3.1
└ 일의 자리까지 ⇨ 3

참고

圓	周
둥글 원	두루 주

2 지름 구하기

• 원주율을 이용하여 지름 구하는 방법

$$(원주) \div (지름) = (원주율) \Rightarrow (지름) = (원주) \div (원주율)$$

(예) 원주: 6.28 cm
?

(원주율: 3.14)
(지름) = 6.28 ÷ 3.14
= 2 (cm)

개념 활용 2

원주율을 이용하여 반지름 구하기
(반지름) = (지름) ÷ 2
= (원주) ÷ (원주율) ÷ 2

미리보기 중1

원주율은 3.141592……와 같이 끝을 알 수 없는 수이므로 초등에서는 어림하여 3, 3.1, 3.14 등으로 사용하고, 중등 이후에는 π(파이)로 나타냅니다.

3 원주 구하기

• 원주율을 이용하여 원주 구하는 방법

$$(원주) \div (지름) = (원주율)$$
$$\Rightarrow (원주) = (지름) \times (원주율)$$
$$= (반지름) \times 2 \times (원주율)$$

(지름) = (반지름) × 2이므로 반지름만 알아도 원주를 구할 수 있어요.

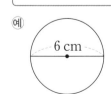

(예) 6 cm

(원주율: 3.14)
(원주) = 6 × 3.14
= 18.84 (cm)

참고 **지름과 원주의 관계**
지름이 2배, 3배……가 되면 원주도 2배, 3배……가 됩니다.

개념 활용 3

지름과 원주의 관계
지름이 더 긴 원이 원주도 더 깁니다.
(예) ㉠지름이 8 cm인 원과 지름이 10 cm ㉡
인 원의 원주 비교 (원주율: 3.14)
(㉠의 원주) = 8 × 3.14
= 25.12 (cm)
(㉡의 원주) = 10 × 3.14
= 31.4 (cm)
(㉠의 원주) < (㉡의 원주)
※ (㉠의 지름) < (㉡의 지름)
⇨ (㉠의 원주) < (㉡의 원주)

1 오른쪽 원을 보고 설명이 맞으면 ○표, **틀리면** ×표 하시오.

- ㉢은 원 ㉡의 지름입니다.
  .... (   )
- 원 ㉡의 원주율이 원 ㉠의 원주율보다 더 큽니다. .... (   )
- (원 ㉡의 원주)÷(㉢의 길이)는 약 3.14입니다. .... (   )

2 원주율에 대한 설명으로 **잘못된** 것을 찾아 기호를 쓰시오.

> ㉠ 원의 지름에 대한 원주의 비율입니다.
> ㉡ 지름이 짧아지면 원주율도 작아집니다.
> ㉢ 원주율을 소수 셋째 자리에서 반올림하여 나타내면 3.14입니다.

(   )

3 원주가 36 cm일 때, ☐ 안에 알맞은 수를 써넣으시오. (원주율: 3)

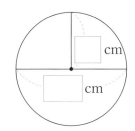

4 원주가 짧은 것부터 순서대로 기호를 쓰시오.

(원주율: 3.14)

> ㉠ 반지름이 7 cm인 원
> ㉡ 지름이 10 cm인 원
> ㉢ 원주가 40.82 cm인 원

(   )

5 원주가 24.8 cm인 원의 반지름은 몇 cm입니까? (원주율: 3.1)

(   )

6 다음은 각 동전의 지름을 나타낸 것입니다. 가장 큰 동전과 가장 작은 동전의 원주의 차는 몇 mm입니까? (원주율: 3)

동전	10원	50원	100원	500원
지름(mm)	18	21.6	24	26.5

(   )

1 원의 넓이 어림하기

• 지름이 20 cm인 원의 넓이 어림하기

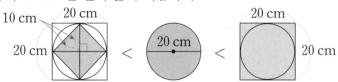

(마름모의 넓이) < (원의 넓이) < (정사각형의 넓이)
$20 \times 20 \div 2 = 200 \, (\text{cm}^2)$　　$20 \times 20 = 400 \, (\text{cm}^2)$

➡ 지름이 20 cm인 원의 넓이는 $200 \, \text{cm}^2$와 $400 \, \text{cm}^2$ 사이로 어림할 수 있습니다.

2 원의 넓이 구하기

• 원을 한없이 잘게 잘라 이어 붙여서 점점 직사각형에 가까워지는 도형으로 바꾸어봅니다.

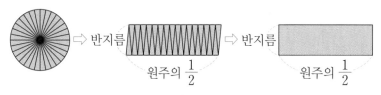

반지름 ➡ 원주의 $\frac{1}{2}$　　반지름 ➡ 원주의 $\frac{1}{2}$

$$(\text{원의 넓이}) = (\text{원주}) \times \frac{1}{2} \times (\text{반지름})$$
$$= (\text{지름}) \times \frac{1}{2} \times (\text{반지름}) \times (\text{원주율})$$
$$= (\text{반지름}) \times (\text{반지름}) \times (\text{원주율})$$

예

4 cm

(원주율: 3.14)
(원의 넓이) $= 4 \times 4 \times 3.14 = 50.24 \, (\text{cm}^2)$

참고 **반지름과 원의 넓이의 관계**

반지름이 2배, 3배, 4배……로 늘어나면 원의 넓이는 4배, 9배, 16배……로 늘어납니다.

개념 활용 **1**

• 원 안에 꼭 맞게 들어가는 마름모
➡ (원의 지름)
　= (마름모의 대각선의 길이)

• 정사각형 안에 꼭 맞게 들어가는 원
➡ (원의 지름)
　= (정사각형의 한 변의 길이)

참고

원의 성질
① 원의 지름은 셀 수 없이 많습니다.
② 원의 반지름은 셀 수 없이 많습니다.
③ 원의 지름은 원의 반지름의 2배입니다.
④ 원의 지름은 원의 중심에 의해 이등분됩니다.

개념 활용 **2**

지름을 이용하여 원의 넓이 구하기
➡ (반지름) = (지름) ÷ 2이므로 지름으로 반지름을 구하여 원의 넓이를 구합니다.

미리보기 **6-2**

• **원기둥**: 둥근기둥 모양의 입체도형

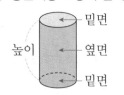

밑면
높이
옆면
밑면

• **원뿔**: 둥근 뿔 모양의 입체도형

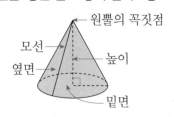

원뿔의 꼭짓점
모선
높이
옆면
밑면

1 그림과 같이 한 변의 길이가 8 cm인 정사각형 안에 꼭 맞게 원이 있고, 원 안에 꼭 맞게 마름모가 있습니다. 원의 넓이는 몇 cm^2인지 어림해 보시오.

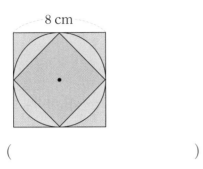

8 cm

( )

2 지름이 16 cm인 원의 넓이는 한 변의 길이가 16 cm인 정사각형의 넓이보다 넓습니까, 좁습니까?

( )

3 원의 넓이는 몇 cm^2입니까? (원주율: 3.1)

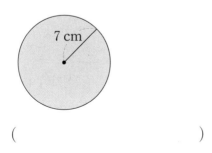

7 cm

( )

4 한 변의 길이가 10 cm인 정사각형 안에 꼭 맞게 들어가는 원의 넓이는 몇 cm^2입니까?

(원주율: 3.14)

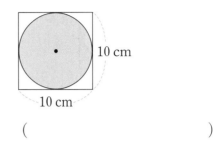

10 cm

10 cm

( )

5 원의 넓이가 넓은 것부터 순서대로 기호를 쓰시오. (원주율: 3)

> ㉠ 반지름이 8 cm인 원
> ㉡ 원주가 60 cm인 원
> ㉢ 지름이 12 cm인원

( )

6 다음과 같은 땅의 넓이는 몇 m^2입니까?

(원주율: 3.14)

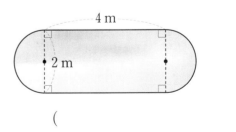

4 m

2 m

( )

1 다각형과 원의 넓이를 이용하여 색칠한 부분의 넓이 구하기

(예)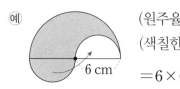

(원주율: 3.14)
(색칠한 부분의 넓이)
=(정사각형의 넓이)−(원의 넓이)
=$10 \times 10 - 5 \times 5 \times 3.14$
=$21.5 \, (\text{cm}^2)$

⇨ 한 변의 길이가 10 cm인 정사각형의 넓이에서 반지름이 5 cm인 원의 넓이를 뺍니다.

개념 활용 **1**

넓이를 구할 수 있는 도형을 이용하기

(예)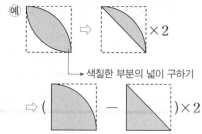

→ 색칠한 부분의 넓이 구하기

(색칠한 부분의 넓이)
=$\{(\text{원의 넓이}) \times \dfrac{1}{4}$
$-(\text{삼각형의 넓이})\} \times 2$

2 구하려는 부분의 일부를 옮겨서 색칠한 부분의 넓이 구하기

(예)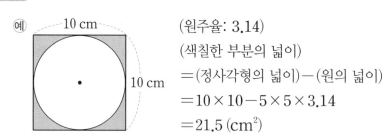

6 cm

(원주율: 3.14)
(색칠한 부분의 넓이)
=$6 \times 6 \times 3.14 \times \dfrac{1}{2} = 56.52 \, (\text{cm}^2)$

⇨ 작은 반원 부분을 옮기면 큰 반원이 됩니다.

미리보기 **중1**

• **부채꼴**: 원에서 두 반지름과 그 사이에 있는 호로 이루어진 도형
• **중심각**: 부채꼴의 두 반지름이 이루는 각

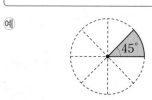

3 색칠한 부분이 원의 일부분인 경우 넓이 구하기

(예) 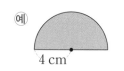 ⇨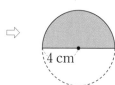

4 cm   4 cm   (원주율 3.14)

(색칠한 부분의 넓이)=(원의 넓이)$\times \dfrac{1}{2}$ →주어진 모양은 전체의 $\dfrac{1}{2}$입니다.
=$4 \times 4 \times 3.14 \times \dfrac{1}{2} = 25.12 \, (\text{cm}^2)$

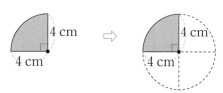

4 cm   4 cm
4 cm   4 cm

(색칠한 부분의 넓이)=(원의 넓이)$\times \dfrac{1}{4}$ →주어진 모양은 전체의 $\dfrac{1}{4}$입니다.
=$4 \times 4 \times 3.14 \times \dfrac{1}{4} = 12.56 \, (\text{cm}^2)$

⇨ 주어진 모양이 원의 넓이의 몇 분의 몇인지 알아봅니다.

개념 활용 **2**

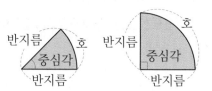

(부채꼴의 넓이)
=(원의 넓이)$\times \dfrac{(\text{중심각})}{360°}$

(예)

45°

(중심각이 45°인 부채꼴의 넓이)
=(원의 넓이)$\times \dfrac{45°}{360°}$
=(원의 넓이)$\times \dfrac{1}{8}$

1 색칠한 부분의 넓이는 몇 cm²입니까?

(원주율: 3.14)

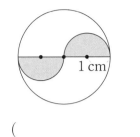

(   )

2 반지름이 9 cm인 원의 일부입니다. 이 도형의 넓이는 몇 cm²입니까? (원주율: 3)

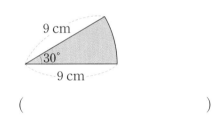

(   )

3 정사각형 안에 원의 일부를 그린 것입니다. 색칠한 부분의 넓이는 몇 cm²입니까? (원주율: 3)

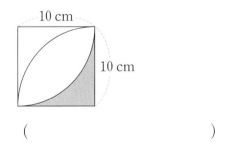

(   )

4 색칠한 부분의 넓이는 몇 cm²입니까?

(원주율: 3.14)

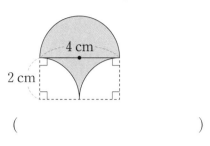

(   )

5 색칠한 부분의 넓이는 몇 cm²입니까?

(원주율: 3.1)

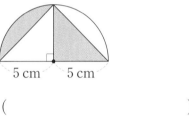

(   )

6 반지름이 8 cm인 원의 일부를 잘라낸 도형입니다. 이 도형의 넓이는 몇 cm²입니까?

(원주율: 3)

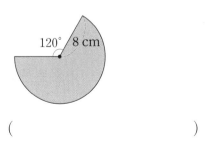

(   )

유형 ① 원의 크기를 비교하는 문제

예제 1-1 가장 큰 원을 찾아 기호를 쓰시오. (원주율: 3.1)

> ㉠ 지름이 9 cm인 원
> ㉡ 원주가 68.2 cm인 원
> ㉢ 넓이가 49.6 cm²인 원

🔑 **문제해결 Key**

지름으로 원의 크기를 비교합니다.

> 지름이 더 길수록
> ⇩
> 더 큰 원입니다.

풀이

❶ ㉡의 지름 구하기

_____

❷ ㉢의 지름 구하기

_____

❸ 가장 큰 원 찾기

_____

답 _____

예제 1-2 가장 작은 원을 찾아 기호를 쓰시오. (원주율: 3)

> ㉠ 반지름이 6 cm인 원
> ㉡ 넓이가 75 cm²인 원
> ㉢ 원주가 18 cm인 원

(   )

응용 1-3 가장 큰 원의 넓이는 몇 cm²입니까? (원주율: 3.14)

> ㉠ 반지름이 12 cm인 원
> ㉡ 지름이 16 cm인 원
> ㉢ 원주가 56.52 cm인 원

(   )

유형 ❷ 원주를 이용하여 굴러간 거리를 구하는 문제

예제 2-1 주원이는 오른쪽과 같이 지름이 70 cm인 원 모양의 굴렁쇠를 굴렸더니 한 방향으로만 3바퀴 굴러갔습니다. 이때 굴렁쇠가 굴러간 거리는 몇 cm입니까? (원주율: 3.1)

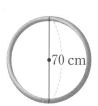

🔑 **문제해결 Key**

굴렁쇠가 한 바퀴 굴러간 거리는 굴렁쇠의 원주와 같습니다.

풀이

❶ 굴렁쇠의 원주 구하기

_____

❷ 굴렁쇠가 굴러간 거리 구하기

_____

답 _____

예제 2-2 승현이는 반지름이 20 cm인 원 모양의 굴렁쇠를 굴렸더니 한 방향으로만 4바퀴 굴러갔습니다. 이때 굴렁쇠가 굴러간 거리는 몇 cm입니까? (원주율: 3.14)

(   )

응용 2-3 윤재는 반지름이 8 cm인 원 모양 접시를 굴렸더니 한 방향으로만 굴러갔습니다. 접시가 굴러간 거리가 99.2 cm라면 접시는 몇 바퀴 굴렀습니까? (원주율: 3.1)

(   )

유형 ③ 색칠한 부분의 둘레를 구하는 문제

예제 3-1 오른쪽 도형은 한 변의 길이가 12 cm인 정사각형 안에 정사각형의 한 변의 길이를 반지름으로 하는 원의 일부를 그린 것입니다. 색칠한 부분의 둘레는 몇 cm입니까? (원주율: 3.14)

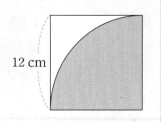

12 cm

🔑 문제해결 Key

(색칠한 부분의 둘레)
=(곡선 부분)+(직선 부분)

풀이

❶ 곡선 부분의 길이 구하기

_____

❷ 직선 부분의 길이 구하기

_____

❸ 색칠한 부분의 둘레 구하기

_____

답 _____

예제 3-2 오른쪽 도형은 반지름이 20 cm인 원의 일부분 안에 지름이 20 cm인 반원 2개를 그린 것입니다. 색칠한 부분의 둘레는 몇 cm입니까?

(원주율: 3)

(   )

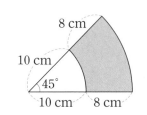

20 cm

20 cm

응용 3-3 오른쪽 도형에서 색칠한 부분의 둘레는 몇 cm입니까? (원주율: 3.1)

(   )

8 cm

10 cm

45°

10 cm   8 cm

유형 ④ 색칠한 부분의 넓이를 구하는 문제

예제 4-1 오른쪽과 같이 한 변의 길이가 16 cm인 정사각형 안에 네 꼭짓점을 원의 중심으로 하여 크기가 같은 원의 일부를 그렸습니다. 색칠한 부분의 넓이는 몇 cm²입니까? (원주율: 3.14)

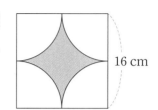

16 cm

🔑 문제해결 Key

정사각형 안에 원의 $\frac{1}{4}$인 모양이 4개 있으므로 색칠한 부분의 넓이는 (정사각형의 넓이)−(원의 넓이)로 구합니다.

풀이

❶ 정사각형의 넓이 구하기

_____

❷ 원의 넓이 구하기

_____

❸ 색칠한 부분의 넓이 구하기

_____

답 _____

5

원의 넓이

예제 4-2 오른쪽과 같이 한 변의 길이가 12 cm인 정사각형 안에 꼭 맞는 원을 그리고 정사각형의 네 꼭짓점을 원의 중심으로 하여 크기가 같은 원의 일부를 그렸습니다. 색칠한 부분의 넓이는 몇 cm²입니까?

(원주율: 3.1)

( )

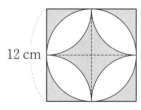

12 cm

응용 4-3 오른쪽 도형은 정사각형의 네 꼭짓점을 각각 원의 중심으로 하여 원의 일부를 그린 것입니다. 색칠한 부분의 넓이는 몇 cm²입니까?

(원주율: 3)

( )

13 cm

7 cm

유형 ⑤ 여러 개의 원을 묶은 끈의 길이를 구하는 문제

예제 5-1 오른쪽 그림과 같이 밑면의 모양이 원이고 지름이 10 cm인 둥근 기둥 3개를 끈으로 1바퀴 돌려 묶었습니다. 사용한 끈의 길이는 몇 cm입니까? (단, 끈을 묶은 매듭의 길이는 생각하지 않습니다.) (원주율: 3.1)

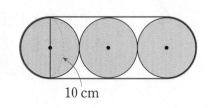

10 cm

🔑 **문제해결 Key**

필요한 끈의 길이는 곡선 부분과 직선 부분으로 나누어서 구합니다.

풀이

❶ 곡선 부분의 길이 구하기

_____

❷ 직선 부분의 길이 구하기

_____

❸ 필요한 끈의 길이 구하기

_____

답 _____

예제 5-2 오른쪽 그림과 같이 밑면의 모양이 원이고 지름이 8 cm인 둥근기둥 모양의 말뚝 4개를 끈으로 1바퀴 돌려 묶었습니다. 사용한 끈의 길이는 몇 cm입니까?

(단, 끈을 묶은 매듭의 길이는 생각하지 않습니다.) (원주율: 3.1)

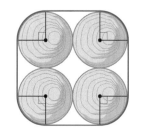

(   )

응용 5-3 오른쪽 그림과 같이 밑면의 지름이 모두 같은 음료수 캔을 끈으로 1바퀴 돌려 묶었더니 사용한 끈의 길이는 36.84 cm였습니다. 음료수 캔의 반지름은 몇 cm입니까? (단, 끈을 묶은 매듭의 길이는 생각하지 않습 니다.) (원주율: 3.14)

원주의 $\frac{1}{3}$

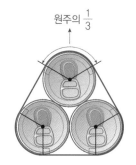

(   )

유형 ⑥ 겹친 부분의 넓이와 관련된 문제

예제 6-1 반지름이 12 cm인 원 두 개가 오른쪽과 같이 겹쳐 있습니다. 겹친 부분의 넓이는 몇 cm²입니까? (원주율: 3)

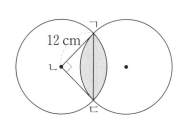

🔑 문제해결 Key

겹친 부분의 넓이는
(반지름이 12 cm인 원의 넓이의 $\frac{1}{4}$)
−(직각삼각형 ㄱㄴㄷ의 넓이)의
2배입니다.

풀이

❶ 반지름이 12 cm인 원의 넓이의 $\frac{1}{4}$ 구하기

_____

❷ 직각삼각형 ㄱㄴㄷ의 넓이 구하기

_____

❸ 겹친 부분의 넓이 구하기

_____

_____

답 _____

5
원의 넓이

예제 6-2 반지름이 10 cm인 원 3개를 오른쪽과 같이 각 원의 중심을 지나도록 겹쳐 놓았습니다. 색칠한 부분의 넓이는 몇 cm²입니까? (원주율: 3)

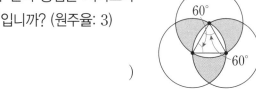

(   )

응용 6-3 오른쪽 그림에서 반지름이 8 cm인 원과 직사각형 ㄱㄴㄷㄹ의 넓이가 같을 때, 색칠한 부분의 넓이는 몇 cm²입니까? (원주율: 3)

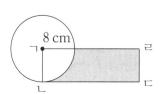

(   )

유형 ⑦ 원이 지나간 자리의 넓이를 구하는 문제

예제 7-1 오른쪽과 같이 반지름이 6 cm인 원이 직선 위에서 1바퀴 굴러 이동했습니다. 이때, 원이 지나간 자리의 넓이는 몇 cm²입니까? (원주율: 3)

🔑 **문제해결 Key**

원이 지나간 자리를 그려 보면 직사각형과 원으로 나눌 수 있습니다.

예) 반지름이 1 cm인 원이 직선 위에서 1바퀴 구르면 다음과 같이 지나갑니다.

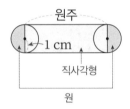

풀이

❶ 원이 지나간 자리를 그려 보기

❷ ❶에서 직사각형의 넓이 구하기

_____

❸ 원의 넓이 구하기

_____

❹ 원이 지나간 자리의 넓이 구하기

_____

답 _____

예제 7-2 반지름이 10 cm인 원이 직선 위에서 1바퀴 굴러 이동했습니다. 이때, 원이 지나간 자리의 넓이는 몇 cm²입니까? (원주율: 3.1)

(   )

응용 7-3 반지름이 2 cm인 원이 한 변의 길이가 10 cm인 정사각형의 둘레를 오른쪽과 같이 한 바퀴 돌았습니다. 원이 지나간 자리의 넓이는 몇 cm²입니까? (원주율: 3)

(   )

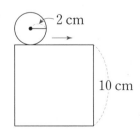

창의·융합 **유형 8 규칙이 있는 원주에 관한 문제**

예제 8-1

[수학 + 체육]

400 m 육상 경기는 모두 8개의 트랙에서 이루어지고 직선 구간과 반원 모양의 곡선 구간으로 되어 있습니다. 각 트랙의 직선 구간의 거리는 같지만 곡선 구간은 각각 거리가 다르므로 선수들이 달리는 거리를 같게 하려면 출발 지점을 다르게 해야 합니다. 예를 들어, 각트랙의 폭이 1 m일 때 곡선 구간의 거리를 구하면 안쪽 1번 트랙의 양쪽 곡선 구간을 붙였을 때 원주가 되므로 (지름)×(원주율)이 됩니다. 2번 트랙의 원주는 1번 트랙보다 지름이 2 m 더 긴 {(지름)+2}×(원주율)이 됩니다. 마찬가지로 나머지 트랙의 곡선 구간의 거리도 지름이 계속 2 m씩 늘어나는 원주가 됩니다.

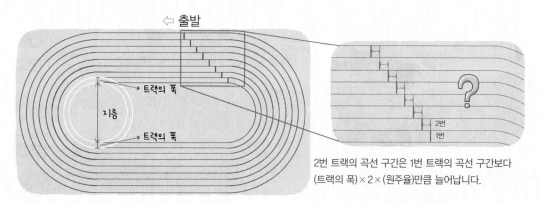

2번 트랙의 곡선 구간은 1번 트랙의 곡선 구간보다
(트랙의 폭)×2×(원주율)만큼 늘어납니다.

그렇다면, 트랙의 폭이 1.2 m이고 트랙의 한 바퀴를 돌 때, 3번 트랙의 출발선은 1번 트랙의 출발선보다 몇 m 앞에서 출발해야 합니까? (원주율: 3)

문제해결 Key

· 곡선 구간에서 지름이 양쪽으로 1.2 m씩 늘어납니다.

· 늘어나는 거리만큼 앞에서 출발해야 합니다.

풀이

❶ 2번 트랙이 1번 트랙보다 늘어난 곡선 구간의 거리 구하기

❷ 3번 트랙의 출발선은 1번 트랙의 출발선보다 몇 m 앞에서 출발해야 하는지 구하기

답

응용 8-2

[수학 + 과학]

오른쪽과 같이 그림자의 크기를 비교하는 실험을 하였습니다. 물체와 벽 사이의 거리가 10 cm일 때, 벽에 원의 반지름이 4 cm인 그림자가 생기고 물체와 벽 사이의 거리가 2 cm씩 멀어질 때마다 원 모양의 그림자의 반지름이 2배가 된다고 합니다. 물체와 벽 사이의 거리가 16 cm일 때, 벽에 생기는 그림자의 원주는 몇 cm입니까? (원주율: 3.14)

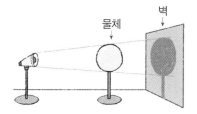

(　　　　　　　　　　)

유형 ❶ 원의 크기를 비교하는 문제

01 반지름이 긴 순서대로 기호를 쓰시오. (원주율: 3.14)

> ㉠ 지름이 15 cm인 원
> ㉡ 원주가 53.38 cm인 원
> ㉢ 넓이가 113.04 cm²인 원

(   )

창의 융합

[수학+과학] 유형 ❽ 규칙이 있는 원주에 관한 문제

02 나무의*나이테는 1년마다 한 개씩 만들어지므로 나이테의 수를 세어 보면 나무의 나이를 알 수 있습니다. 수아가 나이테를 보고 오른쪽과 같이 원 모양의 나이테를 그렸습니다. 수아가 그린 나이테의 둘레는 모두 몇 cm 입니까? (원주율: 3)

*나이테: 나무를 가로로 자르면 보이는 원 모양의 띠

 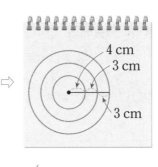

(   )

유형 ❸ 색칠한 부분의 둘레를 구하는 문제

03 다음은 종현이네 학교 운동장입니다. 운동장의 둘레는 몇 m입니까?

(원주율: 3.1)

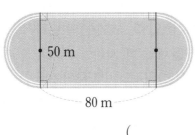

(   )

유형 ❷ 원주를 이용하여 굴러간 거리를 구하는 문제

04 준민이는 지름이 0.4 m인 굴렁쇠를 가지고 집에서 학교까지의 거리가 얼마인지 알아보려고 합니다. 집에서 학교까지 가는 데 굴렁쇠가 한 방향으로만 280바퀴 굴러갔다면 집에서 학교까지의 거리는 몇 m입니까?

(원주율: 3.14)

(   )

해법 경시 유형   유형 ❹ 색칠한 부분의 넓이를 구하는 문제

05 오른쪽 도형에서 색칠한 부분의 넓이는 몇 cm^2입니까? (원주율: 3)

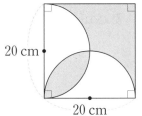

(   )

성대 경시 유형   유형 ❹ 색칠한 부분의 넓이를 구하는 문제

06 반지름이 8 cm인 반원 3개를 오른쪽과 같이 겹치지 않게 붙여 놓았습니다. 색칠한 부분의 넓이는 몇 cm^2입니까? (원주율: 3)

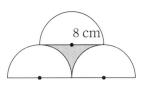

(   )

07 지름이 각각 17 cm, 11 cm인 두 원이 있습니다. 이 두 원의 원주의 차는 지름이 몇 cm인 원주와 같습니까? (원주율: 3.14)

( )

유형 **7** 원이 지나간 자리의 넓이를 구하는 문제

08 지름이 4 cm인 원이 있습니다. 이 원이 한 변의 길이가 20 cm인 정삼각형의 둘레를 한 바퀴 돌 때, 원이 지나간 자리의 넓이는 몇 cm²입니까?

(원주율: 3.1)

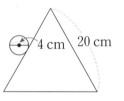

( )

유형 **4** 색칠한 부분의 넓이를 구하는 문제

09 사각형 ㄱㄴㄷㄹ은 한 변의 길이가 10 cm인 정사각형입니다. 이 정사각형 안에 꼭 맞는 원을 그리고 정사각형의 네 꼭짓점을 원의 중심으로 하여 크기가 같은 원의 일부를 그렸습니다. 색칠한 부분의 넓이는 몇 cm²입니까? (원주율: 3)

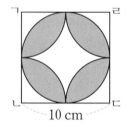

( )

고대 경시 유형 유형 ⑤ 여러 개의 원을 묶은 끈의 길이를 구하는 문제

10 밑면의 모양이 원이고 반지름이 10 cm인 둥근기둥 모양의 통 3개를 다음과 같이 2가지 방법으로 끈을 1바퀴 돌려 묶으려고 합니다. 끈은 가와 나 중 어느 쪽이 몇 cm 더 많이 필요합니까? (단, 끈을 묶는 매듭의 길이는 생각하지 않습니다.) (원주율: 3.14)

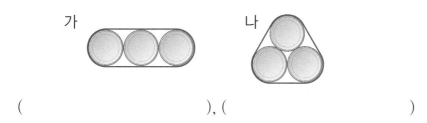

( ), ( )

창의 **융합**

[수학 + 미술] **고대 경시 유형**

11 가로와 세로의 비가 *황금비인 직사각형을 황금사각형이라고 합니다. 황금사각형을 하나의 정사각형과 작은 직사각형으로 나누면 새로 생긴 직사각형 역시 황금사각형입니다. 또, 새로 생긴 직사각형을 다시 정사각형과 작은 직사각형으로 나누어도 다시 황금사각형이 됩니다. 이때 만들어진 각각의 정사각형의 한 변을 반지름으로 하는 원의 일부를 그려 연결하여 그림과 같이 황금나선을 그릴 수 있습니다.

*황금비
1 : 1.618로 사람들의 눈에 가장 편하고 안정적으로 느껴지기 때문에 TV나 신용카드, 명함 등 일상생활에 흔히 적용됩니다.

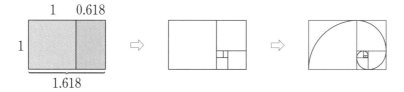

한 변의 길이가 각각 1 cm, 1 cm, 2 cm, 3 cm, 5 cm, 8 cm, 13 cm, 21 cm인 정사각형들을 연결하여 황금나선을 그렸을 때, 황금나선의 길이는 몇 cm입니까? (원주율: 3)

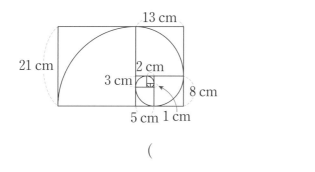

( )

유형 4 색칠한 부분의 넓이를 구하는 문제

12 오른쪽 그림은 반지름이 10 cm인 원의 둘레를 12 등분하여 점을 찍은 것입니다. 12등분한 점 중 세 점을 각각 ㄱ, ㄴ, ㄷ이라 할 때 색칠한 부분의 넓이는 몇 cm²입니까? (원주율: 3)

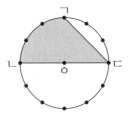

(   )

유형 7 원이 지나간 자리의 넓이를 구하는 문제

13 오른쪽 큰 원 ㉮의 반지름이 15 cm, 원 ㉯의 반지름이 3 cm, 원 ㉰의 반지름이 5 cm 입니다. 원 ㉯와 원 ㉰는 원 ㉮의 원주를 시계 반대 방향으로 돌아 제자리로 다시 돌아올 때까지 돈다고 합니다. 원 ㉯와 원 ㉰가 지나간 곳의 넓이는 몇 cm²입니까?

(원주율: 3.14)

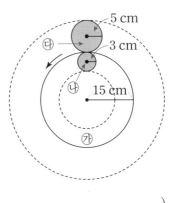

(   )

성대 경시 유형   **유형 4** 색칠한 부분의 넓이를 구하는 문제

14 지름이 12 cm인 큰 원 안에 가, 나 2개의 원이 있습니다. 가, 나 두 원의 반지름의 비가 2 : 1이고 색칠한 부분의 넓이는 48 cm²입니다. 원 나의 넓이는 몇 cm²입니까? (원주율: 3)

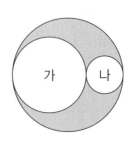

(   )

고대 경시 유형 유형 **7** 원이 지나간 자리의 넓이를 구하는 문제

15 지름이 50 cm인 원 모양의 로봇 청소기를 사용하여 직사각형 모양의 방을 청소하려고 합니다. 방에서 청소기가 닿지 않는 부분의 넓이는 몇 cm²입니까? (원주율: 3)

(   )

유형 **6** 겹친 부분의 넓이와 관련된 문제

16 오른쪽 그림은 한 변의 길이가 12 cm인 정사각형 안에 지름이 12 cm인 반원과 반지름이 12 cm인 원의 일부 2개를 그린 것입니다. 가와 나의 넓이의 차는 몇 cm²입니까? (원주율: 3.14)

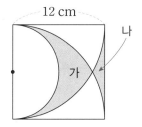

(   )

유형 **6** 겹친 부분의 넓이와 관련된 문제

17 오른쪽 도형은 지름이 16 cm인 반원을 점 ㄴ을 중심으로 45°만큼 회전시킨 것입니다. 색칠한 부분의 넓이는 몇 cm²입니까? (원주율: 3.14)

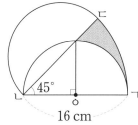

(   )

01 오른쪽과 같이 반지름이 각각 20 cm, 30 cm인 두 바퀴가 있습니다. 두 바퀴는 길이가 4.32 m인 벨트로 연결되어 있습니다. 두 바퀴의 회전수의 합이 60번일 때, 벨트의 회전수는 몇 번입니까? (원주율: 3)

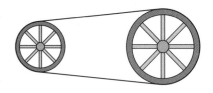

( )

02 오른쪽 그림과 같이 정사각형 모양인 염소 우리의 한 꼭짓점에 염소 한 마리가 5 m의 끈으로 매여 있습니다. 이 염소가 풀을 뜯기 위해 움직일 수 있는 범위의 넓이는 몇 m²입니까? (단, 우리 안으로는 들어갈 수 없고 염소 몸의 길이와 묶은 부분의 길이는 생각하지 않습니다.)

(원주율: 3.1)

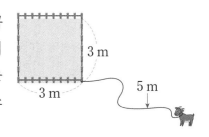

( )

고대 경시 유형

03 오른쪽은 반지름이 5 cm인 원 9개를 붙여서 만든 도형입니다. 색칠한 부분의 넓이는 몇 cm²입니까? (원주율: 3.14)

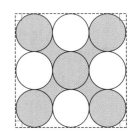

( )

[수학 + 과학]

04 *CNC 공작기계는 소형 컴퓨터를 내장한 공작기계로, 쇠로 된 하수구 덮개의 홈을 팔 때나 가구의 한 면에 디자인을 무늬로 새길 때 사용합니다. 반지름이 2 cm인 원 모양의 톱니바퀴가 회전하면서 지나가며 홈을 파는 CNC 공작기계가 있습니다. 이 기계에 가로가 20 cm, 세로가 12 cm인 직사각형의 나무판을 올려놓고, 출발점에서 도착점까지 다음과 같이 프로그래밍을 하였을 때, 톱니바퀴가 지나가지 않은 부분의 넓이는 몇 cm² 입니까? (원주율: 3.14)

> (프로그래밍 순서 : 오른쪽으로 12 cm 이동 ⇨ 위로 4 cm 이동 ⇨ 왼쪽으로 16 cm 이동 ⇨ 아래로 8 cm 이동 ⇨ 오른쪽으로 16 cm 이동)

*CNC: computer numerical control

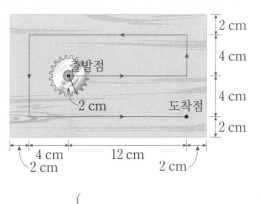

(   )

고대 경시 유형   해법 경시 유형

05 오른쪽은 반지름이 일정한 원주의 $\frac{1}{2}$ 만큼과 $\frac{1}{4}$ 만큼을 이용하여 그린 도형입니다. 이 도형의 둘레가 48 cm라면, 넓이는 몇 cm² 입니까? (원주율: 3)

(   )

생각하기

뫼비우스의 띠

뫼비우스의 띠는 독일의 수학자 뫼비우스가 처음 제시한 것으로, 좁고 긴 직사각형의 띠를 한 번 꼬아서 끝을 붙이면 처음 양면이었던 종이가 한 면이 되는 성질을 가지게 됩니다. 그럼, 뫼비우스의 띠를 만들어 볼까요?

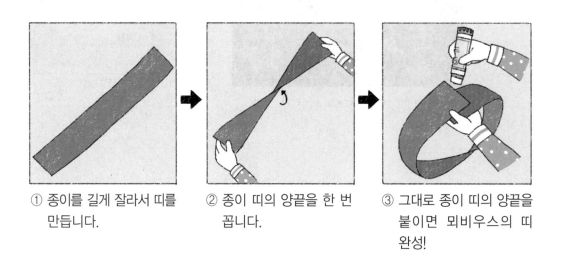

① 종이를 길게 잘라서 띠를 만듭니다.

② 종이 띠의 양끝을 한 번 꼽니다.

③ 그대로 종이 띠의 양끝을 붙이면 뫼비우스의 띠 완성!

뫼비우스의 띠 모양 종이의 한 곳에서 시작해서 선을 그어 보세요. 선을 그어 처음 선을 긋기 시작한 곳까지 가면 종이의 한 면에만 선이 그어진 것이 아니라 종이의 양면이 선으로 연결되어 있음을 알 수 있습니다.

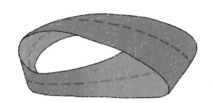

뫼비우스의 띠의 면이 1개인 특징은 많은 곳에서 활용되고 있습니다. 예를 들어 테이프의 양면에 녹음이 되는 양면녹음테이프, 컨테이너 벨트 등이 있습니다.

6 원기둥, 원뿔, 구

꼭! 알아야 할 대표 유형

유형 ❶ 원뿔의 구성 요소를 이용하여 길이를 구하는 문제

유형 ❷ 원기둥의 전개도의 둘레를 구하는 문제

유형 ❸ 원기둥의 전개도의 넓이를 구하는 문제

유형 ❹ 입체도형을 앞(위)에서 본 모양의 둘레를 구하는 문제

유형 ❺ 입체도형을 앞(위)에서 본 모양의 넓이를 구하는 문제

유형 ❻ [창의·융합] 회전축을 품은 평면으로 자른 단면의 넓이를 구하는 문제

유형 ❼ 회전축에 수직인 평면으로 자른 단면의 넓이를 구하는 문제

단계	쪽수	공부한 날	점수	
1단계 START 개념	126~129	월 일	O	X
2단계 JUMP 유형	130~136	월 일	O	X
3단계 MASTER 심화	137~141	월 일	O	X
4단계 TOP 최고수준	142~143	월 일	O	X

※ O에는 맞힌 개수, X에는 틀린 개수를 써넣으세요.

1 원기둥

- 원기둥: 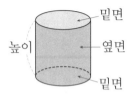 등과 같은 입체도형

원기둥의 옆면은 굽은 면이에요.

┌ 밑면: 서로 평행하고 합동인 두 면
├ 옆면: 두 밑면과 만나는 면
└ 높이: 두 밑면에 수직인 선분의 길이

- 원기둥과 각기둥의 비교

입체도형	같은 점	다른 점
	• 기둥 모양의 입체도형 • 두 밑면이 서로 평행하고 합동	• 밑면은 원, 옆면은 굽은 면 • 꼭짓점과 모서리가 없음
		• 밑면은 다각형, 옆면은 직사각형 • 꼭짓점과 모서리가 있음

2 원기둥의 전개도

- 원기둥의 전개도: 원기둥을 펼쳐 놓은 그림

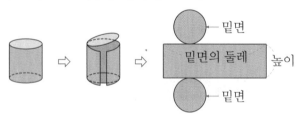

⇨ 원기둥의 전개도에서 ┌ 밑면은 원이고 2개
　　　　　　　　　　　 └ 옆면은 직사각형이고 1개

- 원기둥의 전개도의 특징

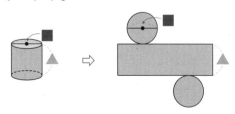

① (원기둥의 높이)=(옆면인 직사각형의 세로)
② (원기둥의 밑면의 둘레)=(옆면인 직사각형의 가로)

개념 활용 **1**

평면도형을 한 바퀴 돌려 만든 입체도형
① 평면도형의 한 변을 기준으로 한 바퀴 돌리면 굽은 면이 있는 입체도형이 됩니다.

(예)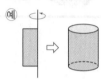

② 평면도형 밖의 한 직선을 기준으로 한 바퀴 돌리면 속이 비어 있는 입체도형이 됩니다.

(예)

미리보기 **중1**

회전체
평면도형을 한 직선을 축으로 하여 한 바퀴 돌릴 때 생기는 입체도형

(예)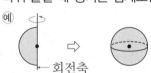

회전축

개념 활용 **2**

원기둥의 전개도의 둘레

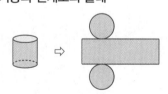

(원기둥의 전개도의 둘레)
=(한 밑면의 둘레)×4
　+(옆면의 세로)×2

1 빈 곳에 알맞은 수를 써넣으시오.

	원기둥	사각기둥
밑면의 수		
꼭짓점의 수		
모서리의 수		

2 오른쪽 입체도형은 원기둥이 아닙니다. 그 이유를 쓰시오.

_____

_____

3 원기둥과 원기둥의 전개도를 보고 □ 안에 알맞은 수를 써넣으시오. (원주율: 3.14)

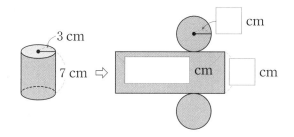

4 다음은 어떤 평면도형을 한 변을 기준으로 돌려 원기둥을 만들었습니다. 어떤 평면도형을 돌린 것인지 이름을 쓰시오.

(   )

5 원기둥의 전개도에서 옆면의 넓이가 370 cm²일 때 한 밑면의 둘레는 몇 cm입니까?

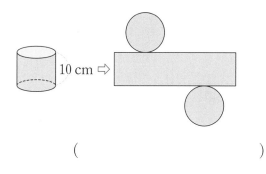

(   )

6 오른쪽 원기둥을 펼쳐 옆면이 직사각형인 전개도를 만들었을 때 옆면의 둘레는 몇 cm 입니까? (원주율: 3.1)

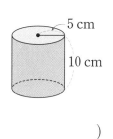

(   )

6

원기둥, 원뿔, 구

1 원뿔

- 원뿔: , 등과 같은 입체도형

  ┌ 옆면: 옆을 둘러싼 굽은 면
  ├ 밑면: 평평한 면
  ├ 원뿔의 꼭짓점: 뾰족한 부분의 점
  │ 모선: 원뿔에서 꼭짓점과 밑면인
  │   원의 둘레의 한 점을 이은 선분 →셀 수 없이 많고 길이는 모두 같습니다.
  └ 높이: 꼭짓점에서 밑면에 수직인 선분의 길이

원뿔의 꼭짓점, 모선, 높이, 옆면, 밑면

- 원뿔과 각뿔의 비교

입체도형	같은 점	다른 점
(원뿔)	• 뿔 모양의 입체도형 • 밑면이 1개	• 밑면은 원, 옆면은 굽은 면 • 옆면이 1개
(각뿔)		• 밑면은 다각형, 옆면은 삼각형 • 옆면의 수는 밑면의 모양에 따라 정해짐

2 구

- 구: 공 모양의 입체도형
  ┌ 구의 중심: 구에서 가장 안쪽에 있는 점
  └ 구의 반지름: 구의 중심에서 구의 겉면의 한 점을 이은 선분

구의 중심, 구의 반지름

- 원기둥, 원뿔, 구의 비교

입체도형	같은 점	다른 점
(원기둥)	굽은 면으로 둘러싸여 있음	• 기둥 모양 • 보는 방향에 따라 모양이 다름
(원뿔)		• 뿔 모양, 뾰족한 부분이 있음 • 보는 방향에 따라 모양이 다름
(구)		• 공 모양 • 어느 방향에서 보아도 모양이 원으로 같음

미리보기 중1

원뿔의 전개도

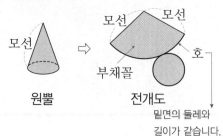

원뿔 ⇨ 전개도

모선, 부채꼴, 모선, 호
밑면의 둘레와 길이가 같습니다.

개념 활용 1

원뿔과 구는 회전체입니다.

① 직각삼각형 ⇨ 원뿔

② 반원 ⇨ 구

개념 활용 2

원기둥, 원뿔, 구를 평면으로 자를 때 생기는 면 → 단면

회전축: 회전체를 만들 때 축이 되는 직선

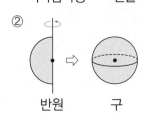

자른 면 도형	회전축을 품은 평면	회전축에 수직인 평면
(원기둥)	▭	○
(원뿔)	△	○
(구)	○	○

1 원뿔에서 모선의 길이는 몇 cm이고, 모선의 수는 몇 개인지 구하시오.

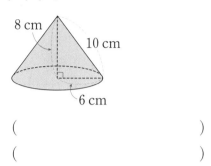

8 cm   10 cm   6 cm

(   )

(   )

2 어느 방향에서 보아도 모양이 같은 입체도형을 찾아 기호를 쓰시오.

| ㉠ 원기둥 | ㉡ 원뿔 | ㉢ 구 |

(   )

3 다음 구는 반지름이 몇 cm인 반원을 돌려 만든 것입니까?

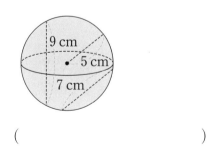

9 cm   5 cm   7 cm

(   )

4 ㉠+㉡+㉢은 몇 개인지 구하시오.

㉠ 원뿔의 꼭짓점의 수
㉡ 원기둥의 밑면의 수
㉢ 원뿔의 밑면의 수

(   )

5 반원의 지름을 중심으로 한 바퀴 돌려 구를 만들려고 합니다. 만들어지는 구의 지름은 몇 cm입니까?

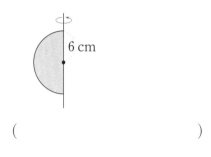

6 cm

(   )

6 어떤 입체도형을 잘랐더니 다음과 같았습니다. 이 입체도형의 이름을 쓰시오.

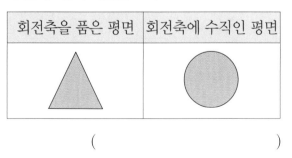

회전축을 품은 평면	회전축에 수직인 평면

(   )

6

원기둥, 원뿔, 구

유형 ① 원뿔의 구성 요소를 이용하여 길이를 구하는 문제

예제 1-1 철사를 사용하여 오른쪽과 같은 원뿔 모양을 만들었습니다. 사용한 철사의 길이가 65 cm라면 밑면에 사용한 철사의 길이는 몇 cm입니까? (단, 철사를 이은 부분의 길이는 생각하지 않습니다.)

10 cm

🔑 문제해결 Key

• (사용한 철사의 길이)
  =(모선 ■군데)+(밑면의 둘레)

• 원뿔의 모선의 길이는 모두 같습니다.

풀이

❶ 모선에 사용한 철사의 길이 구하기

_____

_____

❷ 밑면에 사용한 철사의 길이 구하기

_____

답 _____

예제 1-2 길이가 1.5 m인 철사를 모두 사용하여 오른쪽과 같은 원뿔 모양을 만들었습니다. 밑면에 사용한 철사의 길이는 몇 cm입니까? (단, 철사를 이은 부분의 길이는 생각하지 않습니다.)

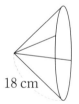
18 cm

(   )

응용 1-3 길이가 387 cm인 철사를 모두 사용하여 오른쪽과 같은 원뿔 모양을 만들었습니다. 밑면의 둘레가 157 cm일 때, 선분 ㄱㄷ의 길이는 몇 cm입니까?
(단, 철사를 이은 부분의 길이는 생각하지 않습니다.)

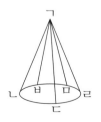

(   )

유형 ❷ 원기둥의 전개도의 둘레를 구하는 문제

예제 2-1 오른쪽 원기둥의 전개도에서 한 밑면의 둘레가 15 cm입니다. 전개도의 둘레는 몇 cm입니까?

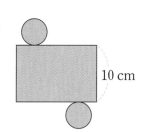

10 cm

🔑 문제해결 Key

(전개도의 둘레)
=(한 밑면의 둘레)×2
　+(옆면의 둘레)

풀이

❶ 옆면의 둘레 구하기

_____

_____

❷ 전개도의 둘레 구하기

_____

_____

답 _____

예제 2-2 오른쪽 원기둥의 전개도에서 한 밑면의 둘레는 31 cm입니다. 전개도의 둘레는 몇 cm입니까?

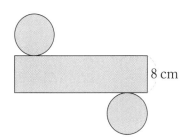

8 cm

(　　　　　　　　　　　)

응용 2-3 오른쪽 원기둥의 전개도의 둘레가 150 cm일 때 밑면의 반지름은 몇 cm입니까? (원주율: 3.1)

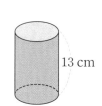

13 cm

(　　　　　　　　)

유형 ③ 원기둥의 전개도의 넓이를 구하는 문제

예제 **3-1** 밑면의 반지름이 4 cm이고 높이가 6 cm인 원기둥의 옆면의 넓이는
몇 cm²입니까? (원주율: 3.14)

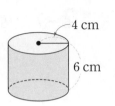

🔑 문제해결 Key

원기둥의 전개도에서 옆면은 직사
각형 모양입니다.
① 옆면의 가로와 세로를 알아봅
니다.
② 옆면의 넓이를 구합니다.

원기둥의 전개도에서 옆면의 가
로는 밑면의 둘레와 같고 옆면의
세로는 원기둥의 높이와 같습니다.

풀이

❶ 원기둥의 전개도를 보고 ☐ 안에 알맞은 수를 쓰기

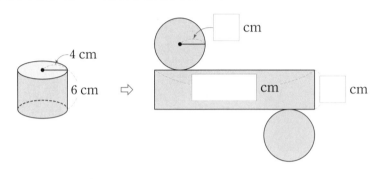

❷ 옆면의 넓이 구하기

_____

답 _____

예제 **3-2** 원기둥을 펼쳐 놓았더니 오른쪽과 같습니다. 이 원기둥의 전개도
의 넓이는 몇 cm²입니까? (원주율: 3.1)

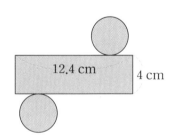

(   )

응용 **3-3** 오른쪽 원기둥을 펼쳐놓았을 때 전개도의 넓이는 몇 cm²입니까?
(원주율: 3.14)

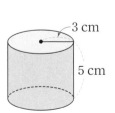

(   )

유형 ④ 입체도형을 앞(위)에서 본 모양의 둘레를 구하는 문제

예제 4-1 오른쪽 원기둥을 앞에서 본 모양의 둘레는 몇 cm입니까?

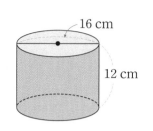

16 cm

12 cm

🔑 **문제해결 Key**

입체도형을 위, 앞, 옆에서 본 모양

예	도형	위	앞	옆

풀이

❶ 오른쪽에 원기둥을 앞에서 본 모양을 그리고 각 변의 길이 쓰기

❷ 원기둥을 앞에서 본 모양의 둘레 구하기

답 _____

예제 4-2 오른쪽 구를 위에서 본 모양의 둘레는 몇 cm입니까? (원주율: 3)

(　　　　　　　)

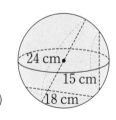

24 cm

15 cm

18 cm

응용 4-3 오른쪽 원뿔을 앞에서 본 모양의 둘레는 몇 cm입니까?

(　　　　　　　)

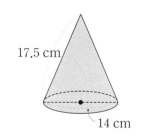

17.5 cm

14 cm

6 원기둥, 원뿔, 구

유형 5 입체도형을 앞(위)에서 본 모양의 넓이를 구하는 문제

예제 5-1 오른쪽 원기둥을 앞에서 본 모양의 넓이는 몇 cm²입니까?

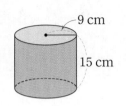

🔑 문제해결 Key

원기둥을 앞에서 본 모양은 직사각형입니다.

풀이

❶ 오른쪽에 원기둥을 앞에서 본 모양을 그리고 각 변의 길이 쓰기

❷ 원기둥을 앞에서 본 모양의 넓이 구하기

_____

_____

답 _____

예제 5-2 오른쪽 입체도형을 앞에서 본 모양의 넓이는 몇 cm²입니까?

(   )

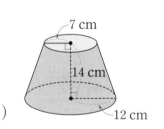

응용 5-3 오른쪽은 원기둥 2개를 쌓은 모양입니다. 이 입체도형을 앞에서 본 모양의 넓이는 몇 cm²입니까?

(   )

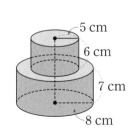

창의·융합 유형 6 회전축을 품은 평면으로 자른 단면의 넓이를 구하는 문제

예제 6-1 보온병은 그 안에 있는 내용물의 온도를 유지하려는 데 목적이 있습니다. 예를 들어 따뜻한 물을 식지 않게 보관하기 위해 보온병을 사용합니다. 보온병의 원리는 열의 이동 방법인 대류, 복사, 전도가 이루어지지 않게 하는 것입니다. 보온병 안에 유리로 된 이중벽이 있어 진공상태를 유지하여 대류가 일어나지 않도록 하고 유리병을 고정하는 지지대는 열을 잘 전달하지 못하는 물질로 만듭니다. 또 외부는 열전도율을 최소화한 재료로 만듭니다. 다음과 같은 모양의 보온병을 보고 지수가 원기둥 모양을 그렸습니다. 지수가 그린 원기둥을 회전축을 품은 평면으로 자른 단면의 넓이는 몇 cm²입니까?

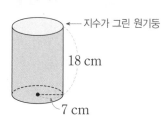

← 지수가 그린 원기둥

18 cm

7 cm

🔑 문제해결 Key

입체도형을 회전축을 품은 평면으로 자른 단면의 넓이

=

입체도형을 앞에서 본 모양의 넓이

풀이

❶ 입체도형을 회전축을 품은 평면으로 잘랐을 때 자른 단면을 오른쪽에 그려 보고 각 변의 길이 쓰기

❷ 회전축을 품은 평면으로 자른 단면의 넓이 구하기

답

6 원기둥, 원뿔, 구

예제 6-2 오른쪽 원뿔을 회전축을 품은 평면으로 자른 단면의 넓이는 몇 cm²입니까?

(   )

15 cm

6 cm

응용 6-3 오른쪽 입체도형을 회전축을 품은 평면으로 자른 단면의 넓이는 몇 cm²입니까?

(   )

14 cm

3 cm

유형 ⑦ 회전축에 수직인 평면으로 자른 단면의 넓이를 구하는 문제

예제 7-1 원기둥을 회전축에 수직인 평면으로 잘랐을 때의 단면의 넓이는 몇 cm²입니까? (원주율: 3)

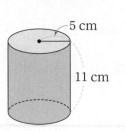

문제해결 Key

① 단면의 모양을 생각해 봅니다.
② 단면의 넓이를 구합니다.

풀이

❶ 원기둥을 회전축에 수직인 평면으로 잘랐을 때의 단면은 어떤 모양인지 그려 보시오.

❷ 원기둥을 회전축에 수직인 평면으로 잘랐을 때의 단면의 넓이는 몇 cm²입니까?

_____

_____

답 _____

예제 7-2 반지름이 6 cm인 구 모양의 구슬을 회전축에 수직인 평면으로 자를 때, 가장 넓은 단면의 넓이는 몇 cm²입니까? (원주율: 3.1)

(   )

응용 7-3 다음 직사각형을 한 직선을 축으로 하여 한 바퀴 돌려 입체도형을 만들었습니다. 이 입체도형을 회전축에 수직인 평면으로 자른 단면의 넓이는 몇 cm²입니까? (원주율: 3.14)

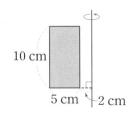

(   )

유형 ② 원기둥의 전개도의 둘레를 구하는 문제

01 오른쪽 원기둥의 전개도에서 옆면의 넓이는 251.2 cm²입니다. 이 전개도의 둘레는 몇 cm입니까?

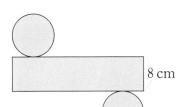
8 cm

(   )

유형 ① 원뿔의 구성 요소를 이용하여 길이를 구하는 문제

02 오른쪽 그림과 같이 정육면체 모양의 물통에 꼭 맞는 원기둥이 있습니다. 이 원기둥의 높이는 몇 cm입니까?

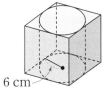
6 cm

(   )

6
원기둥, 원뿔, 구

해법 경시 유형 │ **유형 ⑦** 회전축에 수직인 평면으로 자른 단면의 넓이를 구하는 문제

03 오른쪽 직사각형의 가로와 세로를 축으로 하여 각각 한 바퀴 돌려 입체도형 2개를 만들었습니다. 두 입체도형을 회전축에 수직인 평면으로 자른 단면의 넓이의 차는 몇 cm²입니까? (원주율: 3.14)

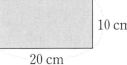
10 cm
20 cm

(   )

04 오른쪽 구를 회전축을 품은 평면으로 자르려고 합니다. 그때 생기는 도형의 면의 넓이는 몇 cm²입니까?

(원주율: 3)

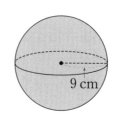

9 cm

(   )

유형 ❸ 원기둥의 전개도의 넓이를 구하는 문제

05 원기둥 모양의 치즈를 둘러싼 포장지를 벗겼더니 그림과 같은 원기둥의 전개도가 되었습니다. 원기둥의 전개도의 넓이는 몇 cm²입니까?

(원주율: 3.1)

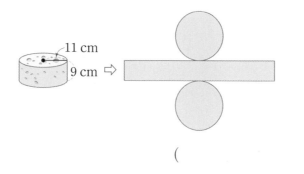

11 cm
9 cm

(   )

유형 ❻ 회전축을 품은 평면으로 자른 단면의 넓이를 구하는 문제

06 오른쪽 그림은 어떤 평면도형을 한 변을 기준으로 돌려 만든 입체도형입니다. 돌리기 전의 평면도형의 넓이가 가장 작을 때, 이 평면도형의 넓이는 몇 cm² 입니까?

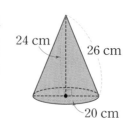

24 cm   26 cm
20 cm

(   )

07 오른쪽과 같은 원기둥 모양의 롤러에 페인트를 묻혀 한 방향으로 3바퀴 굴렸습니다. 페인트가 칠해진 부분의 넓이는 몇 cm²입니까? (원주율: 3.14)

5 cm

20 cm

(   )

유형 ❶ 원뿔의 구성 요소를 이용하여 길이를 구하는 문제

08 오른쪽과 같은 원뿔을 개미가 빨간색 선을 따라 올라갔다가 내려왔습니다. 개미가 움직인 거리는 몇 cm입니까? (단, 개미의 크기는 생각하지 않습니다.)

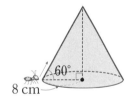

60°

8 cm

(   )

유형 ❻ 회전축을 품은 평면으로 자른 단면의 넓이를 구하는 문제

09 오른쪽 이등변삼각형 모양의 종이를 한 변을 기준으로 한 바퀴 돌려 입체도형을 만들었습니다. 이 입체도형을 회전축을 품은 평면으로 잘랐을 때의 단면의 넓이는 몇 cm²입니까?

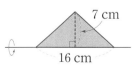

7 cm

16 cm

(   )

6

원기둥, 원뿔, 구

유형 **5** 입체도형을 앞(위)에서 본 모양의 넓이를 구하는 문제

10 두 입체도형을 앞에서 본 모양의 넓이는 서로 같습니다. ☐ 안에 알맞은 수는 얼마입니까?

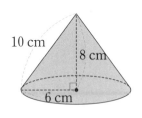
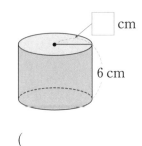

(   )

유형 **4** 입체도형을 앞(위)에서 본 모양의 둘레를 구하는 문제

11 오른쪽과 같은 직각삼각형 ㄱㄴㄷ이 있습니다. 변 ㄱㄷ과 변 ㄴㄷ을 각각 기준으로 한 바퀴 돌려 입체도형 2개를 만들었습니다. 각 입체도형을 앞에서 본 모양의 둘레의 차는 몇 cm입니까?

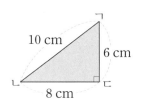

(   )

12 오른쪽은 어떤 평면도형을 한 변을 기준으로 돌려 만든 입체도형입니다. 돌리기 전의 평면도형의 넓이가 가장 작을 때, 이 평면도형의 넓이는 몇 cm^{2}입니까?

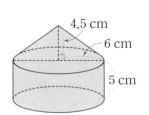

(   )

유형 ⑤ 입체도형을 앞(위)에서 본 모양의 넓이를 구하는 문제

13 평면도형 ㉮, ㉯를 한 직선을 기준으로 돌려 만든 입체도형을 각각 앞에서 본 모양의 넓이의 차는 몇 cm²인지 구하시오.

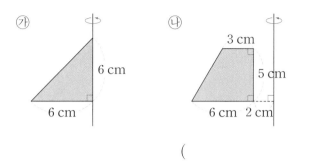

(   )

유형 ⑦ 회전축에 수직인 평면으로 자른 단면의 넓이를 구하는 문제

14 오른쪽 평면도형을 한 직선을 축으로 하여 한 번 돌려 만든 입체도형을 회전축에 수직인 평면으로 자른 단면의 넓이가 가장 클 때와 가장 작을 때의 넓이의 차는 몇 cm²입니까? (원주율: 3.14)

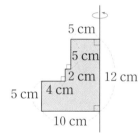

(   )

유형 ⑥ 회전축을 품은 평면으로 자른 단면의 넓이를 구하는 문제

15 오른쪽 평면도형을 한 직선을 축으로 하여 한 바퀴 돌려 입체도형을 만들었습니다. 만든 입체도형을 회전축을 품은 평면으로 잘랐다면 그때 단면의 넓이는 몇 cm²입니까?

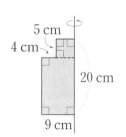

(   )

6

원기둥, 원뿔, 구

성대 경시 유형

01 오른쪽 직사각형을 한 직선을 축으로 하여 한 바퀴 돌려 입체도형을 만들었습니다. 만든 입체도형을 회전축을 품은 평면으로 자른 단면의 넓이와 회전축에 수직인 평면으로 자른 단면의 넓이의 차는 몇 cm²인지 구하시오. (원주율: 3)

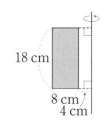

18 cm

8 cm
4 cm

(   )

02 원기둥의 ㄴ 지점에 벌레가 있습니다. 이 벌레가 원기둥의 옆면을 45° 각도를 유지하면서 일직선으로 기어 올라가 ㄱ 지점에 도착하면 옆면을 한 바퀴 돌게 됩니다. 원기둥의 높이는 몇 cm인지 구하시오. (원주율: 3.14)

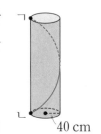

40 cm

(   )

창의 융합

03 [수학＋과학] 해법 경시 유형

음료수 캔은 왜 원기둥 모양일까요? 그것은 같은 부피를 담을 수 있어도 용기의 겉넓이가 작을수록 용기를 만드는 비용이 적게 들기 때문입니다. 오른쪽과 같은 원기둥 모양의 음료수 캔의 옆면에 페인트를 묻혀서 한 방향으로 3바퀴 굴렸더니 페인트가 칠해진 부분이 직사각형 모양이고 넓이가 565.2 cm²였습니다. 이 음료수 캔과 똑같은 크기의 원기둥의 전개도를 그렸을 때, 전개도의 둘레는 몇 cm인지 구하시오. (원주율: 3.14)

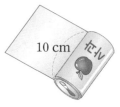

10 cm

(   )

04 오른쪽 도형은 선분 ㄷㄹ을 대칭축으로 하는 선대칭도형입니다. 오른쪽 도형을 직선 ㄱㄴ을 축으로 하여 한 바퀴 돌려 만든 입체도형을 회전축에 수직인 평면으로 자를 때 생기는 가장 큰 단면의 지름이 20 cm입니다. 오른쪽 도형의 넓이가 90 cm²일 때, 선분 ㅁㅂ의 길이는 몇 cm인지 구하시오.

( )

05 오른쪽은 어떤 평면도형을 한 변을 기준으로 돌려 만든 입체도형입니다. 돌리기 전의 평면도형의 넓이가 가장 작을 때, 돌리기 전의 평면도형의 둘레는 몇 cm인지 구하시오.

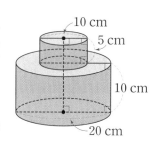

( )

06 오른쪽 그림과 같은 사다리꼴 ㄱㄴㄷㄹ이 있습니다. 변 ㄱㄹ과 변 ㄹㄷ을 각각 축으로 하여 한 바퀴 돌려 만든 두 입체도형을 회전축을 품은 평면으로 자른 단면의 넓이의 합은 552 cm²입니다. 사다리꼴 ㄱㄴㄷㄹ의 둘레는 몇 cm인지 구하시오.

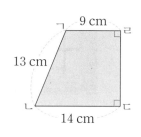

( )

명화 속에서 만난 수학

"수학을 모르면 미술의 어떠한 법칙도 이해할 수 없다"
수학자 알베르티의 명언입니다. 우리가 흔히 알고 있는 그림 속에서도 수학이 보여지는 경우가 있다고
합니다. 그림 속에서 수학을 만나볼까요?

조르주 피에르 쇠라의
〈그랑자트 섬의 일요일 오후〉
수많은 점을 찍어 그린 작품으로 점이 모여
선이 되고 면을 이루면서 아름다운 그림이
되는 것을 보여 줍니다.

피에트 몬드리안의 〈빨강, 파랑, 노랑의 구성〉
수직, 수평선이 포개어진 구성으로 기본 색으로
분할된 4개의 다른 영역이 있습니다.

페르낭 레제의 〈기계 부품〉
그림에서 다양한 입체도형을 표현하였습니다.

배움으로 행복한 내일을 꿈꾸는
천재교육 커뮤니티 안내 . . .

교재 안내부터 구매까지 한 번에!
천재교육 홈페이지

자사가 발행하는 참고서, 교과서에 대한 소개는 물론
도서 구매도 할 수 있습니다. 회원에게 지급되는 별을 모아
다양한 상품 응모에도 도전해 보세요!

다양한 교육 꿀팁에 깜짝 이벤트는 덤!
천재교육 인스타그램

천재교육의 새롭고 중요한 소식을 가장 먼저 접하고 싶다면?
천재교육 인스타그램 팔로우가 필수!
깜짝 이벤트도 수시로 진행되니 놓치지 마세요!

수업이 편리해지는
천재교육 ACA 사이트

오직 선생님만을 위한, 천재교육 모든 교재에 대한 정보가 담긴
아카 사이트에서는 다양한 수업자료 및 부가 자료는 물론
시험 출제에 필요한 문제도 다운로드하실 수 있습니다.

https://aca.chunjae.co.kr

천재교육을 사랑하는 샘들의 모임
천사샘

학원 강사, 공부방 선생님이시라면 누구나 가입할 수 있는 천사샘!
교재 개발 및 평가를 통해 교재 검토진으로 참여할 수 있는 기회는 물론
다양한 교사용 교재 증정 이벤트가 선생님을 기다립니다.

아이와 함께 성장하는 학부모들의 모임공간
튠맘 학습연구소

튠맘 학습연구소는 초·중등 학부모를 대상으로 다양한 이벤트와 함께
교재 리뷰 및 학습 정보를 제공하는 네이버 카페입니다.
초등학생, 중학생 자녀를 둔 학부모님이라면 튠맘 학습연구소로 오세요!

상 위 권 실 력 완 성

최고수준

꼼꼼 풀이집

초등수학

6-2

천재교육

상 위 권 실 력 완 성

최고수준

1 분수의 나눗셈

STEP 1 START 개념   7~11쪽

1. (분수)÷(단위분수), 분모가 같은 (분수)÷(분수)   7쪽

1 $>$ **2** ③, ⑤

3 3배   **4** 7

5 $\frac{12}{13} \div \frac{4}{13} = 3$, 3개   **6** 2개

2. 분모가 다른 (분수)÷(분수), (자연수)÷(분수)   9쪽

1 ㉠   **2** 64배

3 ㉢   **4** $1\frac{1}{2}\left(=\frac{3}{2}\right)$

5 식 $10 \div \frac{5}{6} = 12$ 답 $12\,kg$

6 $2\frac{1}{10}\left(=\frac{21}{10}\right)$

3. 대분수의 나눗셈, 분수의 나눗셈 활용   11쪽

1 1   **2** $1\frac{1}{8}\left(=\frac{9}{8}\right)$

3 ㉢, ㉠, ㉣, ㉡   **4** $1\frac{4}{5}\left(=\frac{9}{5}\right)$

5 $3\frac{8}{9}\left(=\frac{35}{9}\right)$분   **6** $21\frac{3}{4}\left(=\frac{87}{4}\right)km$

STEP 2 JUMP 유형   12~19쪽

1-1 ❶ 예 (높이)=(평행사변형의 넓이)÷(밑변의 길이)

$$= 2\frac{1}{3} \div 1\frac{5}{9}$$

❷ 예 $2\frac{1}{3} \div 1\frac{5}{9} = \frac{7}{3} \div \frac{14}{9} = \frac{\overset{1}{\cancel{7}}}{\underset{1}{\cancel{3}}} \times \frac{\overset{3}{\cancel{9}}}{\underset{2}{\cancel{14}}}$

$$= \frac{3}{2} = 1\frac{1}{2} \ (cm)$$

; $1\frac{1}{2}\left(=\frac{3}{2}\right)cm$

1-2 $2\frac{1}{26}\left(=\frac{53}{26}\right)cm$

1-3 $5\frac{5}{9}\left(=\frac{50}{9}\right)cm$

2-1 ❶ 예 $\frac{1}{2} ♥ \frac{1}{3} = \left(\frac{1}{2} + \frac{1}{3}\right) \div \frac{1}{3}$

❷ 예 $\left(\frac{1}{2} + \frac{1}{3}\right) \div \frac{1}{3}$

$$= \left(\frac{3}{6} + \frac{2}{6}\right) \div \frac{1}{3}$$

$$= \frac{5}{6} \div \frac{1}{3} = \frac{5}{\underset{2}{\cancel{6}}} \times \overset{1}{\cancel{3}}$$

$$= \frac{5}{2} = 2\frac{1}{2}$$

; $2\frac{1}{2}\left(=\frac{5}{2}\right)$

2-2 $\frac{6}{7}$ **2-3** $\frac{23}{27}$

3-1 ❶ 예 (전체 학생 수) $\times \frac{4}{7} = 12$

(전체 학생 수) $= 12 \div \frac{4}{7} = \overset{3}{\cancel{12}} \times \frac{7}{\underset{1}{\cancel{4}}}$

$$= 21(명)$$

❷ 예 (전체 학생 수)$-$(남학생 수)$=$(여학생 수)

$\Rightarrow 21 - 12 = 9$(명)

; 9명

3-2 1200원   **3-3** $320\,m^2$

4-1 ❶ 서정: 예 가장 큰 대분수: $9\frac{3}{4}$

가장 작은 대분수: $3\frac{4}{9}$

태준: 예 가장 큰 대분수: $8\frac{6}{7}$

가장 작은 대분수: $6\frac{7}{8}$

❷ 예 • $9\frac{3}{4} \div 6\frac{7}{8} = \frac{39}{4} \div \frac{55}{8}$

$$= \frac{39}{\underset{1}{\cancel{4}}} \times \frac{\overset{2}{\cancel{8}}}{55} = \frac{78}{55} = 1\frac{23}{55}$$

예 • $8\frac{6}{7} \div 3\frac{4}{9} = \frac{62}{7} \div \frac{31}{9} = \frac{\overset{2}{\cancel{62}}}{7} \times \frac{9}{\underset{1}{\cancel{31}}}$

$$= \frac{18}{7} = 2\frac{4}{7}$$

❸ 예 $1\frac{23}{55} < 2\frac{4}{7}$이므로 $2\frac{4}{7}$입니다.

; $2\frac{4}{7}\left(=\frac{18}{7}\right)$

4-2 $\frac{57}{188}$ **4-3** $1\frac{13}{15}\left(=\frac{28}{15}\right)$

5-1 ① 예 $19\frac{1}{2} \div 2\frac{1}{7} = \frac{39}{2} \times \frac{7}{\overset{5}{15}}$

$\quad\quad\quad\quad = \frac{91}{10} = 9\frac{1}{10}$ (m²)

② 예 $9\frac{1}{10} \times 3 = \frac{91}{10} \times 3 = \frac{273}{10} = 27\frac{3}{10}$ (m²)

$\quad; 27\frac{3}{10}\left(=\frac{273}{10}\right)$ m²

5-2 $19\frac{1}{5}\left(=\frac{96}{5}\right)$ m²   **5-3** 125 m²

6-1 ① 예 $15 \div \frac{1}{3} = 15 \times 3 = 45$(분)

② 예 $\overset{9}{45} \times \frac{4}{\underset{1}{5}} = 36$(분)

$\quad; 36$분

6-2 21분   **6-3** 1시간 48분

7-1 ① 예 (서윤)$=\frac{1}{6} \div 5 = \frac{1}{6} \times \frac{1}{5} = \frac{1}{30}$

$\quad\quad$ (우진)$=\frac{1}{5} \div 3 = \frac{1}{5} \times \frac{1}{3} = \frac{1}{15}$

② 예 $\frac{1}{30} + \frac{1}{15} = \frac{1}{30} + \frac{2}{30} = \frac{3}{30} = \frac{1}{10}$

③ 예 $1 \div \frac{1}{10} = 1 \times 10 = 10$(일)이 걸립니다.

$\quad; 10$일

7-2 8일   **7-3** 5일

8-1 ① 예 전체 학생 수의

$\quad\quad \frac{1}{3} + \frac{3}{5} = \frac{5}{15} + \frac{9}{15} = \frac{14}{15}$

$\quad\quad$ 입니다.

② 예 $\frac{14}{15} \div \frac{1}{15} = 14 \div 1 = 14$(배)

$\quad; 14$배

8-2 $1\frac{59}{93}\left(=\frac{152}{93}\right)$배

STEP 3 MASTER 심화   20~25쪽

01 $1\frac{1}{10}\left(=\frac{11}{10}\right)$ **02** 2배

03 2   **04** $1\frac{1}{5}\left(=\frac{6}{5}\right)$ cm

05 256   **06** 5

07 $80\frac{1}{2}\left(=\frac{161}{2}\right)$, 26   **08** 3시간 45분

09 $\frac{5}{8}$ kg   **10** 96 cm

11 8쌍   **12** $7\frac{5}{7}\left(=\frac{54}{7}\right)$

13 6시간   **14** 2시간 18분

15 10시간 48분   **16** $4\frac{23}{28}\left(=\frac{135}{28}\right)$

17 4월 17일 낮 12시   **18** 270 cm

STEP 4 TOP 최고수준   26~27쪽

01 ㉡, ㉢   **02** 750 m

03 $6\frac{2}{3}\left(=\frac{20}{3}\right)$ m   **04** $87\frac{33}{41}\left(=\frac{3600}{41}\right)$ m

05 12 cm   **06** 2배

2 소수의 나눗셈

STEP 1 START 개념   31~35쪽

1. 소수의 나눗셈   31쪽

1 ④   **2** 1, 2, 3, 4

3
$$8.2\,)\overline{\,3\,4.4\,4\,}$$
$$\quad\quad 4.2$$
$$\quad\quad 3\,2\,8$$
$$\quad\quad\overline{\,1\,6\,4\,}$$
$$\quad\quad 1\,6\,4$$
$$\quad\quad\overline{\quad\quad 0}$$

$\quad$; 예 나누어지는 수와 나누는 수의 소수점을 오른쪽으로 같은 자리만큼 옮겨서 계산하지 않았습니다.

4 ㉣, ㉡, ㉠, ㉢   **5** 8배

6 1.9

2. (자연수)÷(소수), 몫을 반올림하기   33쪽

1 12, 120, 1200   **2**
$$3.4\,)\overline{\,1\,8\,7.0\,}$$
$$\quad\quad 5\,5$$
$$\quad\quad 1\,7\,0$$
$$\quad\quad\overline{\,1\,7\,0\,}$$
$$\quad\quad 1\,7\,0$$
$$\quad\quad\overline{\quad\quad 0}$$

3 444   **4** 1.1

5 0.02   **6** 49배

3. 나누어 주고 남는 양, 소수의 나눗셈의 활용 **35쪽**

1 25, 1.8 **2** 5.9 kg
3 60.9 **4** 2시간 20분
5 19명 **6** 1.1 m²

STEP 2 JUMP 유형 36~43쪽

1-1 ❶ 예 $6.7 \times \square = 33.5$
❷ 예 $6.7 \times \square = 33.5$
 ⇨ $\square = 33.5 \div 6.7 = 5$이므로 세로는 5 cm입니다.
; 5 cm
1-2 5.4 cm **1-3** 4.8 cm
2-1 ❶ 예 $\square \div 8.4 = 6 \cdots 1.7$
❷ 예 $\square = 8.4 \times 6 + 1.7 = 52.1$이므로 어떤 수는 52.1입니다.
❸ 예 $52.1 \div 7.4 = 7 \cdots 0.3$이므로 몫은 7, 나머지는 0.3입니다.
; 7, 0.3
2-2 4, 0.5 **2-3** 1.9
3-1 ❶ 예 $8.9 \div 3 = 2.9666\cdots\cdots$
❷ 예 몫의 소수 둘째 자리부터 숫자 6이 반복됩니다.
❸ 예 소수 둘째 자리부터 숫자 6이 반복되므로 몫의 소수 10째 자리 숫자는 소수 둘째 자리 숫자와 같은 6입니다.
; 6
3-2 4 **3-3** 8
4-1 ❶ 예 (도로의 길이)÷(나무 사이의 거리)
$= 15.12 \div 0.42 = 36$(군데)
❷ 예 (나무의 간격 수)+1
$= 36 + 1 = 37$(그루)
; 37그루
4-2 241개 **4-3** 302개
5-1 ❶ 예 몫이 가장 크게 되려면 나누어지는 수가 가장 커야 하므로 가장 큰 소수 두 자리 수를 만들면 9.87입니다.
❷ 예 몫이 가장 크게 되려면 나누는 수는 가장 작아야 하므로 0.3입니다.
❸ 예 $9.87 \div 0.3 = 32.9$
; $0.3 \overline{)9.8\,7}$, 32.9
5-2 $0.9 \overline{)1.3\,5}$, 1.5
5-3 $8.7\,6 \div 0.1\,2$, 73
6-1 ❶ 예 $0.32 \div 4 = 0.08$ (cm)

❷ 예 $16.4 \div 0.08 = 205$(분)
❸ 예 205분=180분+25분=3시간+25분
$=$3시간 25분
; 3시간 25분
6-2 2시간 45분 **6-3** 8시간 20분
7-1 ❶ 예 반올림하여 자연수로 나타내면 6이 되는 수의 범위는 5.5 이상 6.5 미만입니다.
❷ 예 $\square.67 \div 0.8$의 몫의 범위는 5.5 이상 6.5 미만이므로 $\square.67 \div 0.8 = 5.5$, $\square.67 \div 0.8 = 6.5$에서 $\square.67$의 범위는 $0.8 \times 5.5 = 4.4$ 이상 $0.8 \times 6.5 = 5.2$ 미만입니다.
❸ 예 4.4 이상 5.2 미만인 수 중에서 $\square.67$인 수는 4.67이므로 $\square$ 안에 알맞은 수는 4입니다.
; 4
7-2 1 **7-3** 6개
8-1 ❶ 예 ♩(4분음표)는 1박자이므로 첫째 마디에 더 그려야 할 박자는 $4-1=3$(박자)입니다.
❷ 예 첫째 마디를 완성하려면 ♪(점 8분음표)를 $3 \div 0.75 = 4$(개) 그려야 합니다.
; 4개
8-2 1.2배

STEP 3 MASTER 심화 44~49쪽

01 ㉠ **02** 6개
03 5 **04** 2.5 cm
05 $9.75 \div 1.3$, 7.5 **06** 7.5 cm
07 0.11 **08** 26개
09 2.4 L **10** 9
11 13번 **12** 160 cm
13 96장 **14** 24.6 km
15 22.5 ℃ **16** 12500원
17 24초 **18** 18개

STEP 4 TOP 최고수준 50~51쪽

01 6.17 kg **02** 3.9 cm
03 2시간 30분 **04** 31장
05 8개 **06** 30 m

3 공간과 입체

1. 사용한 쌓기나무의 개수 / 위, 앞, 옆 또는 층별로 본 모양   55쪽

1 ㉠

2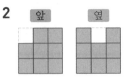
앞   옆

3 ㉢

4 위

앞

5 앞   옆

6 11개

2. 쌓은 모양과 필요한 쌓기나무의 개수 구하기   57쪽

1 ㉡   **2** ㉠

3 13개   **4** 10개

5 2개   **6** 가, 라

3. 여러 가지 모양 만들기 / 쌓기나무의 최대, 최소 개수 구하기   59쪽

1 ㉡   **2** ㉢

3 8개   **4** 11개

5 위

	3	
1	1	2

↑
앞

6 2가지

1-1 ❶ 예 $2+4+1+1+3+2+3=16$(개)

　　❷ 예 (1층에 쌓인 쌓기나무의 수)
　　　　=(위에서 본 모양의 칸 수)=7개

　　❸ 예 $16-7=9$(개)
　　　; 9개

1-2 9개   **1-3** 5개

2-1 ❶ 예 가로, 세로에 각각 3개씩 3층
　　　　⇨ $3×3×3=27$(개)

---

　　❷ 예 1층: 8개, 2층: 4개, 3층: 3개
　　　　⇨ $8+4+3=15$(개)

　　❸ 예 $27-15=12$(개)
　　　; 12개

2-2 10개   **2-3** 17개

3-1 ❶ 예 (전체 쌓기나무의 수)−(2층 쌓기나무의 수)
　　　　　−(3층 쌓기나무의 수)
　　　　=$12-4-2=6$(개)

　　❷

　　❸ 옆
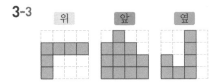

3-2 앞
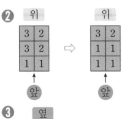

3-3 위   앞   옆

4-1 ❶

　　❷ 예 (세 면에 페인트가 칠해진 쌓기나무의 수)
　　　　=(꼭짓점에 있는 쌓기나무의 수)=8개
　　　; 8개

4-2 24개   **4-3** 24개

5-1 ❶ 위

㉠	1	3
㉡		㉢
	1	

↑
앞

　　❷ 가장 많은 경우: 2, 2, 2
　　　⇨ 예 $2+1+3+2+2+1=11$(개)
　　　가장 적은 경우: 1, 2, 1
　　　⇨ 예 $1+1+3+2+1+1=9$(개)
　　　; 11개, 9개

5-2 15개, 12개

6-1 ❶

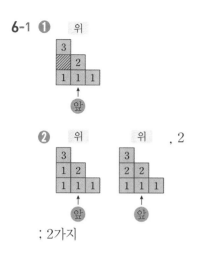

❷

: 2가지

6-2 3가지   **6-3** 5가지

7-1 ❶ 예 3층의 모양과 같은 곳에는 반드시 쌓기나무가 놓여야 하므로 모두 3군데입니다.

❷ 예 2층에 놓인 쌓기나무는 4개이고 반드시 놓이는 곳은 3군데이므로 나머지 ㉠, ㉡, ㉢ 중 한 군데에 쌓기나무를 1개 더 놓으면 됩니다.

:

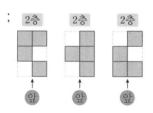

7-2

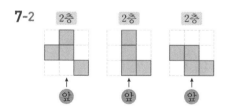

7-3 2가지

8-1 ❶ 예 (쌓기나무 한 면의 넓이)
　　＝(한 변의 길이가 2 cm인 정사각형)
　　⇨ $2 \times 2 = 4 \,(cm^2)$
❷ 예 (위)×2+(앞)×2+(옆)×2
　　＝$25 \times 2 + 9 \times 2 + 9 \times 2 = 86$(개)
❸ 예 (한 면의 넓이)×(보이는 면의 수)
　　＝$4 \times 86 = 344 \,(cm^2)$
: $344 \,cm^2$

8-2 $324 \,cm^2$

STEP 3 MASTER 심화 68~73쪽

01 4개   **02** 5가지
03 11개   **04** ㉮, ㉰
05 6가지   **06** 2개
07 ㉡
08

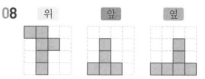

09 52개   **10** 19개
11 16개   **12** 8개
13 7가지   **14** $50 \,cm^2$
15 4개   **16** $208 \,cm^2$
17 3개

STEP 4 TOP 최고수준 74~75쪽

01 ㉢   **02** 11개, 7개
03 3가지   **04** 11가지
05 15개   **06** 8개

4 비례식과 비례배분

STEP 1 START 개념 79~83쪽

1. 비의 성질, 비례식   **79쪽**

1 예 8 : 14, 12 : 21   **2** 3개
3 ㉡   **4** 7 : 9
5 51 : 40   **6** 56, 21

2. 비례식의 성질과 문제 해결하기   **81쪽**

1 (1) 1   (2) 3   **2** ㉡, ㉢
3 7, ㉯   **4** 15 km
5 25번   **6** $192 \,cm^2$

3. 비례배분 83쪽

1 45, 75   **2** 10자루, 35자루

3 84   **4** 7500원, 2500원

5 300 cm^2 **6** 52개

STEP 2 JUMP 유형 84~91쪽

1-1 ❶ 예 $15 : 40 = (15 \div 5) : (40 \div 5) = 3 : 8$

❷ 예 $3 : 8 = 6 : 16 = 9 : 24 = 12 : 32 = \cdots\cdots$

❸ 예 전항이 10보다 작은 비는 3 : 8, 6 : 16,
9 : 24 ⇨ 3개입니다.

; 3개

1-2 4개

1-3 4 : 5, 8 : 10, 12 : 15

1-4 3개

2-1 ❶ 예 (삼각형의 넓이)

$= 184 \times \dfrac{3}{3+5} = 184 \times \dfrac{3}{8} = 69 \,(\text{cm}^2)$

❷ 예 직사각형의 세로를 ☐ cm라 하면 삼각형의 높이도 ☐ cm입니다.

⇨ $10 \times ☐ \div 2 = 69$

☐ $= 69 \times 2 \div 10 = 13.8$

⇨ 직사각형의 세로는 13.8 cm입니다.

; 13.8 cm

2-2 11.5 cm

2-3 48 cm^2

3-1 ❶ 예 (㉮의 톱니 수) : (㉯의 톱니 수)

$= 16 : 20 = (16 \div 4) : (20 \div 4) = 4 : 5$

❷ 예 (㉮의 톱니 수) : (㉯의 톱니 수) $= 4 : 5$
이므로 회전수의 비는 5 : 4입니다.

❸ 예 ㉮가 10바퀴 도는 동안 ㉯가 ☐바퀴 돈다고 하면 $5 : 4 = 10 : ☐$

⇨ $5 \times ☐ = 4 \times 10$, $5 \times ☐ = 40$, $☐ = 8$

⇨ ㉯는 8바퀴 돕니다.

; 8바퀴

3-2 27바퀴

3-3 2바퀴

4-1 ❶ 예 ㉮의 $\dfrac{2}{3}$와 ㉯의 $\dfrac{1}{4}$이 같으므로

$㉮ \times \dfrac{2}{3} = ㉯ \times \dfrac{1}{4}$입니다.

❷ 예 $㉮ \times \dfrac{2}{3} = ㉯ \times \dfrac{1}{4}$ ⇨ $㉮ : ㉯ = \dfrac{1}{4} : \dfrac{2}{3}$

❸ 예 ㉮ : ㉯

$= \dfrac{1}{4} : \dfrac{2}{3} = \left(\dfrac{1}{4} \times 12\right) : \left(\dfrac{2}{3} \times 12\right) = 3 : 8$

; 3 : 8

4-2 4 : 5   **4-3** 37.5 %

5-1 ❶ 예 (갑) : (을)

$= 200만 : 160만$

$= (200만 \div 40만) : (160만 \div 40만)$

$= 5 : 4$

❷ 예 전체 이익금을 ☐만 원이라 하면

$☐ \times \dfrac{5}{5+4} = 40$, $☐ \times \dfrac{5}{9} = 40$,

$☐ = 40 \div \dfrac{5}{9} = 72$

⇨ (전체 이익금) $= 72만$ 원

; 72만 원

5-2 2250만 원   **5-3** 600만 원

6-1 ❶ 예 (㉮의 원래 가격) $\times (1 - 0.15)$

$= (㉯의 원래 가격) \times (1 - 0.2)$,

(㉮의 원래 가격) $\times 0.85 = (㉯의 원래 가격) \times 0.8$

❷ 예 (㉮의 원래 가격) : (㉯의 원래 가격) $= 0.8 : 0.85$

❸ 예 (㉮의 원래 가격) : (㉯의 원래 가격)

$= 0.8 : 0.85 = (0.8 \times 100) : (0.85 \times 100)$

$= 80 : 85 = (80 \div 5) : (85 \div 5) = 16 : 17$

; 16 : 17

6-2 7 : 6   **6-3** 2550원

7-1 ❶ 예 설아와 현우가 처음에 가지고 있었던 사탕 수의
합은 $20 + 20 = 40(개)$입니다.

❷ 예 설아와 현우가 가진 사탕 수의 비가
13 : 7이므로
(현우가 설아에게 주고 남은 사탕 수)

$= 40 \times \dfrac{7}{13+7} = 40 \times \dfrac{7}{20} = 14(개)$

❸ 예 (처음에 현우가 가지고 있던 사탕 수)
− (현우가 설아에게 주고 남은 사탕 수)

$= 20 - 14 = 6(개)$

; 6개

7-2 30개   **7-3** 4개

8-1 ❶ 예 $1 : 1.6 = 40 : ☐$

❷ 예 $1 : 1.6 = 40 : ☐$

⇨ $1 \times ☐ = 1.6 \times 40$, $☐ = 64$

배꼽부터 발끝 ㉡까지의 길이는 64 cm입니다.

❸ 예 (머리끝 ㉠~배꼽) + (배꼽~발끝 ㉡)

$= 40 + 64 = 104 \,(\text{cm})$

; 104 cm

8-2 10초 후

STEP 3 MASTER 심화 92~97쪽

01 7 : 50, 14 : 100, 21 : 150
02 11 : 9 **03** 주황색, 3 g
04 27 cm² **05** 5°
06 20 : 21 **07** 196권
08 7개 **09** 48 cm²
10 1250000 m² **11** 오후 7시 56분
12 42장 **13** 160 cm²
14 165만 원 **15** 10 cm
16 529.2 L **17** 60개
18 1.2 m

STEP 4 TOP 최고수준 98~99쪽

01 48 cm **02** 37.5 m
03 오후 12시 40분 **04** 140 g, 280 g
05 5번, 19개 **06** 1 : 9

5 원의 넓이

STEP 1 START 개념 103~107쪽

1. 원주와 원주율 103쪽

1 ○, ×, ○ **2** ㉡
3
4 ㉡, ㉢, ㉠

5 4 cm **6** 25.5 mm

2. 원의 넓이 105쪽

1 예) 48 cm² **2** 좁습니다.
3 151.9 cm² **4** 78.5 cm²
5 ㉡, ㉠, ㉢ **6** 11.14 m²

3. 여러 가지 원의 넓이 107쪽

1 3.14 cm²
2 20.25 cm²
3 25 cm²
4 8 cm²
5 19.375 cm²
6 128 cm²

STEP 2 JUMP 유형 108~115쪽

1-1 ❶ 예) $68.2 \div 3.1 = 22$ (cm)
❷ 예) $49.6 \div 3.1 = 16$, $4 \times 4 = 16$이므로
(반지름)$=4$ cm, (지름)$=4 \times 2 = 8$ (cm)
입니다.
❸ 예) 지름으로 원의 크기를 비교하면 ㉡>㉠>㉢
⇨ 가장 큰 원은 ㉡입니다.
; ㉡
1-2 ㉢ **1-3** 452.16 cm²
2-1 ❶ 예) $70 \times 3.1 = 217$ (cm)
❷ 예) 굴렁쇠를 3바퀴 굴렸으므로 굴러간 거리는
$217 \times 3 = 651$ (cm)입니다.
; 651 cm
2-2 502.4 cm **2-3** 2바퀴
3-1 ❶ 예) $\left(반지름이\ 12\ cm인\ 원주의\ \dfrac{1}{4}\right)$
$=12 \times 2 \times 3.14 \times \dfrac{1}{4} = 18.84$ (cm)
❷ 예) $12 + 12 = 24$ (cm)
❸ 예) $18.84 + 24 = 42.84$ (cm)
; 42.84 cm
3-2 100 cm
3-3 37.7 cm
4-1 ❶ 예) $16 \times 16 = 256$ (cm²)
❷ 예) (원의 반지름)$=16 \div 2 = 8$ (cm)
⇨ (원의 넓이)
$=8 \times 8 \times 3.14 = 200.96$ (cm²)
❸ 예) $256 - 200.96 = 55.04$ (cm²)
; 55.04 cm²
4-2 64.8 cm² **4-3** 73 cm²
5-1 ❶ 예) (곡선 부분)$=$(원주)
$=10 \times 3.1 = 31$ (cm)

② 예 (직선 부분)＝(원의 지름의 4배)
＝10×4＝40 (cm)

③ 예 31＋40＝71 (cm)
; 71 cm

5-2 56.8 cm   **5-3** 3 cm

6-1 **①** 예 $12×12×3×\dfrac{1}{4}＝108$ (cm²)

② 예 12×12÷2＝72 (cm²)

③ 예 (108－72)×2＝36×2＝72 (cm²)
; 72 cm²

6-2 150 cm²   **6-3** 144 cm²

7-1 **①**

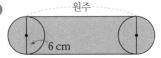

② 예 (가로)＝6×2×3＝36 (cm)
(세로)＝6×2＝12 (cm)
⇨ 36×12＝432 (cm²)

③ 예 반지름이 6 cm인 원의 넓이와 같으므로
6×6×3＝108 (cm²)입니다.

④ 예 432＋108＝540 (cm²)
; 540 cm²

7-2 1550 cm²   **7-3** 208 cm²

8-1 **①** 예 (트랙의 폭)×2×(원주율)만큼 늘어나므로
1.2×2×3＝7.2 (m)입니다.

② 예 3번 트랙은 2번 트랙보다 7.2 m 더 늘어나므로
1번 트랙보다 7.2＋7.2＝14.4 (m) 더 늘어납
니다. 즉, 14.4 m 앞에서 출발해야 합니다.
; 14.4 m

8-2 200.96 cm

STEP 3 MASTER 심화 116~121쪽

01 ⓛ, ⓔ, ⓒ   **02** 126 cm

03 315 m   **04** 351.68 m

05 200 cm²   **06** 32 cm²

07 6 cm   **08** 289.6 cm²

09 50 cm²   **10** 가, 20 cm

11 81 cm   **12** 125 cm²

13 1708.16 cm²   **14** 12 cm²

15 625 cm²   **16** 25.56 cm²

17 18.24 cm²

STEP 4 TOP 최고수준 122~123쪽

01 10번   **02** 64.325 m²

03 478.5 cm²   **04** 6.88 cm²

05 144 cm²

6 원기둥, 원뿔, 구

STEP 1 START 개념 127~129쪽

1. 원기둥   127쪽

1

	원기둥	사각기둥
밑면의 수	2	2
꼭짓점의 수	0	8
모서리의 수	0	12

2 예 위아래에 있는 면이 서로 합동이 아닙니다.

3

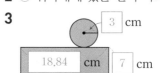

4 직사각형
5 37 cm
6 82 cm

2. 원뿔, 구   129쪽

1 10 cm, 셀 수 없이 많습니다.

2 ⓒ   **3** 5 cm

4 4개   **5** 12 cm

6 원뿔

STEP 2 JUMP 유형 130~136쪽

1-1 **①** 예 모선에 사용한 철사는 5군데이고 모선의 길이는
모두 같습니다.
⇨ (모선에 사용한 철사의 길이)
＝10×5＝50 (cm)

② 예 (밑면에 사용한 철사의 길이)
＝65－50＝15 (cm)
; 15 cm

1-2 78 cm

1-3 46 cm

2-1 ❶ 예 옆면은 직사각형이고 옆면의 가로는 밑면의 둘레와 같습니다.

⇨ (옆면의 둘레)
   $=(15+10)\times2=50$ (cm)

❷ 예 (전개도의 둘레)
   $=$ (한 밑면의 둘레)$\times2+$(옆면의 둘레)
   $=15\times2+50=80$ (cm)

; 80 cm

2-2 140 cm

2-3 5 cm

3-1 ❶

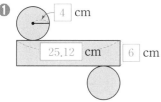

❷ 예 $25.12\times6=150.72$ (cm²)

; 150.72 cm²

3-2 74.4 cm²

3-3 150.72 cm²

4-1 ❶

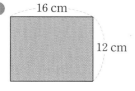

❷ 예 원기둥을 앞에서 본 모양은 가로가 16 cm, 세로가 12 cm인 직사각형

⇨ (직사각형의 둘레)
   $=(16+12)\times2=28\times2=56$ (cm)

; 56 cm

4-2 72 cm

4-3 49 cm

5-1 ❶

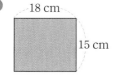

❷ 예 원기둥을 앞에서 본 모양은 가로가 18 cm, 세로가 15 cm인 직사각형

⇨ (직사각형의 넓이) $=18\times15=270$ (cm²)

; 270 cm²

5-2 266 cm²

5-3 172 cm²

6-1 ❶

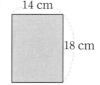

❷ 예 회전축을 품은 평면으로 자른 단면은 직사각형 모양이므로

(단면의 넓이)$=14\times18=252$ (cm²)

; 252 cm²

6-2 90 cm²

6-3 84 cm²

7-1 ❶

❷ 예 반지름이 5 cm인 원이 됩니다.

⇨ (단면의 넓이)$=5\times5\times3=75$ (cm²)

; 75 cm²

7-2 111.6 cm²

7-3 141.3 cm²

STEP 3 MASTER 심화 137~141쪽

01 141.6 cm

02 12 cm

03 942 cm²

04 243 cm²

05 1364 cm²

06 120 cm²

07 1884 cm²

08 32 cm

09 112 cm²

10 4

11 4 cm

12 43.5 cm²

13 29 cm²

14 235.5 cm²

15 320 cm²

STEP 4 TOP 최고수준 142~143쪽

01 96 cm²

02 251.2 cm

03 95.36 cm

04 12 cm

05 50 cm

06 48 cm

꼼꼼 풀이집

1 분수의 나눗셈

STEP 1 START 개념

7쪽

1 $>$ **2** ③, ⑤

3 3배 **4** 7

5 $\dfrac{12}{13} \div \dfrac{4}{13} = 3$, 3개 **6** 2개

---

1 $\dfrac{5}{6} \div \dfrac{1}{6} = 5 \div 1 = 5$, $\dfrac{3}{10} \div \dfrac{1}{10} = 3 \div 1 = 3$

2 ① 4 ② 3 ③ $\dfrac{11}{3}$ ④ 2 ⑤ $\dfrac{7}{5}$

3 (소정이네 집~제과점)÷(소정이네 집~놀이터)

$= \dfrac{3}{7} \div \dfrac{1}{7} = 3 \div 1 = 3$(배)

> **참고**
> ■는 ▲의 몇 배 ⇨ (■÷▲)배

4

눈금 한 칸의 크기는 $\dfrac{1}{8}$이므로 ㉠$=\dfrac{1}{8}$, ㉡$=\dfrac{7}{8}$입니다.

⇨ ㉡÷㉠$=\dfrac{7}{8} \div \dfrac{1}{8} = 7 \div 1 = 7$

5 (전체 물의 양)÷(그릇 한 개에 담은 물의 양)

$= \dfrac{12}{13} \div \dfrac{4}{13} = 12 \div 4 = 3$(개)

6 $\dfrac{5}{7} \div \dfrac{4}{7} = 5 \div 4 = \dfrac{5}{4} = 1\dfrac{1}{4}$

$\dfrac{7}{9} \div \dfrac{2}{9} = 7 \div 2 = \dfrac{7}{2} = 3\dfrac{1}{2}$

⇨ $1\dfrac{1}{4} < \square < 3\dfrac{1}{2}$

⇨ $\square$ 안에 들어갈 수 있는 자연수는 2, 3으로 모두 2개입니다.

> **참고**
>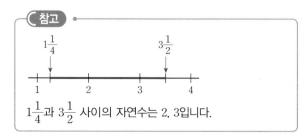
> $1\dfrac{1}{4}$과 $3\dfrac{1}{2}$ 사이의 자연수는 2, 3입니다.

STEP 1 START 개념

9쪽

1 ㉠ **2** 64배

3 ㉡ **4** $1\dfrac{1}{2}\left(=\dfrac{3}{2}\right)$

5 식 $10 \div \dfrac{5}{6} = 12$ 답 $12\,kg$

6 $2\dfrac{1}{10}\left(=\dfrac{21}{10}\right)$

---

1 ㉠ $\dfrac{3}{5} \div \dfrac{3}{4} = \dfrac{\overset{1}{3}}{5} \times \dfrac{4}{\underset{1}{3}} = \dfrac{4}{5}$

㉡ $\dfrac{5}{8} \div \dfrac{2}{3} = \dfrac{5}{8} \times \dfrac{3}{2} = \dfrac{15}{16}$

⇨ $\dfrac{4}{5} < \dfrac{15}{16}$

2 $40 \div \dfrac{5}{8} = (40 \div 5) \times 8 = 64$(배)

3 ㉠ $8 \div \dfrac{4}{7} = (8 \div 4) \times 7 = 14$

㉡ $4 \div \dfrac{2}{3} = (4 \div 2) \times 3 = 6$

㉢ $3 \div \dfrac{2}{5} = 3 \times \dfrac{5}{2} = \dfrac{15}{2} = 7\dfrac{1}{2}$

4 분자가 5로 같으므로 분모가 작을수록 큰 수입니다.

⇨ $\dfrac{5}{6} > \dfrac{5}{7} > \dfrac{5}{8} > \dfrac{5}{9}$이므로

$\dfrac{5}{6} \div \dfrac{5}{9} = \dfrac{5}{\underset{2}{6}} \times \dfrac{\overset{3}{9}}{5} = \dfrac{3}{2} = 1\dfrac{1}{2}$

5 $10 \div \dfrac{5}{6} = (10 \div 5) \times 6 = 12\,(kg)$

6 몫이 가장 크게 되려면 가장 큰 분수를 가장 작은 분수로 나누어야 합니다.

$\dfrac{㉠}{10} \div \dfrac{㉡}{7}$의 ㉠에 가장 큰 수 9를, ㉡에 가장 작은 수 3을 넣습니다.

⇨ $\dfrac{9}{10} \div \dfrac{3}{7} = \dfrac{\overset{3}{9}}{10} \times \dfrac{7}{\underset{1}{3}} = \dfrac{21}{10} = 2\dfrac{1}{10}$

STEP 1 START 개념 11쪽

1 1

2 $1\dfrac{1}{8}\left(=\dfrac{9}{8}\right)$

3 ㉢, ㉠, ㉣, ㉡

4 $1\dfrac{4}{5}\left(=\dfrac{9}{5}\right)$

5 $3\dfrac{8}{9}\left(=\dfrac{35}{9}\right)$분

6 $21\dfrac{3}{4}\left(=\dfrac{87}{4}\right)$km

---

1 ㉠ $4\dfrac{4}{9}\div2\dfrac{2}{3}=\dfrac{40}{9}\div\dfrac{8}{3}=\dfrac{\overset{5}{\cancel{40}}}{9}\times\dfrac{\overset{1}{\cancel{3}}}{\cancel{8}}=\dfrac{5}{3}=1\dfrac{2}{3}$

㉡ $3\dfrac{1}{9}\div1\dfrac{1}{6}=\dfrac{28}{9}\div\dfrac{7}{6}=\dfrac{\overset{4}{\cancel{28}}}{\underset{3}{\cancel{9}}}\times\dfrac{\overset{2}{\cancel{6}}}{\underset{1}{\cancel{7}}}=\dfrac{8}{3}=2\dfrac{2}{3}$

⇨ $2\dfrac{2}{3}-1\dfrac{2}{3}=1$

2 $\dfrac{4}{5}\times\square=\dfrac{9}{10}$ ⇨ $\square=\dfrac{9}{10}\div\dfrac{4}{5}=\dfrac{9}{\underset{2}{\cancel{10}}}\times\dfrac{\overset{1}{\cancel{5}}}{4}=\dfrac{9}{8}=1\dfrac{1}{8}$

3 나누는 수가 같으므로 나누어지는 수가 작을수록 몫이 작습니다.

㉢ $1\dfrac{1}{2}<$ ㉠ $3\dfrac{3}{7}<$ ㉣ $3\dfrac{1}{2}<$ ㉡ $4\dfrac{2}{3}$

> **다른 풀이**
>
> 나눗셈을 하여 몫을 구하면
>
> ㉠ $1\dfrac{3}{7}$ ㉡ $1\dfrac{17}{18}$ ㉢ $\dfrac{5}{8}$ ㉣ $1\dfrac{11}{24}$
>
> ⇨ ㉢ < ㉠ < ㉣ < ㉡

4 어떤 수를 □라 하면

$\square\times2\dfrac{2}{3}=4\dfrac{4}{5}$

⇨ $\square=4\dfrac{4}{5}\div2\dfrac{2}{3}=\dfrac{24}{5}\times\dfrac{\overset{3}{\cancel{3}}}{\underset{1}{\cancel{8}}}=\dfrac{9}{5}=1\dfrac{4}{5}$

따라서 어떤 수는 $1\dfrac{4}{5}$입니다.

5 $4\dfrac{2}{3}\div1\dfrac{1}{5}=\dfrac{14}{3}\div\dfrac{6}{5}=\dfrac{\overset{7}{\cancel{14}}}{3}\times\dfrac{5}{\underset{3}{\cancel{6}}}=\dfrac{35}{9}=3\dfrac{8}{9}$(분)

6 (휘발유 1 L로 갈 수 있는 거리)

$=8\dfrac{7}{10}\div1\dfrac{3}{5}=\dfrac{87}{10}\div\dfrac{8}{5}=\dfrac{87}{\underset{2}{\cancel{10}}}\times\dfrac{\overset{1}{\cancel{5}}}{8}=\dfrac{87}{16}$ (km)

⇨ (휘발유 4 L로 갈 수 있는 거리)

$=\dfrac{87}{\underset{4}{\cancel{16}}}\times\overset{1}{\cancel{4}}=\dfrac{87}{4}=21\dfrac{3}{4}$ (km)

STEP 2 JUMP 유형 12~19쪽

1-1 ❶ 예 (높이)=(평행사변형의 넓이)÷(밑변의 길이)

$=2\dfrac{1}{3}\div1\dfrac{5}{9}$

❷ 예 $2\dfrac{1}{3}\div1\dfrac{5}{9}=\dfrac{7}{3}\div\dfrac{14}{9}=\dfrac{\overset{1}{\cancel{7}}}{\underset{1}{\cancel{3}}}\times\dfrac{\overset{3}{\cancel{9}}}{\underset{2}{\cancel{14}}}$

$=\dfrac{3}{2}=1\dfrac{1}{2}$ (cm)

; $1\dfrac{1}{2}\left(=\dfrac{3}{2}\right)$ cm

1-2 $2\dfrac{1}{26}\left(=\dfrac{53}{26}\right)$ cm

1-3 $5\dfrac{5}{9}\left(=\dfrac{50}{9}\right)$ cm

2-1 ❶ 예 $\dfrac{1}{2}$ ♥ $\dfrac{1}{3}=\left(\dfrac{1}{2}+\dfrac{1}{3}\right)\div\dfrac{1}{3}$

❷ 예 $\left(\dfrac{1}{2}+\dfrac{1}{3}\right)\div\dfrac{1}{3}=\left(\dfrac{3}{6}+\dfrac{2}{6}\right)\div\dfrac{1}{3}$

$=\dfrac{5}{6}\div\dfrac{1}{3}=\dfrac{5}{\underset{2}{\cancel{6}}}\times\overset{1}{\cancel{3}}$

$=\dfrac{5}{2}=2\dfrac{1}{2}$

; $2\dfrac{1}{2}\left(=\dfrac{5}{2}\right)$

2-2 $\dfrac{6}{7}$

2-3 $\dfrac{23}{27}$

3-1 ❶ 예 (전체 학생 수)$\times\dfrac{4}{7}=12$

(전체 학생 수)$=12\div\dfrac{4}{7}=\overset{3}{\cancel{12}}\times\dfrac{7}{\underset{1}{\cancel{4}}}$

$=21$(명)

❷ 예 (전체 학생 수)-(남학생 수)=(여학생 수)

⇨ $21-12=9$(명)

; 9명

3-2 1200원

3-3 320 m²

4-1 ❶ 서정: 예 가장 큰 대분수: $9\dfrac{3}{4}$

가장 작은 대분수: $3\dfrac{4}{9}$

태준: 예 가장 큰 대분수: $8\dfrac{6}{7}$

가장 작은 대분수: $6\dfrac{7}{8}$

② 예 $\cdot\ 9\dfrac{3}{4}\div 6\dfrac{7}{8}=\dfrac{39}{4}\div\dfrac{55}{8}$

$$=\dfrac{39}{\underset{1}{4}}\times\dfrac{\overset{2}{8}}{55}=\dfrac{78}{55}=1\dfrac{23}{55}$$

예 $\cdot\ 8\dfrac{6}{7}\div 3\dfrac{4}{9}=\dfrac{62}{7}\div\dfrac{31}{9}=\dfrac{\overset{2}{62}}{7}\times\dfrac{9}{\underset{1}{31}}$

$$=\dfrac{18}{7}=2\dfrac{4}{7}$$

③ 예 $1\dfrac{23}{55}<2\dfrac{4}{7}$ 이므로 $2\dfrac{4}{7}$ 입니다.

$$;\ 2\dfrac{4}{7}\left(=\dfrac{18}{7}\right)$$

4-2 $\dfrac{57}{188}$

4-3 $1\dfrac{13}{15}\left(=\dfrac{28}{15}\right)$

5-1 **①** 예 $19\dfrac{1}{2}\div 2\dfrac{1}{7}=\dfrac{39}{2}\times\dfrac{7}{\underset{5}{15}}^{13}$

$$=\dfrac{91}{10}=9\dfrac{1}{10}\,(\text{m}^2)$$

② 예 $9\dfrac{1}{10}\times 3=\dfrac{91}{10}\times 3=\dfrac{273}{10}=27\dfrac{3}{10}\,(\text{m}^2)$

$$;\ 27\dfrac{3}{10}\left(=\dfrac{273}{10}\right)\text{m}^2$$

5-2 $19\dfrac{1}{5}\left(=\dfrac{96}{5}\right)\text{m}^2$

5-3 $125\,\text{m}^2$

6-1 **①** 예 $15\div\dfrac{1}{3}=15\times 3=45(\text{분})$

② 예 $\overset{9}{45}\times\dfrac{4}{\underset{1}{5}}=36(\text{분})$

$$;\ 36\text{분}$$

6-2 21분

6-3 1시간 48분

7-1 **①** 예 $(\text{서윤})=\dfrac{1}{6}\div 5=\dfrac{1}{6}\times\dfrac{1}{5}=\dfrac{1}{30}$

$$(\text{우진})=\dfrac{1}{5}\div 3=\dfrac{1}{5}\times\dfrac{1}{3}=\dfrac{1}{15}$$

② 예 $\dfrac{1}{30}+\dfrac{1}{15}=\dfrac{1}{30}+\dfrac{2}{30}=\dfrac{3}{30}=\dfrac{1}{10}$

③ 예 $1\div\dfrac{1}{10}=1\times 10=10(\text{일})$이 걸립니다.

$$;\ 10\text{일}$$

7-2 8일

7-3 5일

8-1 **①** 예 전체 학생 수의

$$\dfrac{1}{3}+\dfrac{3}{5}=\dfrac{5}{15}+\dfrac{9}{15}=\dfrac{14}{15}\text{입니다.}$$

② 예 $\dfrac{14}{15}\div\dfrac{1}{15}=14\div 1=14(\text{배})$

$$;\ 14\text{배}$$

8-2 $1\dfrac{59}{93}\left(=\dfrac{152}{93}\right)\text{배}$

1-2 (밑변의 길이)=(평행사변형의 넓이)÷(높이)

$$\Rightarrow 6\dfrac{5}{8}\div 3\dfrac{1}{4}=\dfrac{53}{8}\div\dfrac{13}{4}=\dfrac{53}{\underset{2}{8}}\times\dfrac{\overset{1}{4}}{13}$$

$$=\dfrac{53}{26}=2\dfrac{1}{26}\,(\text{cm})$$

1-3 (높이)=(삼각형의 넓이)×2÷(밑변의 길이)

$$\Rightarrow 10\dfrac{5}{7}\times 2\div 3\dfrac{6}{7}=\dfrac{75}{7}\times 2\div\dfrac{27}{7}$$

$$=\dfrac{\overset{25}{75}}{\underset{1}{7}}\times 2\times\dfrac{\overset{1}{7}}{\underset{9}{27}}$$

$$=\dfrac{50}{9}=5\dfrac{5}{9}\,(\text{cm})$$

> **참고**
> (삼각형의 넓이)=(밑변의 길이)×(높이)÷2

2-2 $1\dfrac{2}{7}\bigstar\dfrac{3}{8}=1\dfrac{2}{7}\div\dfrac{3}{8}\div 4$

$$\Rightarrow 1\dfrac{2}{7}\div\dfrac{3}{8}\div 4=\dfrac{9}{7}\div\dfrac{3}{8}\div 4=\dfrac{\overset{3}{9}}{7}\times\dfrac{8}{\underset{1}{3}}\div 4$$

$$=\dfrac{24}{7}\div 4=\dfrac{\overset{6}{24}}{7}\times\dfrac{1}{\underset{1}{4}}=\dfrac{6}{7}$$

2-3 $\dfrac{2}{3}\blacktriangle 4\dfrac{4}{5}=\dfrac{2}{3}+\dfrac{8}{9}\div 4\dfrac{4}{5}$

$$\Rightarrow\dfrac{2}{3}+\dfrac{8}{9}\div 4\dfrac{4}{5}=\dfrac{2}{3}+\dfrac{8}{9}\div\dfrac{24}{5}=\dfrac{2}{3}+\dfrac{\overset{1}{8}}{9}\times\dfrac{5}{\underset{3}{24}}$$

$$=\dfrac{2}{3}+\dfrac{5}{27}=\dfrac{18}{27}+\dfrac{5}{27}=\dfrac{23}{27}$$

> **참고**
> 덧셈과 나눗셈이 있는 혼합 계산식에서는 나눗셈을 먼저 계산합니다.

3-2 (오늘 받은 용돈)$\times\dfrac{3}{4}=3600$

$$(\text{오늘 받은 용돈})=3600\div\dfrac{3}{4}=\overset{1200}{3600}\times\dfrac{4}{\underset{1}{3}}=4800(\text{원})$$

$$\Rightarrow(\text{남은 돈})=4800-3600=1200(\text{원})$$

3-3 국화를 심은 부분은 전체의 $\dfrac{5}{9}$입니다.

(전체 화단의 넓이)$\times \dfrac{5}{9}=400$

(전체 화단의 넓이)$=400\div \dfrac{5}{9}=\overset{80}{400}\times \dfrac{9}{\underset{1}{5}}$

$=720\,(\text{m}^2)$

⇨ (튤립을 심은 부분의 넓이)

$=720-400=320\,(\text{m}^2)$

🔑 **문제해결 Key**

① 전체 화단의 넓이를 구합니다.

② 튤립을 심은 부분의 넓이를 구합니다.

4-2 윤재와 보라가 각각 만든 가장 큰 대분수와 가장 작은 대분수를 구하면

윤재 → 가장 큰 대분수: $8\dfrac{2}{3}$

가장 작은 대분수: $2\dfrac{3}{8}$

보라 → 가장 큰 대분수: $7\dfrac{5}{6}$

가장 작은 대분수: $5\dfrac{6}{7}$

• $2\dfrac{3}{8}\div 7\dfrac{5}{6}=\dfrac{19}{8}\div \dfrac{47}{6}=\dfrac{19}{\underset{4}{8}}\times \dfrac{\overset{3}{6}}{47}=\dfrac{57}{188}$

• $5\dfrac{6}{7}\div 8\dfrac{2}{3}=\dfrac{41}{7}\div \dfrac{26}{3}=\dfrac{41}{7}\times \dfrac{3}{26}=\dfrac{123}{182}$

⇨ $\dfrac{57}{188}<\dfrac{123}{182}$

4-3 두 가분수 중 하나의 분모가 3일 때,

나누어지는 수가 크고 나누는 수를 작게 하는 경우:

$\left(\dfrac{4}{3},\ \dfrac{7}{5}\right),\ \left(\dfrac{5}{3},\ \dfrac{7}{4}\right),\ \left(\dfrac{7}{3},\ \dfrac{5}{4}\right)$

$\dfrac{7}{5}\div \dfrac{4}{3}=\dfrac{7}{5}\times \dfrac{3}{4}=\dfrac{21}{20}=1\dfrac{1}{20}$

$\dfrac{7}{4}\div \dfrac{5}{3}=\dfrac{7}{4}\times \dfrac{3}{5}=\dfrac{21}{20}=1\dfrac{1}{20}$

$\dfrac{7}{3}\div \dfrac{5}{4}=\dfrac{7}{3}\times \dfrac{4}{5}=\dfrac{28}{15}=1\dfrac{13}{15}$

⇨ 가장 큰 몫은 $1\dfrac{13}{15}\left(=\dfrac{28}{15}\right)$

🔑 **문제해결 Key**

① 나누어지는 수가 크고, 나누는 수를 작게 하는 경우의 분수를 구합니다.

② ①에서 구한 수로 나눗셈식을 만들고 몫을 구합니다.

③ 가장 큰 몫을 구합니다.

5-2 (1 L의 페인트로 칠할 수 있는 담장의 넓이)

$=18\dfrac{2}{7}\div 6\dfrac{2}{3}=\dfrac{\overset{32}{128}}{7}\times \dfrac{3}{\underset{5}{20}}$

$=\dfrac{96}{35}=2\dfrac{26}{35}\,(\text{m}^2)$

(7 L의 페인트로 칠할 수 있는 담장의 넓이)

$=2\dfrac{26}{35}\times 7=\dfrac{96}{\underset{5}{35}}\times \overset{1}{7}=\dfrac{96}{5}=19\dfrac{1}{5}\,(\text{m}^2)$

5-3 (직사각형 모양의 벽의 넓이)

$=8\times 3\dfrac{3}{4}=\overset{2}{8}\times \dfrac{15}{\underset{1}{4}}=30\,(\text{m}^2)$

(1 L의 페인트로 칠할 수 있는 벽의 넓이)

$=30\div 1\dfrac{1}{5}=\overset{5}{30}\times \dfrac{5}{\underset{1}{6}}=25\,(\text{m}^2)$

(5 L의 페인트로 칠할 수 있는 벽의 넓이)

$=25\times 5=125\,(\text{m}^2)$

🔑 **문제해결 Key**

① 직사각형 모양의 벽의 넓이를 구합니다.

② 1 L의 페인트로 칠할 수 있는 벽의 넓이를 구합니다.

③ 5 L의 페인트로 칠할 수 있는 벽의 넓이를 구합니다.

6-2 (욕조에 물을 가득 채우는 데 걸리는 시간)

$=14\div \dfrac{1}{4}=14\times 4=56(\text{분})$

⇨ (빈 욕조의 $\dfrac{3}{8}$만큼 물을 채우는 데 걸리는 시간)

$=\overset{7}{56}\times \dfrac{3}{\underset{1}{8}}=21(\text{분})$

6-3 1시간 동안 타는 양초의 길이는

$1\div \dfrac{1}{5}=1\times 5=5\,(\text{cm})$입니다.

양초가 15 cm에서 5 cm가 되려면

$(15-5)\div 5=2(\text{시간})$이 걸리므로

(더 타야 하는 시간)$=2-\dfrac{1}{5}=1\dfrac{4}{5}(\text{시간})$

⇨ $1\dfrac{4}{5}$시간$=1\dfrac{48}{60}$시간이므로 1시간 48분 동안 더 타야 합니다.

🔑 **문제해결 Key**

① 1시간 동안 타는 양초의 길이를 구합니다.

② 양초의 길이가 5 cm 남으려면 몇 시간 몇 분 동안 더 타야 하는지 구합니다.

7-2 전체 일의 양을 1이라 하면 두 사람이 각각 하루에 하는 일의 양은

$$(보람) = \frac{1}{3} \div 4 = \frac{1}{3} \times \frac{1}{4} = \frac{1}{12}$$

$$(선우) = \frac{1}{4} \div 6 = \frac{1}{4} \times \frac{1}{6} = \frac{1}{24}$$

두 사람이 같이 일을 시작했을 때 하루에 하는 일의 양은

$$\frac{1}{12} + \frac{1}{24} = \frac{3}{24} = \frac{1}{8}$$

⇨ 두 사람이 같이 일을 시작했을 때 일을 끝내려면

$$1 \div \frac{1}{8} = 1 \times 8 = 8(일)이 걸립니다.$$

7-3 전체 일의 양을 1이라 하면 두 사람이 각각 하루에 하는 일의 양은

$$(윤재) = \frac{1}{4} \div 3 = \frac{1}{4} \times \frac{1}{3} = \frac{1}{12}$$

$$(지아) = \frac{1}{3} \div 2 = \frac{1}{3} \times \frac{1}{2} = \frac{1}{6}입니다.$$

$$(윤재가 2일 동안 한 일의 양) = \frac{1}{\overset{6}{12}} \times \overset{1}{2} = \frac{1}{6}$$

$$(지아가 해야 할 일의 양) = 1 - \frac{1}{6} = \frac{5}{6}$$

⇨ 지아는 $\frac{5}{6} \div \frac{1}{6} = 5(일)$ 동안 일을 해야 합니다.

> 🔑 **문제해결 Key**
> ① 두 사람이 각각 하루에 하는 일의 양을 분수로 알아봅니다.
> ② 지아가 해야 할 일의 양을 알아봅니다.
> ③ 지아가 며칠 동안 일을 해야 하는지 구합니다.

8-2 높이를 비교하면 $15\frac{1}{5} > 13\frac{2}{5} > 9\frac{3}{10}$입니다.

$$15\frac{1}{5} \div 9\frac{3}{10} = \frac{76}{5} \div \frac{93}{10} = \frac{76}{\overset{}{\underset{1}{5}}} \times \frac{\overset{2}{10}}{93}$$

$$= \frac{152}{93} = 1\frac{59}{93}$$

⇨ 가장 높은 탑의 높이는 가장 낮은 탑의 높이의

$$1\frac{59}{93}\left(=\frac{152}{93}\right)배입니다.$$

> 🔑 **문제해결 Key**
> ① 세 석탑의 높이를 비교합니다.
> ② (가장 높은 탑의 높이)÷(가장 낮은 탑의 높이)를 구합니다.

---

3 STEP MASTER 심화 **20~25쪽**

01 $1\frac{1}{10}\left(=\frac{11}{10}\right)$ **02** 2배

03 2 **04** $1\frac{1}{5}\left(=\frac{6}{5}\right)$ cm

05 256 **06** 5

07 $80\frac{1}{2}\left(=\frac{161}{2}\right)$, 26 **08** 3시간 45분

09 $\frac{5}{8}$ kg **10** 96 cm

11 8쌍 **12** $7\frac{5}{7}\left(=\frac{54}{7}\right)$

13 6시간 **14** 2시간 18분

15 10시간 48분 **16** $4\frac{23}{28}\left(=\frac{135}{28}\right)$

17 4월 17일 낮 12시 **18** 270 cm

01 어떤 수를 □라 하여 잘못 계산한 식을 써보면

$$\frac{11}{12} \times \square = \frac{55}{72}입니다.$$

$$\square = \frac{55}{72} \div \frac{11}{12} = \frac{\overset{5}{55}}{\underset{6}{72}} \times \frac{\overset{1}{12}}{\underset{1}{11}} = \frac{5}{6}$$

⇨ 바른 계산: $\frac{11}{12} \div \frac{5}{6} = \frac{11}{\underset{2}{12}} \times \frac{\overset{1}{6}}{5} = \frac{11}{10} = 1\frac{1}{10}$

02 ㉮: $5\frac{5}{6} \div 1\frac{1}{4} = \frac{35}{6} \div \frac{5}{4} = \frac{\overset{7}{35}}{\underset{3}{6}} \times \frac{\overset{2}{4}}{\underset{1}{5}} = \frac{14}{3} = 4\frac{2}{3}$

㉯: $4\frac{1}{5} \div \frac{9}{5} = \frac{21}{5} \div \frac{9}{5} = \frac{\overset{7}{21}}{\underset{1}{5}} \times \frac{\overset{1}{5}}{\underset{3}{9}} = \frac{7}{3}$

⇨ ㉮÷㉯ $= 4\frac{2}{3} \div \frac{7}{3} = \frac{14}{3} \div \frac{7}{3} = 14 \div 7 = 2$이므로 ㉮는 ㉯의 2배입니다.

> 🔑 **문제해결 Key**
> ① ㉮와 ㉯를 각각 계산합니다.
> ② ㉮÷㉯의 몫을 구합니다.

03 $\frac{3}{11} \div \frac{2}{11} = 3 \div 2 = \frac{3}{2} = 1\frac{1}{2}$

$\frac{7}{9} \div \frac{2}{9} = 7 \div 2 = \frac{7}{2} = 3\frac{1}{2}$

→ $1\frac{1}{2} < \square < 3\frac{1}{2}$이므로 $\square = 2, 3$

$\frac{2}{3} \div \frac{4}{5} = \frac{\overset{1}{2}}{3} \times \frac{5}{\underset{2}{4}} = \frac{5}{6}$, $3\frac{1}{5} \div \frac{16}{15} = \frac{16}{\underset{1}{5}} \times \frac{\overset{3}{15}}{\underset{1}{16}} = 3$

→ $\frac{5}{6} < \square < 3$이므로 $\square = 1, 2$

⇨ □ 안에 공통으로 들어갈 자연수는 2입니다.

04 사다리꼴의 높이를 □ cm라 하면

$$\left(2\frac{1}{3}+3\frac{3}{4}\right)\times\square\div2=3\frac{13}{20}$$

$$\left(2\frac{4}{12}+3\frac{9}{12}\right)\times\square\div2=3\frac{13}{20}$$

$$6\frac{1}{12}\times\square\div2=3\frac{13}{20}$$

$$\square=3\frac{13}{20}\times2\div6\frac{1}{12}=\frac{\overset{1}{\cancel{73}}}{\underset{\underset{5}{10}}{\cancel{20}}}\times\overset{1}{\cancel{2}}\times\frac{\overset{6}{\cancel{12}}}{\cancel{73}}=\frac{6}{5}=1\frac{1}{5}$$

05 $1\frac{3}{5}\blacklozenge\frac{1}{10}=\left(1\frac{3}{5}\div\frac{1}{10}\right)\div\left(\frac{1}{10}\div1\frac{3}{5}\right)$

$$=\left(\frac{8}{5}\div\frac{1}{10}\right)\div\left(\frac{1}{10}\div\frac{8}{5}\right)$$

$$=\left(\frac{8}{\underset{1}{\cancel{5}}}\times\overset{2}{\cancel{10}}\right)\div\left(\frac{1}{\underset{2}{\cancel{10}}}\times\frac{\overset{1}{\cancel{5}}}{8}\right)$$

$$=16\div\frac{1}{16}=16\times16=256$$

> 🔑 **문제해결 Key**
> ① 괄호 안을 먼저 계산합니다.
> ② 계산한 괄호 안의 수를 나눗셈으로 계산합니다.

06 $\dfrac{16}{\square}\div\dfrac{4}{5}=\dfrac{16}{\square}\times\dfrac{5}{\underset{1}{\cancel{4}}}=\dfrac{20}{\square}$ 이므로

몫이 자연수가 되려면

□는 20의 약수(1, 2, 4, 5, 10, 20)가 되어야 합니다.

➡ 1보다 크고 $\dfrac{16}{\square}$이 기약분수가 되는 □=5입니다.

> 🔑 **문제해결 Key**
> ① 주어진 나눗셈식을 간단하게 나타냅니다.
> ② 몫이 자연수가 되기 위한 조건을 찾습니다.
> ③ □ 안에 알맞은 자연수를 구합니다.

07 (트럭의 평균 속도)$=120\frac{3}{4}\div1\frac{1}{2}=\dfrac{483}{4}\div\dfrac{3}{2}$

$$=\dfrac{483}{\underset{2}{\cancel{4}}}\times\dfrac{\overset{1}{\cancel{2}}}{\underset{1}{\cancel{3}}}^{161}$$

$$=\dfrac{161}{2}=80\frac{1}{2}\ \text{(km/시)}$$

(승용차의 연비)$=273\div10\frac{1}{2}=273\div\dfrac{21}{2}$

$$=\overset{13}{\cancel{273}}\times\dfrac{2}{\underset{1}{\cancel{21}}}=26\ \text{(km/L)}$$

08 (1 km를 걷는 데 걸리는 시간)

$$=\dfrac{5}{24}\div\dfrac{1}{2}=\dfrac{5}{\underset{12}{\cancel{24}}}\times\overset{1}{\cancel{2}}=\dfrac{5}{12}\text{(시간)}$$

(9 km를 걷는 데 걸리는 시간)

$$=\dfrac{5}{\underset{4}{\cancel{12}}}\times\overset{3}{\cancel{9}}=\dfrac{15}{4}=3\frac{3}{4}=3\frac{45}{60}\text{(시간)}$$

➡ 3시간 45분

> **주의**
> 문제에서 몇 시간 몇 분이 걸리는지 구해야 하므로 시간, 분 단위로 고쳐야 합니다.

> 🔑 **문제해결 Key**
> ① 1 km를 걷는 데 걸리는 시간을 구합니다.
> ② 9 km를 걷는 데 걸리는 시간을 구합니다.
> ③ ②에서 구한 시간을 몇 시간 몇 분으로 고칩니다.

09 (유리판의 넓이)=(한 변의 길이)×(한 변의 길이)

$$=\dfrac{2}{3}\times\dfrac{2}{3}=\dfrac{4}{9}\ \text{(m}^2\text{)}$$

(유리판 1 m²의 무게)$=\dfrac{7}{12}\div\dfrac{4}{9}=\dfrac{7}{\underset{4}{\cancel{12}}}\times\dfrac{\overset{3}{\cancel{9}}}{4}$

$$=\dfrac{21}{16}=1\frac{5}{16}\ \text{(kg)}$$

➡ (유리판 $\dfrac{10}{21}$ m²의 무게)$=1\frac{5}{16}\times\dfrac{10}{21}$

$$=\dfrac{\overset{1}{\cancel{21}}}{\underset{8}{\cancel{16}}}\times\dfrac{\overset{5}{\cancel{10}}}{\underset{1}{\cancel{21}}}=\dfrac{5}{8}\ \text{(kg)}$$

> 🔑 **문제해결 Key**
> ① 유리판의 넓이를 구합니다.
> ② 유리판 1 m²의 무게를 구합니다.
> ③ 유리판 $\dfrac{10}{21}$ m²의 무게를 구합니다.

10

전체 길이

15 cm   21 cm

$15+21=36$ (cm)가 전체 길이의 $1-\dfrac{5}{8}=\dfrac{3}{8}$이므로

전체 길이는 $36\div\dfrac{3}{8}=\overset{12}{\cancel{36}}\times\dfrac{8}{\underset{1}{\cancel{3}}}=96$ (cm)입니다.

> 🔑 **문제해결 Key**
> ① 색칠하지 않은 부분의 길이의 합을 구합니다.
> ② 색칠하지 않은 부분의 길이의 합은 전체 길이의 몇 분의 몇인지 구합니다.
> ③ 전체 길이를 구합니다.

1 단원

11 $14 \div \dfrac{\blacktriangle}{3} = \blacksquare$를 곱셈식으로 고쳐서 생각해 보면

$14 \times \dfrac{3}{\blacktriangle} = \dfrac{42}{\blacktriangle} = \blacksquare$이고, $\blacksquare$는 자연수이므로 $\blacktriangle$에 들어갈 수 있는 수는 42의 약수입니다.

⇨ ($\blacktriangle$, $\blacksquare$)로 짝지어 보면 (1, 42), (2, 21), (3, 14), (6, 7), (7, 6), (14, 3), (21, 2), (42, 1)로 모두 8쌍입니다.

> **🔑 문제해결 Key**
> ① 나눗셈식을 곱셈식으로 바꿉니다.
> ② $\blacktriangle$와 $\blacksquare$의 관계를 알아봅니다.
> ③ ($\blacktriangle$, $\blacksquare$)가 몇 쌍인지 세어 봅니다.

12 구하려는 분수를 $\dfrac{\blacktriangle}{\blacksquare}$라 하면

$\dfrac{\blacktriangle}{\blacksquare} \div 1\dfrac{13}{14} = \dfrac{\blacktriangle}{\blacksquare} \times \dfrac{14}{27}$와 $\dfrac{\blacktriangle}{\blacksquare} \div 2\dfrac{4}{7} = \dfrac{\blacktriangle}{\blacksquare} \times \dfrac{7}{18}$이

각각 자연수가 되어야 하고, $\dfrac{\blacktriangle}{\blacksquare}$가 가장 작은 분수가

되어야 하므로

$\left. \begin{array}{l} \blacktriangle \to 27과 18의 최소공배수 \\ \blacksquare \to 14와 7의 최대공약수 \end{array} \right\} ⇨ \blacktriangle = 54, \blacksquare = 7$

⇨ 구하려는 분수는 $\dfrac{54}{7} = 7\dfrac{5}{7}$

> **🔑 문제해결 Key**
> ① 구하려는 분수를 $\dfrac{\blacktriangle}{\blacksquare}$라 하여 나눗셈을 만든 후 곱셈으로 고칩니다.
> ② $\dfrac{\blacktriangle}{\blacksquare}$가 가장 작은 분수가 될 조건을 알아봅니다.
> ③ $\blacktriangle$와 $\blacksquare$의 값을 구합니다.
> ④ 가장 작은 분수를 구합니다.

13 전체 일의 양을 1이라 하면

(한 명이 한 시간 동안 한 일의 양)

$= \dfrac{4}{7} \div 4 \div 2 = \dfrac{4}{7} \times \dfrac{1}{4} \times \dfrac{1}{2} = \dfrac{1}{14}$

(남은 일의 양) $= 1 - \dfrac{4}{7} = \dfrac{3}{7}$

⇨ 한 명이 전체 일의 $\dfrac{3}{7}$을 하는 데 걸리는 시간은

$\dfrac{3}{7} \div \dfrac{1}{14} = \dfrac{3}{7} \times 14 = 6$(시간)입니다.

14 $\left(1\dfrac{3}{5}시간 동안 탄 양초의 길이 \right)$

$= 13 - 7\dfrac{2}{3} = 12\dfrac{3}{3} - 7\dfrac{2}{3} = 5\dfrac{1}{3}$ (cm)

(1시간 동안 탄 양초의 길이)

$= 5\dfrac{1}{3} \div 1\dfrac{3}{5} = \dfrac{16}{3} \div \dfrac{8}{5}$

$= \dfrac{16}{3} \times \dfrac{5}{8} = \dfrac{10}{3} = 3\dfrac{1}{3}$ (cm)

(남은 양초가 다 타는 데 걸리는 시간)

$= 7\dfrac{2}{3} \div 3\dfrac{1}{3} = \dfrac{23}{3} \div \dfrac{10}{3} = 23 \div 10 = \dfrac{23}{10}$

$= 2\dfrac{3}{10} = 2\dfrac{18}{60}$(시간) ⇨ 2시간 18분

> **🔑 문제해결 Key**
> ① $1\dfrac{3}{5}$시간 동안 탄 양초의 길이를 구합니다.
> ② 1시간 동안 탄 양초의 길이를 구합니다.
> ③ 남은 양초가 다 타는 데 걸리는 시간을 구합니다.
> ④ ③에서 구한 시간을 몇 시간 몇 분으로 고칩니다.

15 밤의 길이를 $\square$시간이라 하면 낮의 길이는

$\left(\square \times \dfrac{9}{11} \right)$시간입니다.

$24 = \square \times \dfrac{9}{11} + \square$, $24 = \square \times 1\dfrac{9}{11}$,

$\square = 24 \div 1\dfrac{9}{11} = 24 \div \dfrac{20}{11} = 24 \times \dfrac{11}{20} = \dfrac{66}{5}$

$= 13\dfrac{1}{5} = 13\dfrac{12}{60}$(시간) → 밤의 길이는 13시간 12분

⇨ 하루는 24시간이므로

(낮의 길이) = 24시간 − 13시간 12분 = 10시간 48분

> **참고**
> $\square \times \dfrac{9}{11} + \square ⇨ \square \times \dfrac{9}{11} + \square \times 1 ⇨ \square \times 1\dfrac{9}{11} \to \dfrac{9}{11} + 1$
> $\square$의 $\dfrac{9}{11}$만큼에 $\square$를 1개 더하면 $\square$의 $\left(\dfrac{9}{11} + 1 \right)$만큼이 됩니다.

> **🔑 문제해결 Key**
> ① 밤의 길이를 $\square$시간이라 하여 낮의 길이를 $\square$를 이용하여 나타냅니다.
> ② 낮과 밤의 길이의 관계를 이용하여 밤의 길이를 구합니다.
> ③ 낮의 길이를 구합니다.

16 나눗셈의 몫을 크게 하려면 나누어지는 대분수의 자연수 부분은 6, 나누는 대분수의 자연수 부분은 1이어야 합니다.

· $6\dfrac{4}{5} \div 1\dfrac{2}{3} = \dfrac{34}{5} \times \dfrac{3}{5} = \dfrac{102}{25} = 4\dfrac{2}{25}$

· $6\dfrac{3}{5} \div 1\dfrac{2}{4} = \dfrac{33}{5} \times \dfrac{4}{6} = \dfrac{22}{5} = 4\dfrac{2}{5}$

- $6\dfrac{3}{4}\div 1\dfrac{2}{5}=\dfrac{27}{4}\times\dfrac{5}{7}=\dfrac{135}{28}=4\dfrac{23}{28}$

➡ $4\dfrac{2}{25}<4\dfrac{2}{5}<4\dfrac{23}{28}$이므로

가장 큰 몫은 $4\dfrac{23}{28}$입니다.

🔑 **문제해결 Key**
① (자연수 부분이 6인 대분수)÷(자연수 부분이 1인 대분수)를 구합니다.
② ①에서 구한 몫의 크기를 비교하여 가장 큰 몫을 구합니다.

17

수현이의 시계는 하루에 $\dfrac{1}{3}$분씩 빨라지고, 민주의 시계는 하루에 $\dfrac{1}{5}$분씩 느려진다고 합니다. 두 사람이 3월 3일 낮 12시에 시계를 정확히 맞추었다면 두 사람의 시계의 시각의 차가 $\dfrac{2}{5}$시간이 될 때는 몇 월 며칠 몇 시입니까?

하루 동안의 두 시계의 시각 차는 $\dfrac{1}{3}+\dfrac{1}{5}=\dfrac{8}{15}$(분)

두 시계의 시각의 차가 $\dfrac{2}{5}$시간$=24$분이 되려면

$24\div\dfrac{8}{15}=24\times\dfrac{15}{8}=45$(일) 후이므로 3월 3일 낮 12시부터 45일 후인 4월 17일 낮 12시가 됩니다.

18

(빨간 끈의 길이)=(파란 끈의 길이)이므로

(빨간 끈의 길이)$\times\dfrac{1}{3}-$(빨간 끈의 길이)$\times\dfrac{1}{4}=45+30$

(빨간 끈의 길이)$\times\dfrac{4}{12}-$(빨간 끈의 길이)$\times\dfrac{3}{12}=75$

(빨간 끈의 길이)$\times\dfrac{1}{12}=75$

(빨간 끈의 길이)$=75\div\dfrac{1}{12}=75\times12=900$ (cm)

(쌓여 있는 상자의 높이)=(빨간 끈의 길이)$\times\dfrac{1}{4}+45$
$=900\times\dfrac{1}{4}+45=270$ (cm)

---

01 ㉡, ㉢ **02** 750 m

03 $6\dfrac{2}{3}\left(=\dfrac{20}{3}\right)$ m **04** $87\dfrac{33}{41}\left(=\dfrac{3600}{41}\right)$ m

05 12 cm **06** 2배

01 ㉠ 나누는 수에 따라 몫은 $\dfrac{●}{■}$보다 작을 수 있습니다.

㉢ 나누는 수에 따라 몫은 $\dfrac{♥}{▲}$보다 작을 수 있습니다.

02 경기별로 선수들이 1분 동안 간 거리는 다음과 같습니다.

수영 : $200\div1\dfrac{40}{60}=120$ (m)

마라톤 : $42000\div126=333\dfrac{1}{3}$ (m)

스피드 스케이팅: $1000\div1\dfrac{20}{60}=750$ (m)

➡ 가장 빠른 선수가 1분 동안 간 거리는 750 m

📌 **참고**
1분 40초$=1\dfrac{40}{60}$분, 2시간 6분$=126$분,
1분 20초$=1\dfrac{20}{60}$분

🔑 **문제해결 Key**
① 거리를 모두 m로, 시간을 모두 분으로 나타냅니다.
② 경기별로 선수들이 1분 동안 간 거리를 구합니다.
③ 가장 빠른 선수가 1분 동안 간 거리를 구합니다.

03 처음 공을 떨어뜨린 높이를 □ m라 하면 두 공이 두 번째로 튀어 오른 높이의 차는

$\left(□\times\dfrac{1}{2}\times\dfrac{1}{2}\right)-\left(□\times\dfrac{1}{5}\times\dfrac{1}{5}\right)=1\dfrac{2}{5}$

$□\times\dfrac{1}{4}-□\times\dfrac{1}{25}=1\dfrac{2}{5}$

$□\times\dfrac{25}{100}-□\times\dfrac{4}{100}=1\dfrac{2}{5}$

$□\times\dfrac{21}{100}=1\dfrac{2}{5}$

$1\dfrac{2}{5}\div\dfrac{21}{100}=□$

$□=\dfrac{7}{5}\times\dfrac{100}{21}=\dfrac{20}{3}=6\dfrac{2}{3}$

➡ 예를 들어
□×5−□×3=□×2이므로 (5−3)
$□\times\dfrac{1}{4}-□\times\dfrac{1}{25}$
$=□\times\left(\dfrac{1}{4}-\dfrac{1}{25}\right)$
$=□\times\dfrac{21}{100}$

➡ 처음 공을 떨어뜨린 높이는 $6\dfrac{2}{3}$ m

문제해결 Key

① 처음 공을 떨어뜨린 높이를 ▢ m라 하고 두 공이 두 번째로 튀어 오른 높이의 차를 구하는 식을 씁니다.
② 처음 공을 떨어뜨린 높이를 구합니다.

04 A는 1초에 $600 \div 60 = 10 \,(\text{m})$,

B는 1초에 $(600 - 40) \div 60 = 9\frac{1}{3}\,(\text{m})$를 달립니다.

$600\,\text{m}$를 가는 데 B는 $600 \div 9\frac{1}{3} = \frac{450}{7} = 64\frac{2}{7}\,(\text{초})$

가 걸리고, C는 B보다 6초 늦게 결승선에 도착했으므로

$64\frac{2}{7} + 6 = 70\frac{2}{7}\,(\text{초})$가 걸립니다.

⇨ A가 결승선에 도착했을 때 C는 A보다

$70\frac{2}{7} - 60 = 10\frac{2}{7}\,(\text{초})$ 뒤쳐져 있었으므로 결승선에서

$600 \div 70\frac{2}{7} \times 10\frac{2}{7} = \frac{3600}{41} = 87\frac{33}{41}\,(\text{m})$

떨어진 곳에 있었습니다.

문제해결 Key

① A, B가 1초에 달린 거리를 각각 구합니다.
② C가 결승선에 도착하는 데 걸린 시간을 구합니다.
③ A가 결승선에 들어왔을 때, C는 결승선에서 몇 m 떨어진 곳에 있었는지 구합니다.

05 ㉮ $+$ ㉯ $= 240\,\text{cm}$, ㉮ $+$ ㉰ $= 233\,\text{cm}$에서

㉯ $-$ ㉰ $= 240 - 233 = 7\,(\text{cm})$입니다.

㉯와 ㉰가 물에 잠긴 부분의 길이가 같으므로

㉯ $\times \dfrac{3}{10} =$ ㉰ $\times \dfrac{4}{11}$

㉯ $=$ ㉰ $\times \dfrac{4}{11} \div \dfrac{3}{10}$

㉯ $=$ ㉰ $\times \dfrac{4}{11} \times \dfrac{10}{3}$

㉯ $=$ ㉰ $\times \dfrac{40}{33}$입니다.

㉯ $-$ ㉰ $= 7$에서

㉰ $\times \dfrac{40}{33} -$ ㉰ $= 7$, ㉰ $\times \dfrac{7}{33} = 7$,

㉰ $= 7 \div \dfrac{7}{33} = \overset{1}{7} \times \dfrac{33}{\underset{1}{7}} = 33\,(\text{cm})$입니다.

⇨ (물의 높이) $= \overset{3}{33} \times \dfrac{4}{\underset{1}{11}} = 12\,(\text{cm})$

문제해결 Key

① (㉯의 길이) $-$ (㉰의 길이)의 값을 구합니다.
② ㉯와 ㉰의 관계를 이용하여 식을 세웁니다.
③ ㉰의 길이를 구합니다.
④ 물의 높이를 구합니다.

06 그림과 같이 원 가, 나, 다가 겹쳐져 있습니다. ㉠의 넓이는 원 나의 넓이의 $\dfrac{1}{6}$이고, ㉡의 넓이는 원

└(㉠의 넓이)=(원 나의 넓이)$\times \dfrac{1}{6}$

다의 넓이의 $\dfrac{2}{5}$입니다. ㉠의 넓이가 ㉡의 넓이의 $\dfrac{5}{6}$

└(㉡의 넓이) └(㉠의 넓이)
＝(원 다의 넓이)$\times \dfrac{2}{5}$ ＝(㉡의 넓이)$\times \dfrac{5}{6}$

라면 원 나의 넓이는 원 다의 넓이의 몇 배입니까?

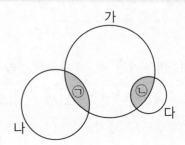

(㉠의 넓이) $=$ (원 나의 넓이) $\times \dfrac{1}{6}$ $\cdots\cdots$ ①

(㉡의 넓이) $=$ (원 다의 넓이) $\times \dfrac{2}{5}$ $\cdots\cdots$ ②

→ (㉠의 넓이) $=$ (㉡의 넓이) $\times \dfrac{5}{6}$에서 ①, ②를 이용하면

(원 나의 넓이) $\times \dfrac{1}{6} =$ (원 다의 넓이) $\times \dfrac{\overset{1}{2}}{\underset{1}{5}} \times \dfrac{\overset{1}{5}}{\underset{3}{6}}$

$=$ (원 다의 넓이) $\times \dfrac{1}{3}$

⇨ (원 나의 넓이) $\div$ (원 다의 넓이)

$= \dfrac{1}{3} \div \dfrac{1}{6}$

$= \dfrac{1}{\underset{1}{3}} \times \overset{2}{6} = 2\,(\text{배})$

참고

$A \times \bullet = B \times \blacksquare \Rightarrow A \div B = \blacksquare \div \bullet$

문제해결 Key

① 넓이 사이의 관계를 식으로 나타냅니다.
② ①의 식으로 원 나와 원 다의 넓이 사이의 관계식을 만듭니다.
③ (원 나의 넓이) $\div$ (원 다의 넓이)의 몫을 구합니다.

2 소수의 나눗셈

STEP 1 START 개념 31쪽

1 ④   **2** 1, 2, 3, 4

3
$$\begin{array}{r} 4.2 \\ 8.2\overline{\smash{)}34.44} \\ 328 \\ \hline 164 \\ 164 \\ \hline 0 \end{array}$$
; 예 나누어지는 수와 나누는 수의 소수점을 오른쪽으로 같은 자리만큼 옮겨서 계산하지 않았습니다.

4 ㉣, ㉡, ㉠, ㉢   **5** 8배

6 1.9

1 ①, ②, ③, ⑤ 12 ④ 1.2

2 4.25÷0.85=5
⇨ 5>□이므로 □ 안에 들어갈 수 있는 자연수는 1, 2, 3, 4입니다.

4 나누어지는 수가 같으므로 나누는 수가 클수록 몫의 크기는 작습니다. ⇨ ㉣<㉡<㉠<㉢

다른 풀이
㉠ 4 ㉡ 3 ㉢ 6 ㉣ 2 ⇨ ㉣<㉡<㉠<㉢

5 41.84÷5.23=8(배)

6 어떤 수를 □라 하면
□×5.3=10.07
⇨ □=10.07÷5.3=1.9

STEP 1 START 개념 33쪽

1 12, 120, 1200   **2**
$$\begin{array}{r} 55 \\ 3.4\overline{\smash{)}187.0} \\ 170 \\ \hline 170 \\ 170 \\ \hline 0 \end{array}$$

3 444   **4** 1.1
5 0.02   **6** 49배

1 나누는 수가 $\frac{1}{10}$배씩 작아지면 몫은 10배씩 커집니다.
$$72÷6=12$$
$$\Big\downarrow \tfrac{1}{10}배 \quad \Big\downarrow 10배$$
$$72÷0.6=120$$
$$\Big\downarrow \tfrac{1}{10}배 \quad \Big\downarrow 10배$$
$$72÷0.06=1200$$

2 몫의 소수점의 위치는 나누어지는 수의 옮긴 소수점의 위치와 같습니다.

3 ㉠ 4 ㉡ 40 ㉢ 400
⇨ ㉠+㉡+㉢=4+40+400=444

참고
나누는 수가 같고 나누어지는 수의 소수점이 오른쪽으로 한 자리씩 움직이면 몫의 소수점도 오른쪽으로 한 자리씩 움직입니다.

4
$$\begin{array}{r} 1.06 \cdots \Rightarrow 1.1 \\ 3\overline{\smash{)}3.20} \\ 3 \\ \hline 20 \\ 18 \\ \hline 2 \end{array}$$

5
$$\begin{array}{r} 5.583 \cdots \\ 1.2\overline{\smash{)}6.7000} \\ 60 \\ \hline 70 \\ 60 \\ \hline 100 \\ 96 \\ \hline 40 \\ 36 \\ \hline 4 \end{array}$$
┌ 소수 첫째 자리까지: 5.6
└ 소수 둘째 자리까지: 5.58
⇨ 5.6−5.58=0.02

6 750.4÷15.2=49.3…… ⇨ 49배

STEP 1 START 개념 35쪽

1 25, 1.8   **2** 5.9 kg
3 60.9   **4** 2시간 20분
5 19명   **6** 1.1 m²

1 76.8÷3=25…1.8이므로 상자를 25개까지 포장할 수 있고, 남는 리본은 1.8 m입니다.

2 (전체 콩의 무게)=32.3×3=96.9 (kg)

96.9÷7=13…5.9이므로 남는 콩은 5.9 kg입니다.

3 □÷5=12…0.9

⇨ 5×12+0.9=□, □=60.9

4 (182 km를 달리는 데 걸리는 시간)

=182÷1.3=140(분) ⇨ 2시간 20분

> **참고**
>
> 60분=1시간이므로
>
> 140분=120분+20분=2시간+20분=2시간 20분

5 990÷50.5=19.6…… ⇨ 19

⇨ 최대 19명까지 탈 수 있습니다.

6 (벽의 넓이)÷(필요한 페인트의 양)

=33.2÷30.8=1.07…… ⇨ 1.1 m²

STEP 2 JUMP 유형   36~43쪽

1-1 ❶ 예 6.7×□=33.5

❷ 예 6.7×□=33.5

⇨ □=33.5÷6.7=5이므로 세로는 5 cm 입니다.

; 5 cm

1-2 5.4 cm   **1-3** 4.8 cm

2-1 ❶ 예 □÷8.4=6…1.7

❷ 예 □=8.4×6+1.7=52.1이므로 어떤 수는 52.1입니다.

❸ 예 52.1÷7.4=7…0.3이므로 몫은 7, 나머지는 0.3입니다.

; 7, 0.3

2-2 4, 0.5   **2-3** 1.9

3-1 ❶ 예 8.9÷3=2.9666……

❷ 예 몫의 소수 둘째 자리부터 숫자 6이 반복됩니다.

❸ 예 소수 둘째 자리부터 숫자 6이 반복되므로 몫의 소수 10째 자리 숫자는 소수 둘째 자리 숫자와 같은 6입니다.

; 6

3-2 4   **3-3** 8

4-1 ❶ 예 (도로의 길이)÷(나무 사이의 거리)

=15.12÷0.42=36(군데)

❷ 예 (나무의 간격 수)+1

=36+1=37(그루)

; 37그루

4-2 241개   **4-3** 302개

5-1 ❶ 예 몫이 가장 크게 되려면 나누어지는 수가 가장 커야 하므로 가장 큰 소수 두 자리 수를 만들면 9.87입니다.

❷ 예 몫이 가장 크게 되려면 나누는 수는 가장 작아야 하므로 0.3입니다.

❸ 예 9.87÷0.3=32.9

; 0.3⟌9.87 , 32.9

5-2 0.9⟌1.35 , 1.5

5-3 8.76÷0.12 , 73

6-1 ❶ 예 0.32÷4=0.08 (cm)

❷ 예 16.4÷0.08=205(분)

❸ 예 205분=180분+25분=3시간+25분

=3시간 25분

; 3시간 25분

6-2 2시간 45분   **6-3** 8시간 20분

7-1 ❶ 예 반올림하여 자연수로 나타내면 6이 되는 수의 범위는 5.5 이상 6.5 미만입니다.

❷ 예 □.67÷0.8의 몫의 범위는 5.5 이상 6.5 미만이므로 □.67÷0.8=5.5,

□.67÷0.8=6.5에서 □.67의 범위는

0.8×5.5=4.4 이상 0.8×6.5=5.2 미만입니다.

❸ 예 4.4 이상 5.2 미만인 수 중에서 □.67인 수는 4.67이므로 □ 안에 알맞은 수는 4입니다.

; 4

7-2 1   **7-3** 6개

8-1 ❶ 예 ♩(4분음표)는 1박자이므로 첫째 마디에 더 그려야 할 박자는 4−1=3(박자)입니다.

❷ 예 첫째 마디를 완성하려면 ♪(점 8분음표)를 3÷0.75=4(개) 그려야 합니다.

; 4개

8-2 1.2배

1-2 직사각형의 가로를 □ cm라 하면

(직사각형의 넓이)=(가로)×(세로)이므로

□×8.4=45.36입니다.

→ □×8.4=45.36

□=45.36÷8.4=5.4

⇨ 직사각형의 가로는 5.4 cm입니다.

1-3

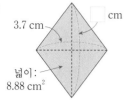

3.7 cm

□cm

넓이:
8.88 cm²

마름모의 다른 대각선의 길이를 □cm라 하면
(마름모의 넓이)
=(한 대각선의 길이)×(다른 대각선의 길이)÷2이므
로 3.7×□÷2=8.88입니다.

→ 3.7×□÷2=8.88

　　□=8.88×2÷3.7=4.8

⇨ 마름모의 다른 대각선의 길이는 4.8 cm입니다.

🔑 **문제해결 Key**

① 마름모의 다른 대각선의 길이를 □cm라 하고 넓이 구
　하는 식을 씁니다.
② 마름모의 다른 대각선의 길이를 구합니다.

2-2 어떤 수를 □라 하면 □÷2.9=5…2.8이므로
나누어지는 수를 구하는 식을 이용하여 어떤 수를 구
하면 □=2.9×5+2.8=17.3입니다.

⇨ 17.3÷4.2=4…0.5

→ 몫: 4, 나머지: 0.5

⚠️ **주의**

문제에서 몫을 자연수 부분까지만 구하라고 했으므로 소수
첫째 자리까지 구하여 반올림하지 않습니다.

```
        4                4.1 ……
4.2)1 7.3         4.2)1 7.3 0
    1 6 8              1 6 8
      0.5                5 0
      (○)               4 2
                        0.08
                        (×)
```

2-3 어떤 수를 □라 하면 □÷3.4=4…2.3이므로 나누어
지는 수를 구하는 식을 이용하여 어떤 수를 구하면
□=3.4×4+2.3=15.9입니다.

⇨ 15.9÷8.2=1.93…… → 1.9

🔑 **문제해결 Key**

① 어떤 수를 □라 하여 나눗셈식을 세웁니다.
② 어떤 수를 구합니다.
③ 어떤 수를 8.2로 나누었을 때 몫을 반올림하여 소수 첫째
　자리까지 나타냅니다.

3-2

```
              1.4 3 4 3 ……
4.95)7.1 0 0 0 0 0
     4 9 5
     2 1 5 0
     1 9 8 0
     1 7 0 0
     1 4 8 5
       2 1 5 0
       1 9 8 0
         1 7 0 0
         1 4 8 5
           2 1 5
```

7.1÷4.95=1.4343……에서 몫의 소수 첫째 자리부
터 4, 3이 반복되므로 소수점 아래 자릿수가 홀수이면
4, 소수점 아래 자릿수가 짝수이면 3입니다.

⇨ 55는 홀수이므로 몫의 소수 55째 자리 숫자는 4입
니다.

📌 **참고**

나누어떨어지지 않는 나눗셈에서 몫의 소수 ■째 자리 숫
자를 구하려면 소수점 아래 반복되는 숫자를 찾습니다.

3-3

```
              2.3 7 8 7 8 ……
6.6)1 5.7 0 0 0 0 0
    1 3 2
      2 5 0
      1 9 8
        5 2 0
        4 6 2
          5 8 0
          5 2 8
            5 2 0
            4 6 2
              5 8 0
              5 2 8
                5 2
```

15.7÷6.6=2.37878……이므로 몫의 소수 첫째 자
리 숫자는 3이고, 소수 둘째 자리부터 7, 8이 반복됩
니다. 몫의 소수 100째 자리 숫자는 소수 둘째 자리
숫자와 같은 7, 소수 101째 자리 숫자는 소수 셋째 자리
숫자와 같은 8입니다. 몫을 반올림하여 소수 100째
자리까지 나타내면 2.378……788이므로 소수 100째
자리 숫자는 8입니다.

🔑 **문제해결 Key**

① 나눗셈을 합니다.
② 반복되는 숫자를 알아봅니다.
③ 소수 100째 자리, 소수 101째 자리 숫자를 알아봅니다.
④ 몫을 반올림하여 소수 100째 자리 숫자를 구합니다.

4-2 (가로등의 간격 수)
= (도로의 길이) ÷ (가로등 사이의 거리)
= 600 ÷ 2.5 = 240(군데)
(도로 한쪽에 세운 가로등의 수)
= (가로등의 간격 수) + 1
= 240 + 1 = 241(개)

> **참고**
> (가로등의 간격 수) = (도로의 길이) ÷ (가로등 사이의 거리)
> 이고, 도로 한쪽에 세운 가로등의 수는 가로등의 간격 수에
> 1을 더한 수와 같습니다.

4-3 1 km = 1000 m이므로 0.36 km = 360 m입니다.
(가로등의 간격 수)
= (도로의 길이) ÷ (가로등 사이의 거리)
= 360 ÷ 2.4 = 150(군데)
(도로 한쪽에 세울 가로등의 수)
= (가로등의 간격 수) + 1 = 150 + 1 = 151(개)
(도로 양쪽에 세울 가로등의 수)
= 151 × 2 = 302(개)

> **문제해결 Key**
> ① 가로등의 간격 수를 구합니다.
> ② 도로 한쪽에 세울 가로등의 수를 구합니다.
> ③ 도로 양쪽에 세울 가로등의 수를 구합니다.

5-2 몫이 가장 작게 되도록 나눗셈식을 만들려면 나누어지
는 수는 가장 작은 수로, 나누는 수는 가장 큰 수로 만
듭니다.
1 < 3 < 5 < 6 < 9이므로 가장 작은 소수 두 자리 수는
1.35이고 가장 큰 소수 한 자리 수는 0.9입니다.
⇨ 1.35 ÷ 0.9 = 1.5

5-3 가장 큰 수는 가장 큰 숫자부터 늘어놓아 만들고, 가장
작은 수는 가장 작은 숫자부터 늘어놓아 만듭니다.
8 > 7 > 6 > 5 > 2 > 1 > 0이므로
가장 큰 소수 두 자리 수: 8.76
가장 작은 소수 두 자리 수: 0.12
⇨ 8.76 ÷ 0.12 = 73

> **문제해결 Key**
> ① 가장 큰 소수 두 자리 수를 만듭니다.
> ② 가장 작은 소수 두 자리 수를 만듭니다.
> ③ ① ÷ ②를 구합니다.

6-2 (1분 동안 타는 양초의 길이)
= 0.27 ÷ 3 = 0.09 (cm)
(양초가 모두 타는 데 걸리는 시간)
= 14.85 ÷ 0.09 = 165(분)
⇨ 165분 = 120분 + 45분
= 2시간 + 45분
= 2시간 45분

6-3 9.7 cm가 남을 때까지 타야 할 양초의 길이는
21.7 − 9.7 = 12 (cm)입니다.
10분 동안 0.24 cm씩 타므로 1분 동안 0.024 cm씩
탑니다.
⇨ 양초가 12 cm 타려면 12 ÷ 0.024 = 500(분)이 걸
리므로 8시간 20분이 지나야 합니다.

> **참고**
> 500분 = 480분 + 20분 = 8시간 + 20분 = 8시간 20분

> **문제해결 Key**
> ① 타야 할 양초의 길이를 구합니다.
> ② 1분 동안 타는 양초의 길이를 구합니다.
> ③ 걸리는 시간을 구합니다.

7-2 반올림하여 자연수로 나타내면 2가 되는 수의 범위는
1.5 이상 2.5 미만이므로 □.59 ÷ 0.9의 몫의 범위는
1.5 이상 2.5 미만입니다.
□.59 ÷ 0.9 = 1.5, □.59 ÷ 0.9 = 2.5이므로
□.59의 범위는 0.9 × 1.5 = 1.35 이상
0.9 × 2.5 = 2.25 미만입니다.
⇨ 1.35 이상 2.25 미만인 수 중에서 □.59인 수는
1.59이므로 □ 안에 알맞은 수는 1입니다.

7-3 반올림하여 소수 첫째 자리까지 나타내면 7.8이 되는
수의 범위는 7.75 이상 7.85 미만이므로 64.□ ÷ 8.3의
몫의 범위는 7.75 이상 7.85 미만입니다.
64.□ ÷ 8.3 = 7.75, 64.□ ÷ 8.3 = 7.85이므로
64.□의 범위는 8.3 × 7.75 = 64.325 이상
8.3 × 7.85 = 65.155 미만입니다.
⇨ 64.325 이상 65.155 미만인 수 중에서 64.□인 수
는 64.4, 64.5, 64.6, 64.7, 64.8, 64.9로 모두 6개
입니다.

> **문제해결 Key**
> ① 반올림하여 7.8이 되는 수의 범위를 구합니다.
> ② 나누어지는 수의 범위를 구합니다.
> ③ □ 안에 들어갈 수 있는 숫자를 구하고 숫자의 개수를 구
> 합니다.

8-2

1시간 30분

버스를 탄 시간
: 0.25시간

지하철을 탄 시간
: ?시간

1시간 30분$=1\dfrac{30}{60}$시간$=1\dfrac{1}{2}$시간$=1.5$시간이므로

(지하철을 탄 시간)$=1.5-0.25=1.25$(시간)입니다.

⇨ 버스와 지하철을 탄 시간은 지하철을 탄 시간의
$1.5\div1.25=1.2$(배)

🔑 **문제해결 Key**
① 1시간 30분을 시간 단위로 바꿉니다.
② 지하철을 탄 시간을 구합니다.
③ 버스와 지하철을 탄 시간은 지하철을 탄 시간의 몇 배
인지 구합니다.

02

$$\begin{array}{r}5\\6.3\overline{)37.7\,2}\\3\,1\,5\\\hline6.2\,2\end{array}$$

$37.72\div6.3=5\cdots6.22$

6.3 L씩 작은 물통 5개에 담고 남은 6.22 L도 담아야
하므로 작은 물통은 적어도 6개가 필요합니다.

🔑 **문제해결 Key**
① (전체 물의 양)÷(작은 물통의 들이)를 계산합니다.
② 몫을 올림하여 자연수까지 나타내어 답을 구합니다.

03

$$\begin{array}{r}2.5\,4\,5\,4\cdots\cdots\\1.1\overline{)2.8\,,0\,0\,0\,0}\\2\,2\\\hline6\,0\\5\,5\\\hline5\,0\\4\,4\\\hline6\,0\\5\,5\\\hline5\,0\\4\,4\\\hline6\end{array}$$

$2.8\div1.1=2.5454\cdots\cdots$이므로 소수 첫째 자리부터 숫자
5, 4가 반복됩니다. 소수 16째 자리 숫자는 소수 둘째
자리 숫자와 같은 4이므로 몫을 반올림하여 소수 15째
자리까지 구하면 소수 15째 자리 숫자는 5입니다.

🔑 **문제해결 Key**
① $2.8\div1.1$의 몫을 구합니다.
② 몫에서 규칙을 찾아 소수 16째 자리 숫자를 구합니다.
③ 몫을 반올림하여 소수 15째 자리 숫자를 구합니다.

STEP 3 MASTER 심화 44~49쪽

01 ㉠	**02** 6개
03 5	**04** 2.5 cm
05 $\boxed{9.75}\div\boxed{1.3}$, 7.5	**06** 7.5 cm
07 0.11	**08** 26개
09 2.4 L	**10** 9
11 13번	**12** 160 cm
13 96장	**14** 24.6 km
15 22.5 ℃	**16** 12500원
17 24초	**18** 18개

01 ㉠ $1.955\div\square=0.85$

$\square=1.955\div0.85=2.3$

㉡ $1.25\times\square=3.5$

$\square=3.5\div1.25=2.8$

㉢ $6.048\div1.12=\square$

$\square=5.4$

⇨ ㉠<㉡<㉢

🔑 **문제해결 Key**
① 곱셈과 나눗셈의 관계를 이용하여 ㉠, ㉡, ㉢의 □ 안에
알맞은 수를 구합니다.
② ①에서 구한 수의 크기를 비교합니다.

04

2.7 cm

넓이 : 7.375 cm²

3.2 cm

높이를 □ cm라 하면

$(2.7+3.2)\times\square\div2=7.375$

$5.9\times\square\div2=7.375$

$5.9\times\square=14.75$

$\square=14.75\div5.9=2.5$

⇨ 사다리꼴의 높이는 2.5 cm입니다.

🔑 **문제해결 Key**
① 사다리꼴의 높이를 □ cm로 하고 넓이 구하는 식을 만
듭니다.
② 사다리꼴의 높이를 구합니다.

05 가장 큰 수는 가장 큰 숫자부터 늘어놓아 만들고, 가장 작은 수는 가장 작은 숫자부터 늘어놓아 만듭니다.

가장 큰 소수 두 자리 수: 9.75

가장 작은 소수 한 자리 수: 1.3

⇨ $9.75 \div 1.3 = 7.5$

> 참고
>
> $$■ \div ▲ = ●$$
>
> ┌ ▲가 일정할 때 ■가 커지면 ●도 커지고 ■가 작아지면 ●도 작아집니다.
>
> ├ ■가 일정할 때 ▲가 커지면 ●는 작아지고 ▲가 작아지면 ●는 커집니다.
>
> └ ●가 일정할 때 ■가 커지면 ▲도 커지고 ■가 작아지면 ▲도 작아집니다.

> 문제해결 Key
>
> ① 만들 수 있는 가장 큰 소수 두 자리 수를 만듭니다.
> ② 만들 수 있는 가장 작은 소수 한 자리 수를 만듭니다.
> ③ 나눗셈의 몫을 구합니다.

06 (1시간 동안 타는 양초의 길이)

　　$= 0.75 \div 0.25 = 3 \,(cm)$

1시간 30분$=1.5$시간이므로 1.5시간 동안 타는 양초의 길이는 $3 \times 1.5 = 4.5 \,(cm)$입니다.

⇨ 남은 양초의 길이는 $12 - 4.5 = 7.5 \,(cm)$

> 문제해결 Key
>
> ① 1시간 동안 타는 양초의 길이를 구합니다.
> ② 1시간 30분 동안 타는 양초의 길이를 구합니다.
> ③ 남은 양초의 길이를 구합니다.

07

```
            2. 4 2 ……
 1. 4 6 ) 3. 5 4. 0 0
          2 9 2
            6 2 0
            5 8 4
              3 6 0
              2 9 2
                6 8
```

$3.54 \div 1.46 = 2.42\cdots$이므로 소수 첫째 자리에서 나누어떨어지는 가장 작은 몫은 2.5입니다.

이때, 나누어지는 수는 $1.46 \times 2.5 = 3.65$입니다.

⇨ $3.65 - 3.54 = 0.11$이므로 0.11을 더해야 합니다.

> 참고
>
> 몫이 2.4이면 나머지가 생기므로 나누어떨어지지 않습니다.

> 문제해결 Key
>
> ① 주어진 나눗셈식을 계산합니다.
> ② 소수 첫째 자리에서 나누어떨어지는 가장 작은 몫을 구합니다.
> ③ ②의 경우에 나누어지는 수를 구합니다.
> ④ 얼마를 더해야 하는지 구합니다.

08

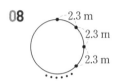

(기둥의 간격 수)

　$=$ (울타리의 둘레)$\div$(기둥 사이의 거리)

　$= 59.8 \div 2.3 = 26$(군데)

(세울 수 있는 기둥 수)

　$=$ (기둥의 간격 수)$= 26$개

> 참고
>
> 예) 길이가 6 m인 원에 2 m 간격으로 점 찍기
>
>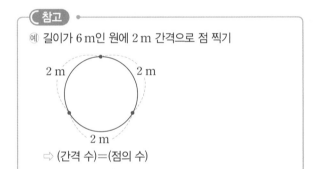
>
> ⇨ (간격 수)$=$(점의 수)

> 문제해결 Key
>
> ① 기둥의 간격 수를 구합니다.
> ② 세울 수 있는 기둥 수를 구합니다.

09 $1 \,m^2$의 벽을 칠하는 데 $0.56 \div 3.5 = 0.16 \,(L)$의 페인트가 필요합니다.

$140 \,m^2$의 벽을 칠하는 데 $0.16 \times 140 = 22.4 \,(L)$의 페인트가 필요하므로 페인트는 $22.4 - 20 = 2.4 \,(L)$ 더 필요합니다.

> 참고
>
> $1 \,m^2$의 벽을 칠하는 데 필요한 페인트의 양
> ⇨ (페인트의 양)$\div$(벽의 넓이)
> $1 \,L$의 페인트로 칠할 수 있는 벽의 넓이
> ⇨ (벽의 넓이)$\div$(페인트의 양)

> 문제해결 Key
>
> ① $1 \,m^2$를 칠하는 데 필요한 페인트의 양을 구합니다.
> ② $140 \,m^2$를 칠하는 데 필요한 페인트의 양을 구합니다.
> ③ 더 필요한 페인트의 양을 구합니다.

2
단원

다른 풀이

1 L의 페인트로 $3.5 \div 0.56 = 6.25\,(\text{m}^2)$를 칠할 수 있습니다.

$140\,\text{m}^2$의 벽을 칠하는 데 페인트는

$140 \div 6.25 = 22.4\,(\text{L})$ 필요합니다.

⇨ 페인트는 $22.4 - 20 = 2.4\,(\text{L})$ 더 필요합니다.

10 반올림하여 몫이 0.44가 되려면 몫은 0.435 이상 0.445 미만입니다.

$3.4 \times 0.435 = 1.479$

$3.4 \times 0.445 = 1.513$이므로

$1.47\square2$는 1.479 이상 1.513 미만입니다.

⇨ $\square$ 안에 알맞은 숫자는 9입니다.

참고

반올림하여 소수 둘째 자리까지 나타내면

$0.\blacksquare\blacktriangle$가 되는 수의 범위

⇨ $(0.\blacksquare\blacktriangle - 0.005)$ 이상

$(0.\blacksquare\blacktriangle + 0.005)$ 미만

문제해결 Key

① 몫의 범위를 알아봅니다.

② 나누어지는 수의 범위를 구합니다.

③ $\square$ 안에 알맞은 숫자를 구합니다.

11 페달을 한 번 돌릴 때 가는 거리는

$144 \times 2.5 = 360\,(\text{cm}) \rightarrow 3.6\,\text{m}$입니다.

⇨ $46.8\,\text{m}$를 가려면 페달을 $46.8 \div 3.6 = 13(\text{번})$ 돌려야 합니다.

문제해결 Key

① 페달을 한 번 돌릴 때 몇 cm를 가는지 구합니다.

② ①에서 구한 거리를 m 단위로 바꿉니다.

③ 페달을 몇 번 돌려야 하는지 구합니다.

12 표준체중이 $54\,\text{kg}$인 사람의 키를 $\square\,\text{cm}$라 하면

$(\square - 100) \times 0.9 = 54$

$\square - 100 = 54 \div 0.9$

$\square - 100 = 60$

$\square = 160$

13

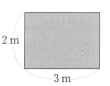

정사각형 모양의 타일은 가로로

$3 \div 0.25 = 12(\text{장})$, 세로로

$2 \div 0.25 = 8(\text{장})$ 놓이므로

모두 $12 \times 8 = 96(\text{장})$ 필요합니다.

주의

직사각형 모양 바닥의 넓이 :

$3 \times 2 = 6\,(\text{m}^2)$

정사각형 모양 타일의 넓이 :

$0.25 \times 0.25 = 0.0625\,(\text{m}^2)$

⇨ $6 \div 0.0625 = 96(\text{장})$

위와 같이 풀어도 답은 맞지만 위와 같이 풀면 타일을 쪼개서 붙였을 수도 있으므로 가로, 세로에 각각 놓이는 타일의 수를 계산하여 구하는 것이 더 정확합니다.

문제해결 Key

① 정사각형 모양의 타일이 가로로 몇 장 놓이는지 구합니다.

② 정사각형 모양의 타일이 세로로 몇 장 놓이는지 구합니다.

③ 모두 몇 장 필요한지 구합니다.

14 2시간 45분 $= 2\dfrac{45}{60}$시간 $= 2.75$시간,

15분 $= \dfrac{15}{60}$시간 $= 0.25$시간이므로

(한 시간 동안 간 거리)

$= 270.6 \div 2.75 = 98.4\,(\text{km})$

⇨ (15분 동안 간 거리)

$= 98.4 \times 0.25 = 24.6\,(\text{km})$

문제해결 Key

① 2시간 45분, 15분을 시간 단위로 바꿉니다.

② 한 시간 동안 간 거리를 구합니다.

③ 15분 동안 간 거리를 구합니다.

다른 풀이

2시간 45분 = 165분이므로

(1분 동안 달린 거리) $= 270.6 \div 165 = 1.64\,(\text{km})$이고

(15분 동안 달린 거리) $= 1.64 \times 15 = 24.6\,(\text{km})$입니다.

15 천둥 소리가 2초 동안 $690.4\,\text{m}$를 이동했으므로

(천둥 소리가 1초 동안 이동한 거리)

$= 690.4 \div 2 = 345.2\,(\text{m})$입니다.

현재 기온을 $\square\,\degree\text{C}$라 하면

$331.5 + 0.61 \times \square = 345.2,\ 0.61 \times \square = 13.7$

$\square = 13.7 \div 0.61 = 22.45\cdots$ ⇨ $22.5\,\degree\text{C}$

문제해결 Key

① 천둥소리가 1초 동안 이동한 거리를 구합니다.

② 현재 기온을 반올림하여 소수 첫째 자리까지 나타냅니다.

16

어떤 물건을 원래 가격의 0.2만큼 이익을 붙여 판매 가격을 정했습니다. 이 물건을 판매 가격의 0.1

└─(원래 가격)+(원래 가격)×0.2=(원래 가격)×(1+0.2)

만큼 할인하여 팔면 1000원의 이익이 생긴다고 합

└─(판매 가격)-(판매 가격)×0.1=(판매 가격)×(1-0.1)

니다. 이 물건의 원래 가격은 얼마입니까?

어떤 물건의 원래 가격을 ☐원이라 하면

판매 가격은 (☐×1.2)원이고

이 금액을 0.1만큼 할인한 가격은 (☐×1.2×0.9)원입니다.

☐×1.2×0.9=☐+1000

☐×1.08=☐+1000

☐×0.08=1000

☐=1000÷0.08=12500

⇨ 이 물건의 원래 가격은 12500원입니다.

🔑 **문제해결 Key**
① 원래 가격을 ☐원이라 할 때 판매 가격을 ☐를 사용하여 나타냅니다.
② 할인 가격과 이익의 관계를 식으로 나타냅니다.
③ 원래 가격을 구합니다.

17 1 m=0.001 km이므로

650 m=0.65 km, 74 m=0.074 km

기차가 터널을 완전히 통과하려면

0.65+0.074=0.724 (km)를 지나가야 합니다.

1시간=3600초이므로 기차는 1초에

108÷3600=0.03 (km)씩 달립니다.

⇨ 터널을 완전히 통과하는 데 걸리는 시간은

0.724÷0.03=24.1…… → 24초

💬 **참고**
터널을 완전히 통과하려면 (기차의 길이)+(터널의 길이)만큼의 거리를 지나가야 합니다.

🔑 **문제해결 Key**
① 기차의 길이와 터널의 길이를 km 단위로 바꿉니다.
② 터널을 완전히 통과하려면 몇 km를 지나가야 하는지 구합니다.
③ 1초에 몇 km씩 달리는지 구합니다.
④ 터널을 완전히 통과하는 데 걸리는 시간을 반올림하여 자연수로 나타냅니다.

18 소수 첫째 자리에서 반올림하여 10이 되는 수의 범위는 9.5 이상 10.5 미만입니다.

(어떤 수)÷1.9=9.5, (어떤 수)=1.9×9.5=18.05

(어떤 수)÷1.9=10.5, (어떤 수)=1.9×10.5=19.95

어떤 수는 18.05 이상 19.95 미만인 소수 한 자리 수

┌ 18.1, 18.2, ……, 18.8, 18.9 → 9개
└ 19.1, 19.2, ……, 19.8, 19.9 → 9개

⇨ 18개

🔑 **문제해결 Key**
① 소수 첫째 자리에서 반올림하여 10이 되는 수의 범위를 구합니다.
② 어떤 수의 범위를 구합니다.
③ 어떤 수는 몇 개인지 구합니다.

STEP 4 TOP 최고수준 50~51쪽

01 6.17 kg		**02** 3.9 cm
03 2시간 30분		**04** 31장
05 8개		**06** 30 m

01 48÷8=6이므로 A 행성에서의 몸무게는 지구에서의

몸무게의 $\frac{1}{6}$배입니다. 지구에서의 다은이의 몸무게는

101.75÷2.75=37 (kg)이므로

A 행성에서의 몸무게는

37÷6=6.166……으로 6.17 kg입니다.

🔑 **문제해결 Key**
① A 행성에서의 몸무게는 지구에서의 몸무게의 몇 배인지 구합니다.
② 지구에서의 다은이의 몸무게를 구합니다.
③ A 행성에서의 다은이의 몸무게를 구합니다.
④ ③에서 구한 값을 반올림하여 소수 둘째 자리까지 나타냅니다.

02

다음 그림에서 삼각형 ㄱㄴㄷ의 넓이는 삼각형 ㄹㅁㄷ

(삼각형 ㄱㄴㄷ의 넓이)÷4┘

의 넓이의 4배입니다. 삼각형 ㄱㄴㄷ의 넓이가

12.22 cm²라면 선분 ㄴㅁ의 길이는 몇 cm입니까?

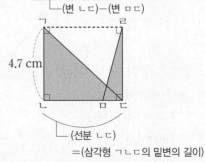

┌(변 ㄴㄷ)-(변 ㅁㄷ)

4.7 cm

└(선분 ㄴㄷ)
=(삼각형 ㄱㄴㄷ의 밑변의 길이)

(밑변의 길이)=(삼각형의 넓이)×2÷(높이)이므로
(변 ㄴㄷ)=12.22×2÷4.7=5.2 (cm)입니다.
(삼각형 ㄹㅁㄷ의 넓이)=12.22÷4=3.055 (cm²)
(변 ㅁㄷ)=3.055×2÷4.7
                     =1.3 (cm)
⇨ (선분 ㄴㅁ)=5.2−1.3=3.9 (cm)

> **🔑 문제해결 Key**
> ① 변 ㄴㄷ의 길이를 구합니다.
> ② 삼각형 ㄹㅁㄷ의 넓이를 구합니다.
> ③ 변 ㅁㄷ의 길이를 구합니다.
> ④ 선분 ㄴㅁ의 길이를 구합니다.

03 1시간 30분=1.5시간
(강물이 1시간 동안 흐르는 거리)
=20.1÷1.5=13.4 (km)
(배가 강물이 흐르는 반대 방향으로 1시간 동안 갈 수
있는 거리)=36−13.4=22.6 (km)
(배가 강물이 흐르는 반대 방향으로 56.5 km를 가는
데 걸리는 시간)=56.5÷22.6=2.5(시간)
⇨ 2시간 30분

> **🔑 문제해결 Key**
> ① 강물이 1시간 동안 흐르는 거리를 구합니다.
> ② 배가 강물이 흐르는 반대 방향으로 1시간 동안 갈 수
>   있는 거리를 구합니다.
> ③ 배가 강물이 흐르는 반대 방향으로 56.5 km를 가는
>   데 걸리는 시간을 구합니다.

04

2.2 cm씩 이어 붙였으므로 색 테이프를 한 장씩 이어
붙일 때마다 색 테이프의 전체 길이는
12.7−2.2=10.5 (cm)씩 늘어납니다.
더 이어 붙인 색 테이프의 수를 □장이라 하면
12.7+10.5×□=327.7
10.5×□=315
□=315÷10.5=30
⇨ 처음 색 테이프에 30장을 더 이어 붙였으므로 이은
   색 테이프는 모두 30+1=31(장)입니다.

> **🔑 문제해결 Key**
> ① 색 테이프를 한 장씩 더 이어 붙일 때마다 몇 cm씩 늘
>   어나는지 구합니다.
> ② 더 이어 붙인 색 테이프의 수를 □장이라 하고 전체 길
>   이를 구하는 식을 세웁니다.
> ③ □의 값을 구하여 이은 색 테이프의 수를 구합니다.

05 소수 2.48을 자연수 ㉠으로 나눈 몫으로 가장 작은 소
수 두 자리 수는 0.01입니다.
즉, 2.48을 자연수 ㉠으로 나눈 몫이 0.01, 0.02, 0.04
……가 될 때의 자연수 ㉠이 갖는 성질은 다음과 같습
니다.
2.48÷㉠=0.01 → ㉠=2.48÷0.01=248
2.48÷㉠=0.02 → ㉠=2.48÷0.02=124
2.48÷㉠=0.04 → ㉠=2.48÷0.04=62
          ⋮
2.48÷㉠=1.24 → ㉠=2.48÷1.24=2
2.48÷㉠=2.48 → ㉠=2.48÷2.48=1
2.48을 자연수 ㉠으로 나눈 몫이 소수 두 자리 수가 되
는 경우는 ㉠이 248의 약수일 때입니다.
⇨ ㉠은 1, 2, 4, 8, 31, 62, 124, 248로 모두 8개입
   니다.

> **🔑 문제해결 Key**
> ① 2.48÷㉠의 몫이 0.01, 0.02, 0.04……일 때를 이용하
>   여 ㉠의 성질을 찾습니다.
> ② ①에서 찾은 ㉠의 성질을 이용하여 ㉠을 구합니다.

06

점 ㉠과 ㉡이 만날 때까지 움직인 시간은 점 ㉢이 움직
인 시간과 같습니다. 즉, 세 점이 움직인 시간은 모두
같습니다.
점 ㉠과 점 ㉡이 움직인 시간이 각각
20÷(0.5+0.3)=25(분)이므로 점 ㉢도 움직인 시간
은 25분입니다.
⇨ 점 ㉢이 1분에 1.2 m씩 25분 동안 움직인 거리는
   1.2×25=30 (m)

> **🔑 문제해결 Key**
> ① 세 점이 각각 움직인 시간의 관계를 이해합니다.
> ② 세 점이 움직인 시간을 구합니다.
> ③ 점 ㉢이 움직인 거리를 구합니다.

3 공간과 입체

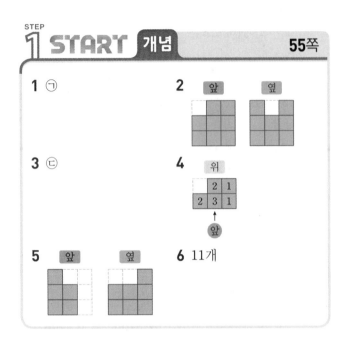

1 ㉠

2 앞 옆

3 ㉢

4 위 2 1 / 2 3 1 ↑ 앞

5 앞 옆

6 11개

1 각 층으로 나누어 쌓기나무의 수를 구합니다.
㉠ $6+3+1=10$(개) ㉡ $6+3=9$(개) ⇨ ㉠>㉡

2 앞에서 보면 ⇨ 2층, 3층, 3층
옆에서 보면 ⇨ 3층, 2층, 3층

3 ㉠과 ㉡을 각각 위에서 본 모양은 다음과 같습니다.

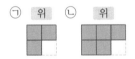

4 위 ★부분은 3층까지, ●부분은 2층까지, 나머지 부분은 1층까지 쌓여 있습니다.

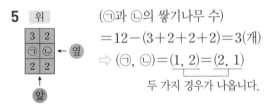

5 위
3 2
㉠ ㉡ ← 옆
2 2
↑ 앞

(㉠과 ㉡의 쌓기나무 수)
$=12-(3+2+2+2)=3$(개)
⇨ (㉠, ㉡)=(1, 2)=(2, 1)
두 가지 경우가 나옵니다.

두 가지 경우 모두
앞에서 보면 ⇨ 3층, 2층
옆에서 보면 ⇨ 2층, 2층, 3층 으로 보입니다.

6

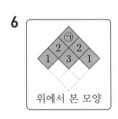

위에서 본 모양

㉠은 숨겨져서 보이지 않는 자리입니다. 쌓기나무를 가장 많이 사용했을 때는 ㉠에 쌓기나무 2개를 쌓을 때입니다.
⇨ $1+2+2+3+2+1=11$(개)

1 ㉡   **2** ㉠
3 13개   **4** 10개
5 2개   **6** 가, 라

1 ㉠을 앞과 옆(오른쪽)에서 본 모양은 다음과 같습니다.

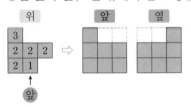

2 위에서 본 모양의 각 칸에 쓰여 있는 수를 보고 쌓은 모양을 찾아봅니다.

3 위 ⇨ (필요한 쌓기나무의 수)
$=1+2+3+2+3+1+1=13$(개)

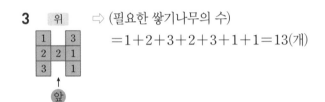

4 위 ⇨ (필요한 쌓기나무의 수)
$=1+2+3+3+1=10$(개)

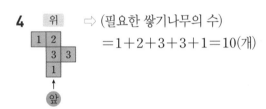

5 (3층에 쌓인 쌓기나무의 수)
=(3 이상의 수가 쓰인 칸 수)=2개

6 • 2층 모양으로 가능한 것: 가, 나, 라
• 2층이 나 또는 라일 때 3층에 놓을 수 있는 모양은 없습니다.
⇨ 2층: 가, 3층: 라

1 ㉡   **2** ㉢
3 8개   **4** 11개
5 위   **6** 2가지

1 모양을 뒤집거나 돌려서 모양이 같은 것을 찾습니다.

2 주어진 모양은 왼쪽과 같이 ㉢의 모양을 하나는 세우고, 하나는 눕혀서 연결한 모양입니다.

3 쌓기나무의 수가 최소일 때는 ㉠=1일 때입니다.

⇨ 2+1+3+2=8(개)

4 쌓기나무의 수가 최대일 때는
㉠=2, ㉡=2, ㉢=2일 때입니다.

⇨ 2+2+2+3+2=11(개)

5  쌓기나무의 수가 가장 적은 경우는 ㉠=1일 때입니다.

6  ㉠에는 쌓기나무를 1개 또는 2개 쌓을 수 있습니다.

⇨ 2가지

STEP 2 JUMP 유형 60~67쪽

1-1 ❶ 예 2+4+1+1+3+2+3=16(개)

❷ 예 (1층에 쌓인 쌓기나무의 수)
=(위에서 본 모양의 칸 수)=7개

❸ 예 16-7=9(개)

; 9개

1-2 9개 **1-3** 5개

2-1 ❶ 예 가로, 세로에 각각 3개씩 3층
⇨ 3×3×3=27(개)

❷ 예 1층: 8개, 2층: 4개, 3층: 3개
⇨ 8+4+3=15(개)

❸ 예 27-15=12(개)

; 12개

2-2 10개 **2-3** 17개

3-1 ❶ 예 (전체 쌓기나무의 수)-(2층 쌓기나무의 수)
-(3층 쌓기나무의 수)
=12-4-2=6(개)

❷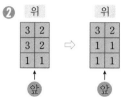

❸

3-2

3-3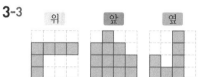

4-1 ❶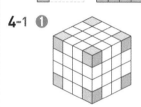

❷ 예 (세 면에 페인트가 칠해진 쌓기나무의 수)
=(꼭짓점에 있는 쌓기나무의 수)
=8개

; 8개

4-2 24개 **4-3** 24개

5-1 ❶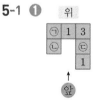

❷ 가장 많은 경우: 2, 2, 2
⇨ 예 2+1+3+2+2+1=11(개)
가장 적은 경우: 1, 2, 1
⇨ 예 1+1+3+2+1+1=9(개)

; 11개, 9개

5-2 15개, 12개

6-1 ❶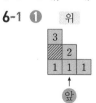

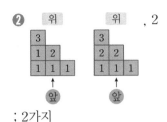

❷ , 2

; 2가지

6-2 3가지 　　　　　　　　**6-3** 5가지

7-1 ❶ 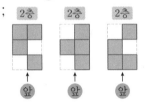 예 3층의 모양과 같은 곳에는 반드시 쌓기나무가 놓여야 하므로 모두 3군데입니다.

❷ 예 2층에 놓인 쌓기나무는 4개이고 반드시 놓이는 곳은 3군데이므로 나머지 ㉠, ㉡, ㉢ 중 한 군데에 쌓기나무를 1개 더 놓으면 됩니다.

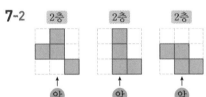

7-2

7-3 2가지

8-1 ❶ 예 (쌓기나무 한 면의 넓이)
　　　　＝(한 변의 길이가 2 cm인 정사각형)
　　　　⇨ $2 \times 2 = 4$ (cm^2)

　　❷ 예 (위)$\times 2 +$(앞)$\times 2 +$(옆)$\times 2$
　　　　＝$25 \times 2 + 9 \times 2 + 9 \times 2 = 86$(개)

　　❸ 예 (한 면의 넓이)$\times$(보이는 면의 수)
　　　　＝$4 \times 86 = 344$ (cm^2)

　　; 344 cm^2

8-2 324 cm^2

1-2 (전체 쌓기나무의 수)
　　　＝$2+3+4+1+1+1+3+2=17$(개)
　　　(1층에 쌓인 쌓기나무의 수)
　　　＝(위에서 본 모양의 칸 수)＝8개
　　⇨ (2층 이상에 쌓인 쌓기나무의 수)
　　　＝$17-8=9$(개)

1-3 (전체 쌓기나무의 수)
　　　＝$5+1+2+4+1+1=14$(개)
　　　(1층에 쌓인 쌓기나무의 수)
　　　＝(위에서 본 모양의 칸 수)＝6개
　　　(2층에 쌓인 쌓기나무의 수)
　　　＝(2 이상의 수가 쓰여 있는 칸 수)＝3개
　　⇨ $14-6-3=5$(개)

🔑 **문제해결 Key**

① 전체 쌓기나무의 수를 구합니다.
② 1층, 2층에 쌓인 쌓기나무의 수를 각각 구합니다.
③ ①에서 ②를 뺀 수를 구합니다.

다른 풀이

3층 이상에 쌓인 쌓기나무의 수를 구합니다.
(3층에 쌓인 쌓기나무의 수)
　＝(3 이상의 수가 쓰여 있는 칸 수)＝2개
(4층에 쌓인 쌓기나무의 수)
　＝(4 이상의 수가 쓰여 있는 칸 수)＝2개
(5층에 쌓인 쌓기나무의 수)
　＝(5 이상의 수가 쓰여 있는 칸 수)＝1개
⇨ $2+2+1=5$(개)

2-2 (정육면체 모양의 쌓기나무의 수)
　　　＝$3 \times 3 \times 3 = 27$(개)
　　　(남은 쌓기나무의 수)＝$7+6+4=17$(개)
　　⇨ (빼낸 쌓기나무의 수)＝$27-17=10$(개)

다른 풀이

위에서 본 모양

남은 쌓기나무의 수는 위에서 본 모양에 수를 쓰는 방법으로 나타내어 구합니다.
$3+3+3+3+1+2+2$
$=17$(개)
⇨ $27-17=10$(개)를 빼냈습니다.

2-3 가장 작은 정육면체를 만들려면 한 모서리가 쌓기나무 3개로 이루어진 정육면체를 만들어야 하므로 쌓기나무는 모두 $3 \times 3 \times 3 = 27$(개) 필요합니다.
　　　(주어진 모양의 쌓기나무의 수)＝$6+3+1=10$(개)
　　⇨ (더 필요한 쌓기나무의 수)＝$27-10=17$(개)

🔑 **문제해결 Key**

① 가장 작은 정육면체 모양을 만들 때 필요한 쌓기나무의 수를 구합니다.
② 주어진 모양의 쌓기나무의 수를 구합니다.
③ 더 필요한 쌓기나무의 수를 구합니다.

다른 풀이

위에서 본 모양

주어진 모양의 쌓기나무의 수는 위에서 본 모양에 수를 쓰는 방법으로 나타내어 구합니다.

$3+2+1+2+1+1=10$(개)

⇨ $27-10=17$(개)가 더 필요합니다.

3-2 (1층 쌓기나무의 수)

$=$(전체 쌓기나무의 수)$-$(2층 쌓기나무의 수)

　　　$-$(3층 쌓기나무의 수)

$=12-5-1=6$(개)

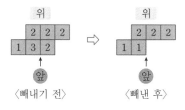

〈빼내기 전〉　　　〈빼낸 후〉

3-3 (1층 쌓기나무의 수)

$=$(전체 쌓기나무의 수)$-$(2층 쌓기나무의 수)

　　　$-$(3층 쌓기나무의 수)

$=11-4-1=6$(개)

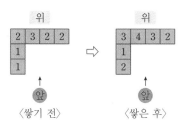

〈쌓기 전〉　　　〈쌓은 후〉

🔑 문제해결 Key

① 1층 쌓기나무의 수를 구합니다.

② 쌓기 전과 쌓은 후의 위에서 본 모양의 각 칸에 쌓기나무의 수를 씁니다.

③ 위, 앞, 옆에서 본 모양을 각각 그려 봅니다.

4-2 한 면에 페인트가 칠해진 쌓기나무에 색칠하면 다음과 같습니다.

(한 면에 페인트가 칠해진 쌓기나무의 수)

$=$(색칠한 부분과 같이 면의 가운데에 있는 쌓기나무의 수)

⇨ (큰 정육면체 한 면에 4개씩 6개의 면)

　　$=4\times6=24$(개)

4-3 두 면에 초록색 페인트가 칠해진 쌓기나무에 색칠하면 오른쪽과 같습니다.

(두 면에 초록색 페인트가 칠해진 쌓기나무의 수)

$=$(한 모서리에 2개씩 12개의 모서리)

$=2\times12=24$(개)

🔑 문제해결 Key

① 두 면에 초록색 페인트가 칠해진 쌓기나무를 색칠해 봅니다.

② 두 면에 초록색 페인트가 칠해진 쌓기나무의 수를 구합니다.

5-2

가장 많은 경우: ㉠에 3개, ㉡에 2개, ㉢에 2개

⇨ $3+3+3+1+2+2+1$
　　$=15$(개)

가장 적은 경우: ㉠에 1개, ㉡에 2개, ㉢에 1개 또는 ㉠에 1개, ㉡에 1개, ㉢에 2개

⇨ $3+1+3+1+2+1+1=12$(개)

참고

앞, 옆(오른쪽)에서 본 모양을 보고 확실히 알 수 있는 자리부터 쌓기나무의 수를 위에서 본 모양에 나타냅니다.

🔑 문제해결 Key

① 확실히 알 수 있는 자리부터 쌓기나무의 수를 위에서 본 모양에 나타냅니다.

② 쌓기나무가 가장 많은 경우의 개수를 구합니다.

③ 쌓기나무가 가장 적은 경우의 개수를 구합니다.

6-2

(빗금 친 부분에 쌓을 수 있는 쌓기나무의 수)

$=$1개 또는 2개 또는 3개

⇨ 3가지

6-3

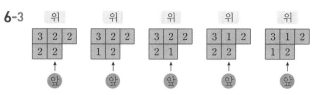

⇨ 5가지

🔑 문제해결 Key

① 확실히 알 수 있는 자리부터 쌓기나무의 수를 위에서 본 모양에 나타냅니다.

② 쌓을 수 있는 가짓수를 구합니다.

7-2

2층에 놓인 쌓기나무는 4개이고 반드시 놓이는 곳은 색칠된 2군데이므로 나머지 ㉠, ㉡, ㉢ 중 두 군데에 쌓기나무를 각각 1개 더 놓으면 됩니다.

7-3

전체 쌓기나무의 수는 9개이고, 1층에 4개, 3층에 2개가 놓여 있으므로 2층에 놓인 쌓기나무의 수는 $9-4-2=3$(개)입니다.
2층 모양에서 반드시 쌓기나무가 놓여야 하는 곳은 색칠된 2군데이므로 나머지 ㉠, ㉡ 중 한 군데에 쌓기나무를 1개 더 놓으면 됩니다.

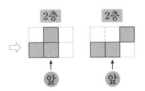

> 🔑 **문제해결 Key**
> ① 2층에 놓인 쌓기나무의 수를 구합니다.
> ② 2층 모양에서 반드시 쌓기나무가 놓여야 하는 곳을 찾습니다.
> ③ 2층 모양이 될 수 있는 경우를 모두 구합니다.

8-2 (블록 한 면의 넓이)$=3\times3=9$ (cm²)
(보이는 면의 수)
$=$(위)$\times2+$(앞)$\times2+$(옆)$\times2$
$=6\times2+6\times2+6\times2$
$=12+12+12=36$(개)
⇨ (블록으로 만든 모양의 겉넓이)
$=9\times36=324$ (cm²)

> 🔑 **문제해결 Key**
> ① 블록의 한 면의 넓이를 구합니다.
> ② 보이는 면의 수를 구합니다.
> ③ 블록으로 만든 모양의 겉넓이를 구합니다.

STEP 3 MASTER 심화   68~73쪽

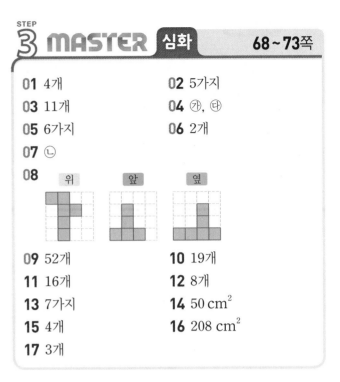

01 4개	**02** 5가지
03 11개	**04** ㉮, ㉲
05 6가지	**06** 2개
07 ㉡	

08

위	앞	옆

09 52개	**10** 19개
11 16개	**12** 8개
13 7가지	**14** 50 cm²
15 4개	**16** 208 cm²
17 3개	

01 ㉮는 1층: 6개, 2층: 2개, 3층: 1개
→ $6+2+1=9$(개)
㉯는 1층: 7개, 2층: 4개, 3층: 2개
→ $7+4+2=13$(개)
⇨ (㉮와 ㉯에 사용된 쌓기나무의 수의 차)
$=13-9=4$(개)

02 2층 모양으로 가능한 것: ㉮, ㉰, ㉲, ㉳, ㉴
2층이 ㉮인 경우 3층이 될 수 있는 모양이 없습니다.
2층이 ㉰인 경우 3층이 될 수 있는 모양: ㉳, ㉴ → 2가지
2층이 ㉲인 경우 3층이 될 수 있는 모양: ㉮, ㉴ → 2가지
2층이 ㉳인 경우 3층이 될 수 있는 모양: ㉴ → 1가지
2층이 ㉴인 경우 3층이 될 수 있는 모양은 없습니다.
⇨ 2층과 3층에 알맞은 모양을 짝 지은 가짓수는 모두 $2+2+1=5$(가지)

> 🔑 **문제해결 Key**
> ① 2층 모양으로 가능한 것을 찾습니다.
> ② ①에서 찾은 모양을 2층이라고 할 때 3층이 될 수 있는 모양을 찾습니다.

03

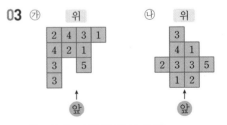

㉮: (3층 이상인 칸이 6칸)
$=$(3층에 쌓인 쌓기나무가 6개)

㉯: (3층 이상인 칸이 5칸)
　＝(3층에 쌓인 쌓기나무가 5개)
⇨ (㉮와 ㉯에서 3층에 쌓인 쌓기나무의 수의 합)
　＝6＋5＝11(개)

> 🔑 **문제해결 Key**
> ① ㉮에서 3층 이상인 칸의 수를 구합니다.
> ② ㉯에서 3층 이상인 칸의 수를 구합니다.
> ③ ①, ②에서 구한 수의 합을 구합니다.

04  정육면체가 8＋2＋1＝11(개)이므로 사용된 모양은 3개짜리, 4개짜리, 4개짜리 모양입니다.

즉, 정육면체 3개로 만들어진 ㉮를 사용하였습니다. ㉮와 ㉱를 쌓고 나머지 모양을 추측해 보면 ㉯입니다.

> 🔑 **문제해결 Key**
> ① 사용한 정육면체의 수를 구합니다.
> ② 각각 몇 개짜리 모양을 사용하였는지 알아봅니다.
> ③ 사용한 블록을 추측하고 확인합니다.

05 위에서 본 모양의 각 칸에 쌓아 올린 쌓기나무의 수를 씁니다.

1층에 3개, 2층에 2개, 3층에 1개가 쌓이게 됩니다.
한 칸에 3을 쓰고 남은 쌓기나무는 6－3＝3(개)이므로 남은 칸에 2, 1을 씁니다.

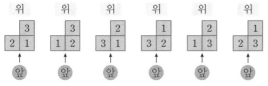

⇨ 6가지

> 🔑 **문제해결 Key**
> ① 위에서 본 모양에 수를 쓰는 방법으로 나타냅니다.
> ② 만들 수 있는 모양을 그려 봅니다.

06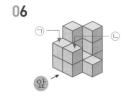

앞에서 보면 1층, 3층, 3층, 1층으로 보입니다.
앞에서 본 모양이 변하지 않으려면 ㉠과 ㉡ 자리에 각각 3층까지 쌓을 수 있으므로 ㉠ 위에 1개, ㉡ 위에 1개를 쌓을 수 있습니다.
　⇨ 1＋1＝2(개)

> 🔑 **문제해결 Key**
> ① 앞에서 본 모양을 생각해 봅니다.
> ② 앞에서 보았을 때 1층, 3층, 3층, 1층이 되도록 쌓으려면 어떻게 쌓으면 되는지 알아봅니다.

07 각각 앞과 옆에서 본 모양을 그려 봅니다.

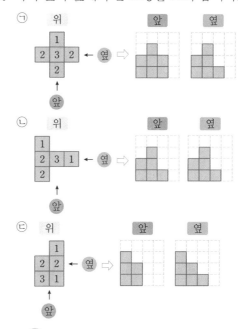

> 🔑 **문제해결 Key**
> ① ㉠, ㉡, ㉢의 앞과 옆에서 본 모양을 각각 알아봅니다.
> ② ㉠, ㉡, ㉢ 중 앞과 옆에서 본 모양이 같은 것을 찾습니다.

08 2층에 쌓인 쌓기나무: 1개, 3층에 쌓인 쌓기나무: 1개
　⇨ (1층에 쌓인 쌓기나무의 수)＝11－1－1＝9(개)

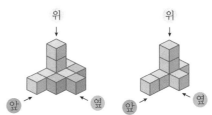

왼쪽 모양에서 1층에는 쌓기나무가 8개이므로 보이지 않는 부분에 쌓기나무가 1개 있습니다.
빨간색 쌓기나무를 빼낸 후의 모양은 오른쪽과 같으므로 각 방향에서 본 모양대로 알맞게 그리도록 합니다.

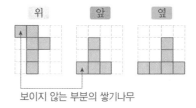

보이지 않는 부분의 쌓기나무

> 🔑 **문제해결 Key**
> ① 1층에 쌓인 쌓기나무의 모양과 수를 알아봅니다.
> ② 색칠한 쌓기나무를 빼낸 후의 모양을 알아봅니다.
> ③ 각 방향에서 본 모양을 그립니다.

09 1층: 7개, 2층: 4개, 3층: 1개

→ 7＋4＋1＝12(개)의 쌓기나무로 쌓은 모양입니다.

가장 작은 정육면체를 만들려면 한 모서리가 쌓기나무 4개로 이루어진 정육면체 모양을 만들어야 하므로

(전체 쌓기나무의 수)＝4×4×4＝64(개)가 되어야 합니다.

⇨ (더 필요한 쌓기나무의 수)＝64－12＝52(개)

🔑 **문제해결 Key**

① 주어진 모양의 쌓기나무의 수를 알아봅니다.
② 가장 작은 정육면체를 만들 때 필요한 쌓기나무의 수를 알아봅니다.
③ ①과 ②의 차를 구합니다.

10

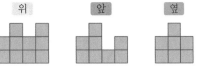

앞, 옆(오른쪽)에서 본 모양을 보고 확실히 알 수 있는 자리부터 쌓기나무의 수를 위에서 본 모양에 나타냅니다.

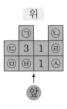

㉠＝㉡＝㉢＝㉣＝㉤＝㉥＝㉦＝2일 때 쌓기나무의 수가 최대가 됩니다.

⇨ 2＋2＋2＋3＋1＋2＋2＋2＋1＋2＝19(개)

🔑 **문제해결 Key**

① 확실히 알 수 있는 자리부터 쌓기나무의 수를 위에서 본 모양에 나타냅니다.
② 필요한 쌓기나무의 최대 수를 구합니다.

11 위에서 본 모양을 그리고 필요한 쌓기나무의 최대 수를 알아봅니다.

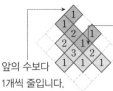

앞의 수보다 1개씩 줄입니다.

1에서 1개를 줄이면 0개이지만 양옆에 쌓기나무가 3개, 2개로 보이지 않는 부분에 쌓기나무가 1개 있을 수도 있습니다.

⇨ 1＋1＋1＋2＋1＋2＋1＋2＋3＋1＋1＝16(개)

🔑 **문제해결 Key**

① 위에서 본 모양을 그려 봅니다.
② 위에서 본 모양에 수를 쓰는 방법으로 나타내어 필요한 쌓기나무의 최대 수를 구합니다.

12

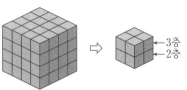

64개의 쌓기나무에서 물감이 한 면도 묻지 않은 쌓기나무는 3층에 4개, 2층에 4개로 모두 8개입니다.

🔑 **문제해결 Key**

쌓기나무를 떼었을 때 물감이 한 면도 묻지 않은 쌓기나무를 층별로 생각해 봅니다.

13 쌓기나무가 1층에 5개, 4층에 2개 놓여 있으므로 2층과 3층에 놓일 수 있는 쌓기나무는 모두 14－5－2＝7(개)입니다. 또 4층과 같은 모양이 되기 위해서 2층과 3층의 ★부분에는 항상 쌓기나무가 놓여 있어야 합니다.

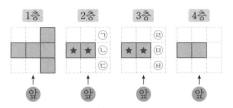

2층에 5개, 3층에 2개가 놓이는 경우:

(㉠, ㉡, ㉢) → 1가지

2층에 4개, 3층에 3개가 놓이는 경우:

(㉠, ㉡)과 ㉣, (㉠, ㉡)과 ㉤, (㉠, ㉢)과 ㉣,
(㉠, ㉢)과 ㉥, (㉡, ㉢)과 ㉤, (㉡, ㉢)과 ㉥ → 6가지

⇨ 쌓을 수 있는 모양은 모두 7가지

🔑 **문제해결 Key**

① 1층과 4층에 놓인 쌓기나무의 수를 구합니다.
② 2층과 3층에 놓인 쌓기나무의 수를 구합니다.
③ 쌓을 수 있는 모양의 가짓수를 구합니다.

14

정육면체의 한 면의 넓이는 $1\,cm^2$이고 (위, 아래), (앞, 뒤), (오른쪽 옆, 왼쪽 옆)에서 보이는 면의 수는 서로 같습니다.

9×2＋8×2＋8×2＝50(개)

⇨ $50\,cm^2$

🔑 **문제해결 Key**

① 보이는 면의 수를 구합니다.
② 겉넓이를 구합니다.

15

 보이지 않는 쌓기나무의 수

각 자리에 쌓인 쌓기나무의 수는 왼쪽과 같고 이때 색칠된 부분에 놓인 쌓기나무는 앞에서 볼 때 보이지 않습니다.

⇨ (앞에서 볼 때 보이지 않는 쌓기나무의 수)
　　=2+2=4(개)

✏ 문제해결 Key
① 위, 앞, 옆(오른쪽)에서 본 모양을 보고 위에서 본 모양에 수를 쓰는 방법으로 나타냅니다.
② 앞에서 볼 때 보이지 않는 부분을 찾습니다.
③ 앞에서 볼 때 보이지 않는 쌓기나무의 수를 구합니다.

16 (앞에서 본 모양의 면의 수)=2+3+4+3=12(개)
(옆에서 본 모양의 면의 수)=1+4+3=8(개)
(위에서 본 모양의 면의 수)=6개
(페인트를 칠한 면의 수)
　　=12×2+8×2+6×2=52(개)
(한 면의 넓이)=2×2=4 (cm²)
⇨ (페인트를 칠한 면의 넓이)=4×52=208 (cm²)

✏ 문제해결 Key
① 위, 앞, 옆에서 본 모양의 면의 수를 각각 구합니다.
② 페인트를 칠한 면의 수를 구합니다.
③ 페인트를 칠한 면의 넓이를 구합니다.

◖ 다른 풀이 ◗

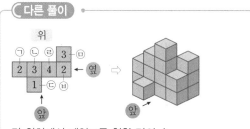

각 위치에서 페인트를 칠한 면의 수
㉠ 8개 ㉡ 8개 ㉢ 5개 ㉣ 13개 ㉤ 12개 ㉥ 6개
8+8+5+13+12+6=52(개)
한 면의 넓이는 2×2=4 (cm²)이므로 페인트를 칠한 면의 넓이는 4×52=208 (cm²)입니다.

17

 ⇨ 3개

　　　　　이 부분에 초록색 쌓기나무를 넣으면
　　　　　옆에서 본 모양과 맞지 않습니다.

✏ 문제해결 Key
① 앞과 옆에서 본 모양을 보고 초록색 쌓기나무를 찾아 층별로 표시합니다.
② 초록색 쌓기나무의 수를 구합니다.

STEP 4 TOP 최고수준 　**74~75쪽**

01 ㉢　　　　02 11개, 7개
03 3가지　　04 11가지
05 15개　　　06 8개

01

02 앞, 옆(오른쪽)에서 본 모양이 다음과 같이 되도록 쌓을 때 필요한 쌓기나무는 최대 몇 개이고, 최소 몇 개인지 각각 구하시오. (단, 쌓기나무로 쌓은 모양은 면끼리 맞닿게 쌓았습니다.)

위에서 본 모양은 로 1가지 　위에서 본 모양은

　　　로 3가지

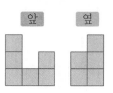

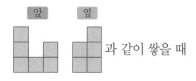 과 같이 쌓을 때

• 최대인 경우:
위
| 3 | 1 | 2 |
| 2 | 1 | 2 |
↑ 앞

⇨ 3+1+2+2+1+2=11(개)

• 최소인 경우: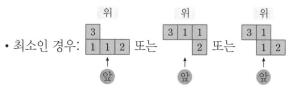

⇨ 3+1+1+2=7(개)

✏ 문제해결 Key
① 쌓기나무의 수가 최대가 되도록 위에서 본 모양을 그리고 필요한 쌓기나무의 수를 구합니다.
② 쌓기나무의 수가 최소가 되도록 위에서 본 모양을 그리고 필요한 쌓기나무의 수를 구합니다.

03 정육면체 모양의 각설탕 8개로 만들 수 있는 직육면체나 정육면체 모양

- 한 줄로 8개를 늘어놓아 직육면체를 만든 경우: $(1 \times 8) \rightarrow$

- 2줄로 4개씩 늘어놓아 직육면체를 만든 경우: $(2 \times 4) \rightarrow$

- 가로 2개, 세로 2개, 높이 2층으로 정육면체를 만든 경우: $(2 \times 2 \times 2) \rightarrow$

⇨ 3가지

🔑 문제해결 Key
① 1×8의 직육면체를 만듭니다.
② 2×4의 직육면체를 만듭니다.
③ $2 \times 2 \times 2$의 정육면체를 만듭니다.
④ 만들 수 있는 모양의 가짓수를 구합니다.

04
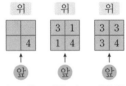
위　　　앞　　　옆

쌓기나무를 가장 적게 쌓을 때와 가장 많이 쌓을 때를 다음을 보고 알아봅니다.

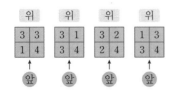
위　　　위　　　위

⟨공통⟩　⟨최소⟩　⟨최대⟩

즉, 쌓을 수 있는 쌓기나무는 최소 9개, 최대 13개로 쌓았을 때입니다.
① 9개로 쌓을 수 있는 방법: 1가지
② 10개로 쌓을 수 있는 방법: 2가지

위	위
3 2	3 1
1 4	2 4
↑앞	↑앞

③ 11개로 쌓을 수 있는 방법: 4가지

위	위	위	위
3 3	3 1	3 2	1 3
1 4	3 4	2 4	3 4
↑앞	↑앞	↑앞	↑앞

④ 12개로 쌓을 수 있는 방법: 3가지

위	위	위
3 3	3 2	2 3
2 4	3 4	3 4
↑앞	↑앞	↑앞

⑤ 13개로 쌓을 수 있는 방법: 1가지
⇨ $1+2+4+3+1=11$(가지)

🔑 문제해결 Key
① 쌓기나무를 최소, 최대로 쌓을 때의 수를 알아봅니다.
② 9개, 10개, 11개, 12개, 13개로 쌓는 방법의 가짓수를 각각 알아봅니다.
③ 전체 가짓수를 구합니다.

05 사용된 쌓기나무가 40개이므로 위에서 본 모양은 오른쪽과 같습니다.

위에서 본 모양

구멍이 뚫린 쌓기나무만 층별로 표시해 보면 다음과 같습니다.

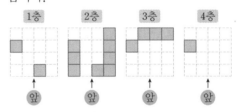
1층　　2층　　3층　　4층

⇨ $2+8+4+1=15$(개)

🔑 문제해결 Key
① 위에서 본 모양을 그려 봅니다.
② 구멍 뚫린 쌓기나무만 층별로 나타냅니다.
③ 구멍 뚫린 쌓기나무의 수를 구합니다.

06
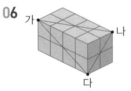
가, 나, 다 세 점을 지나는 평면으로 잘랐을 때의 모양을 층별로 알아봅니다.

2층　　　　1층
6개　　　　2개　　⇨ 8개

🔑 문제해결 Key
① 잘랐을 때의 모양을 층별 모양에 나타냅니다.
② 잘린 쌓기나무의 수를 구합니다.

4 비례식과 비례배분

1 (예) $8:14$, $12:21$ **2** 3개

3 ㉢   **4** $7:9$

5 $51:40$ **6** 56, 21

1 $4:7 \Rightarrow (4\times2):(7\times2) \Rightarrow 8:14$
$\Rightarrow (4\times3):(7\times3) \Rightarrow 12:21$

2 $3:5 \Rightarrow \dfrac{3}{5}$, $1:4 \Rightarrow \dfrac{1}{4}$, $0.5:2 \Rightarrow \dfrac{1}{4}$,

$4:8 \Rightarrow \dfrac{1}{2}$, $9:15 \Rightarrow \dfrac{3}{5}$, $2:4 \Rightarrow \dfrac{1}{2}$

$\Rightarrow$ 두 비로 나타낼 수 있는 비례식은

$3:5=9:15$ $(9:15=3:5)$,

$1:4=0.5:2$ $(0.5:2=1:4)$,

$4:8=2:4$ $(2:4=4:8)$로 모두 3개입니다.

3 ㉠, ㉣은 두 비로 이루어진 등식이 아닙니다.

㉡, ㉢에서 두 비의 비율이 같은지 알아보면

㉡ 4, $\dfrac{8}{3}$ ㉢ $\dfrac{2}{5}$, $\dfrac{6}{15}=\dfrac{2}{5}$

$\Rightarrow$ ㉢의 두 비율이 같으므로 비례식은 ㉢입니다.

4 (강아지 무게) : (고양이 무게)

$\Rightarrow 1.75:2.25 \Rightarrow (1.75\times100):(2.25\times100)$

$\Rightarrow 175:225 \Rightarrow (175\div25):(225\div25)$

$\Rightarrow 7:9$

5 (단아네 집~학교) : (단아네 집~공원)

$\Rightarrow 3.4:2\dfrac{2}{3} \Rightarrow 3\dfrac{4}{10}:2\dfrac{2}{3} \Rightarrow \dfrac{34}{10}:\dfrac{8}{3}$

$\Rightarrow \left(\dfrac{34}{10}\times30\right):\left(\dfrac{8}{3}\times30\right) \Rightarrow 102:80$

$\Rightarrow (102\div2):(80\div2) \Rightarrow 51:40$

6 $8:3$의 전항과 후항에 같은 수를 곱하면

$(8\times\square):(3\times\square)$이므로

$(8\times\square)\times(3\times\square)=1176$, $24\times\square\times\square=1176$,

$\square\times\square=49$, $\square=7$

$\Rightarrow$ 구하는 두 수는 $8\times7=56$, $3\times7=21$입니다.

1 (1) 1 (2) 3   **2** ㉡, ㉢

3 7, ㉡   **4** 15 km

5 25번   **6** 192 cm^2

1 (1) $\square:7=9:63$

$\Rightarrow \square\times63=7\times9$

$\square\times63=63$

$\square=1$

(2) $\dfrac{1}{4}:\dfrac{1}{6}=\square:2$

$\Rightarrow \dfrac{1}{4}\times2=\dfrac{1}{6}\times\square$

$\dfrac{1}{6}\times\square=\dfrac{1}{2}$

$\square=3$

2 외항의 곱과 내항의 곱이 같은 것을 찾습니다.

㉡ $3:5=9:15$

$\Rightarrow 3\times15=5\times9$

$45=45$

㉢ $15:2=30:4$

$\Rightarrow 15\times4=2\times30$

$60=60$

3 ㉮$\times$㉯$=4\times7$

㉮$:4=7:$㉯

4 15분$=\dfrac{15}{60}$시간$=\dfrac{1}{4}$시간, 1시간 15분$=1\dfrac{1}{4}$시간

1시간 15분 동안 달린 거리를 $\square$ km라 하고 비례식을 세우면

$\dfrac{1}{4}:3=1\dfrac{1}{4}:\square$입니다.

$\dfrac{1}{4}:3=1\dfrac{1}{4}:\square$

$\Rightarrow \dfrac{1}{4}\times\square=3\times1\dfrac{1}{4}$

$\dfrac{1}{4}\times\square=\dfrac{15}{4}$

$\square=15$

$\Rightarrow$ 1시간 15분 동안 달린 거리는 15 km입니다.

다른 풀이

1시간 15분은 75분입니다.

$15:3=75:\square$

$\Rightarrow 15\times\square=3\times75$

$15\times\square=225$

$\square=15$

5 야구 선수가 안타를 칠 것으로 예상되는 횟수를 ☐번이라 하고 비례식을 세우면 $12:3=100:$☐입니다.

$\Rightarrow 12:3=100:$☐

$12\times$☐$=3\times100$

$12\times$☐$=300$

☐$=25$

6 밑변의 길이를 ☐cm라 하고 비례식을 세우면

$3:2=$☐$:16$입니다.

$\Rightarrow 3\times16=2\times$☐

$2\times$☐$=48$

☐$=24$

(삼각형의 넓이)=(밑변의 길이)×(높이)÷2

$\qquad\qquad\qquad =24\times16\div2$

$\qquad\qquad\qquad =192\,(cm^2)$

5 (나누기 전 도화지의 넓이)$=40\times20=800\,(cm^2)$

$1\dfrac{1}{2}:2.5=\dfrac{3}{2}:\dfrac{25}{10}$

$\qquad\quad =\left(\dfrac{3}{2}\times10\right):\left(\dfrac{25}{10}\times10\right)$

$\qquad\quad =15:25$

$\qquad\quad =(15\div5):(25\div5)$

$\qquad\quad =3:5$

$\Rightarrow 800\times\dfrac{3}{3+5}=800\times\dfrac{3}{8}=300\,(cm^2)$

6 처음 주머니에 있던 구슬 수를 ☐개라 하고 비례배분하는 식을 쓰면 ☐$\times\dfrac{8}{8+5}=32$입니다.

☐$\times\dfrac{8}{8+5}=32$, ☐$\times\dfrac{8}{13}=32$, ☐$=52$

$\Rightarrow$ 처음 주머니에 있던 구슬은 모두 52개입니다.

STEP 1 START 개념 **83쪽**

1 45, 75	**2** 10자루, 35자루
3 84	**4** 7500원, 2500원
5 300 cm²	**6** 52개

1 $120\times\dfrac{3}{3+5}=120\times\dfrac{3}{8}=45$

$120\times\dfrac{5}{3+5}=120\times\dfrac{5}{8}=75$

2 서준: $45\times\dfrac{2}{2+7}=45\times\dfrac{2}{9}=10$(자루)

현우: $45\times\dfrac{7}{2+7}=45\times\dfrac{7}{9}=35$(자루)

3 $180\times\dfrac{7}{7+8}=180\times\dfrac{7}{15}=84\,(cm)$

4 $1.5:\dfrac{1}{2}=1.5:0.5$

$\qquad\quad =(1.5\times10):(0.5\times10)$

$\qquad\quad =15:5$

$\qquad\quad =(15\div5):(5\div5)$

$\qquad\quad =3:1$

단희: $10000\times\dfrac{3}{3+1}=10000\times\dfrac{3}{4}=7500$(원)

동생: $10000\times\dfrac{1}{3+1}=10000\times\dfrac{1}{4}=2500$(원)

STEP 2 JUMP 유형 **84~91쪽**

1-1 ❶ 예 $15:40=(15\div5):(40\div5)=3:8$

❷ 예 $3:8=6:16=9:24=12:32=\cdots\cdots$

❸ 예 전항이 10보다 작은 비는 $3:8$, $6:16$,

$9:24$ $\Rightarrow$ 3개입니다.

; 3개

1-2 4개

1-3 $4:5$, $8:10$, $12:15$

1-4 3개

2-1 ❶ 예 (삼각형의 넓이)

$=184\times\dfrac{3}{3+5}=184\times\dfrac{3}{8}=69\,(cm^2)$

❷ 예 직사각형의 세로를 ☐cm라 하면 삼각형의 높이도 ☐cm입니다.

$\Rightarrow 10\times$☐$\div2=69$

☐$=69\times2\div10=13.8$

$\Rightarrow$ 직사각형의 세로는 13.8 cm입니다.

; 13.8 cm

2-2 11.5 cm

2-3 48 cm²

3-1 ❶ 예 (㉮의 톱니 수) : (㉯의 톱니 수)

$=16:20=(16\div4):(20\div4)=4:5$

❷ 예 (㉮의 톱니 수) : (㉯의 톱니 수)$=4:5$

이므로 회전수의 비는 $5:4$입니다.

❸ 예 ㉮가 10바퀴 도는 동안 ㉯가 ☐바퀴 돈다고

하면 $5:4=10:$☐

$\Rightarrow 5 \times \square = 4 \times 10$, $5 \times \square = 40$, $\square = 8$

$\Rightarrow$ ㉯는 8바퀴 돕니다.

; 8바퀴

3-2 27바퀴

3-3 2바퀴

4-1 ❶ 예 ㉮의 $\dfrac{2}{3}$와 ㉯의 $\dfrac{1}{4}$이 같으므로

㉮$\times \dfrac{2}{3} =$ ㉯$\times \dfrac{1}{4}$입니다.

❷ 예 ㉮$\times \dfrac{2}{3} =$ ㉯$\times \dfrac{1}{4} \Rightarrow$ ㉮ : ㉯$= \dfrac{1}{4} : \dfrac{2}{3}$

❸ 예 ㉮ : ㉯

$= \dfrac{1}{4} : \dfrac{2}{3} = \left(\dfrac{1}{4} \times 12 \right) : \left(\dfrac{2}{3} \times 12 \right) = 3 : 8$

; 3 : 8

4-2 4 : 5

4-3 37.5 %

5-1 ❶ 예 (갑) : (을)

$=$ 200만 : 160만

$=$ (200만 $\div$ 40만) : (160만 $\div$ 40만)

$= 5 : 4$

❷ 예 전체 이익금을 $\square$만 원이라 하면

$\square \times \dfrac{5}{5+4} = 40$, $\square \times \dfrac{5}{9} = 40$,

$\square = 40 \div \dfrac{5}{9} = 72$

$\Rightarrow$ (전체 이익금) $= 72$만 원

; 72만 원

5-2 2250만 원

5-3 600만 원

6-1 ❶ 예 (㉮의 원래 가격) $\times (1-0.15)$

$=$ (㉯의 원래 가격) $\times (1-0.2)$,

(㉮의 원래 가격) $\times 0.85$

$=$ (㉯의 원래 가격) $\times 0.8$

❷ 예 (㉮의 원래 가격) : (㉯의 원래 가격)

$= 0.8 : 0.85$

❸ 예 (㉮의 원래 가격) : (㉯의 원래 가격)

$= 0.8 : 0.85 = (0.8 \times 100) : (0.85 \times 100)$

$= 80 : 85 = (80 \div 5) : (85 \div 5) = 16 : 17$

; 16 : 17

6-2 7 : 6

6-3 2550원

7-1 ❶ 예 설아와 현우가 처음에 가지고 있던 사탕 수의 합은 $20 + 20 = 40$(개)입니다.

❷ 예 설아와 현우가 가진 사탕 수의 비가 $13 : 7$이므로

(현우가 설아에게 주고 남은 사탕 수)

$= 40 \times \dfrac{7}{13+7} = 40 \times \dfrac{7}{20} = 14$(개)

❸ 예 (처음에 현우가 가지고 있던 사탕 수)

$-$ (현우가 설아에게 주고 남은 사탕 수)

$= 20 - 14 = 6$(개)

; 6개

7-2 30개

7-3 4개

8-1 ❶ 예 $1 : 1.6 = 40 : \square$

❷ 예 $1 : 1.6 = 40 : \square$

$\Rightarrow 1 \times \square = 1.6 \times 40$, $\square = 64$

배꼽부터 발끝 ㉡까지의 길이는 64 cm입니다.

❸ 예 (머리끝 ㉠~배꼽) $+$ (배꼽~발끝 ㉡)

$= 40 + 64 = 104$ (cm)

; 104 cm

8-2 10초 후

1-2 $24 : 42$를 가장 간단한 자연수의 비로 나타내면

$24 : 42 = (24 \div 6) : (42 \div 6) = 4 : 7$입니다.

$4 : 7$의 각 항을 2배, 3배, 4배, 5배 …… 한 비를 구하면

$4 : 7 = 8 : 14 = 12 : 21 = 16 : 28 = 20 : 35 = \cdots\cdots$

입니다.

$\Rightarrow$ 후항이 30보다 작은 비는

$4 : 7$, $8 : 14$, $12 : 21$, $16 : 28 \rightarrow$ 4개

1-3 $16 : 20$을 가장 간단한 자연수의 비로 나타내면

$16 : 20 = (16 \div 4) : (20 \div 4) = 4 : 5$입니다.

$4 : 5$의 각 항을 2배, 3배, 4배 …… 한 비를 구하면

$4 : 5 = 8 : 10 = 12 : 15 = 16 : 20 = \cdots\cdots$입니다.

$\Rightarrow$ 전항이 15보다 작은 비는 $4 : 5$, $8 : 10$, $12 : 15$

1-4 $48 : 40$을 가장 간단한 자연수의 비로 나타내면

$48 : 40 = (48 \div 8) : (40 \div 8) = 6 : 5$입니다.

$6 : 5$의 각 항을 2배, 3배, 4배, 5배, 6배 …… 한 비를 구하면

$6 : 5 = 12 : 10 = 18 : 15 = 24 : 20 = 30 : 25$

$= 36 : 30 = \cdots\cdots$입니다.

$\Rightarrow$ 후항이 10보다 크고 30보다 작은 비는

$18 : 15$, $24 : 20$, $30 : 25 \rightarrow$ 3개

🔑 **문제해결 Key**

① $48 : 40$을 가장 간단한 자연수의 비로 나타냅니다.

② ①에 2배, 3배, 4배, 5배, 6배 …… 한 비를 씁니다.

③ 조건에 알맞은 비를 구하고 개수를 구합니다.

4 단원

2-2 (삼각형의 넓이)
$$=207 \times \frac{4}{4+5}=207 \times \frac{4}{9}=92 \, (\text{cm}^2)$$

사다리꼴의 높이를 $\square$ cm라 하면 삼각형의 높이도
$\square$ cm입니다.

$16 \times \square \div 2 = 92$,

$\square = 92 \times 2 \div 16 = 11.5$

▷ 사다리꼴의 높이는 11.5 cm입니다.

> **참고**
> (삼각형의 넓이)=(밑변의 길이)×(높이)÷2
> (사다리꼴의 넓이)
> ={(윗변의 길이)+(아랫변의 길이)}×(높이)÷2

2-3

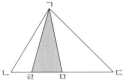

(선분 ㄴㄹ) : (선분 ㄹㅁ) : (선분 ㅁㄷ)

2	:	3		
2	:		:	5
2	:	3	:	5

높이가 같은 삼각형에서 밑변의 길이의 비는 넓이의
비와 같으므로
(삼각형 ㄱㄴㄹ) : (삼각형 ㄱㄹㅁ) : (삼각형 ㄱㅁㄷ)
$=2:3:5$입니다.

▷ (삼각형 ㄱㄹㅁ의 넓이)
$$=160 \times \frac{3}{2+3+5}=160 \times \frac{3}{10}=48 \, (\text{cm}^2)$$

> **문제해결 Key**
> ① (선분 ㄴㄹ) : (선분 ㄹㅁ) : (선분 ㅁㄷ)을 구합니다.
> ② 삼각형 ㄱㄹㅁ의 넓이를 구합니다.

3-2 (㉮의 톱니 수) : (㉯의 톱니 수)
$=32:18=(32 \div 2):(18 \div 2)=16:9$
㉮와 ㉯의 회전수의 비는 $9:16$입니다.
㉯가 48바퀴 도는 동안 ㉮는 $\square$바퀴 돈다 하고 비례식
을 세우면 $9:16=\square:48$입니다.
$9:16=\square:48 \Rightarrow 9 \times 48 = 16 \times \square$
$\qquad\qquad\qquad\qquad 16 \times \square = 432$
$\qquad\qquad\qquad\qquad\qquad \square = 27$

▷ 톱니바퀴 ㉮는 27바퀴 돕니다.

> **참고**
> 톱니 수의 비 ⇨ ■ : ▲일 때
> 회전수의 비 ⇨ ▲ : ■

3-3 (㉮의 톱니 수) : (㉯의 톱니 수)
$=15:20=(15 \div 5):(20 \div 5)=3:4$
㉮와 ㉯의 회전수의 비는 $4:3$입니다.
㉮가 8바퀴 도는 동안 ㉯는 $\square$바퀴 돈다 하고 비례식
을 세우면 $4:3=8:\square$입니다.
$4:3=8:\square \Rightarrow 4 \times \square = 3 \times 8$
$\qquad\qquad\qquad\qquad 4 \times \square = 24$
$\qquad\qquad\qquad\qquad\quad \square = 6$

→ 톱니바퀴 ㉯는 6바퀴 돕니다.

▷ (톱니바퀴 ㉮와 ㉯의 회전수의 차)
$\quad =8-6=2$(바퀴)

> **문제해결 Key**
> ① ㉮와 ㉯의 회전수의 비를 가장 간단한 자연수의 비로
> 나타냅니다.
> ② ㉯의 회전수를 $\square$라 하고 비례식을 세워 비례식을 풉니다.
> ③ ㉮와 ㉯의 회전수의 차를 구합니다.

4-2

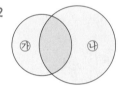

㉮의 0.5와 ㉯의 $\frac{2}{5}$가 같으므로

㉮$\times 0.5 =$ ㉯$\times \frac{2}{5}$입니다.

㉮$\times 0.5 =$ ㉯$\times \frac{2}{5} \Rightarrow$ ㉮ : ㉯ $= \frac{2}{5} : 0.5$

㉮와 ㉯의 넓이의 비를 가장 간단한 자연수의 비로 나
타내면

㉮ : ㉯ $= \frac{2}{5} : 0.5 = \frac{2}{5} : \frac{1}{2}$
$\qquad\quad = \left(\frac{2}{5} \times 10 \right) : \left(\frac{1}{2} \times 10 \right) = 4:5$

4-3

겹쳐진 부분의 넓이를 ㉯의 $\square$라고 하면 ㉮의 $\frac{1}{3}$과 ㉯의

$\square$가 같으므로 ㉮$\times \frac{1}{3} =$ ㉯$\times \square$입니다.

㉮$\times \frac{1}{3} =$ ㉯$\times \square \Rightarrow$ ㉮ : ㉯ $= \square : \frac{1}{3}$이고

㉮ : ㉯ $= 9:8$이므로 $\square : \frac{1}{3} = 9:8$

$\Rightarrow \square \times 8 = \frac{1}{3} \times 9$, $\square \times 8 = 3$, $\square = \frac{3}{8}$

$\Rightarrow \frac{3}{8} \times 100 = 37.5 \, (\%)$

5-2 (㉮ 회사) : (㉯ 회사)

$=1000$만 $: 2000$만

$=(1000$만 $\div 1000$만$) : (2000$만 $\div 1000$만$)$

$=1 : 2$

전체 이익금을 □만 원이라 하면

$\square \times \dfrac{2}{1+2}=1500, \square \times \dfrac{2}{3}=1500,$

$\square =1500 \div \dfrac{2}{3}=2250$

➡ 전체 이익금은 2250만 원입니다.

5-3 $A : B=180$만 $: 120$만

$=(180$만 $\div 60$만$) : (120$만 $\div 60$만$)$

$=3 : 2$

이익금 80만 원을 $3 : 2$로 나누면

$B: 80 \times \dfrac{2}{3+2}=80 \times \dfrac{2}{5}=32$(만 원)입니다.

$160 \div 32=5$(배)이므로

이익금이 5배가 되려면 투자금도 5배로 늘려야 합니다.

➡ B는 $120 \times 5=600$(만 원)을 투자해야 합니다.

6-2 (스케치북의 원래 가격)$\times (1-0.1)$

$=$(공책의 원래 가격)$\times (1+0.05)$

(스케치북의 원래 가격)$\times 0.9$

$=$(공책의 원래 가격)$\times 1.05$

➡ (스케치북의 원래 가격) : (공책의 원래 가격)

$=1.05 : 0.9$

$=(1.05 \times 100) : (0.9 \times 100)$

$=105 : 90$

$=(105 \div 15) : (90 \div 15)$

$=7 : 6$

주의

할인하여 판매한 금액과 할인 금액을 혼동하지 않도록 합니다.

6-3 ㉠$\times 1.2=$㉡$\times 0.85$

➡ ㉠ : ㉡$=0.85 : 1.2$

$=(0.85 \times 100) : (1.2 \times 100)$

$=85 : 120$

$=(85 \div 5) : (120 \div 5)$

$=17 : 24$

상품 ㉠의 원래 가격을 □원이라 하고 비례식을 세우면

$17 : 24=$□$: 3600$입니다.

$17 : 24=$□$: 3600$

➡ $17 \times 3600=24 \times$□

$24 \times$□$=61200$

□$=2550$

➡ 상품 ㉠의 원래 가격은 2550원입니다.

7-2 전체 구슬 수는 $50+50=100$(개)입니다. 구슬을 옮긴 후 빨간색 주머니와 파란색 주머니에 있는 구슬 수의 비가 $1 : 4$이므로

(구슬을 옮긴 후 빨간색 주머니에 있는 구슬 수)

$=100 \times \dfrac{1}{1+4}=100 \times \dfrac{1}{5}=20$(개)입니다.

➡ (처음에 빨간색 주머니에 있던 구슬 수)

$-$(구슬을 옮긴 후 빨간색 주머니에 남은 구슬 수)

$=50-20=30$(개)

7-3 동생에게 주고 남은 노란색 구슬 수와 파란색 구슬 수를 각각 구합니다.

노란색 구슬: $216 \times \dfrac{4}{4+5}=216 \times \dfrac{4}{9}=96$(개)

파란색 구슬 : $216 \times \dfrac{5}{4+5}=216 \times \dfrac{5}{9}=120$(개)

파란색 구슬의 수는 변하지 않았으므로 처음에 있던 노란색 구슬을 □개라 하고 비례식을 세우면

$5 : 6=$□$: 120$입니다.

$5 : 6=$□$: 120$

➡ $5 \times 120=6 \times$□

$6 \times$□$=600$

□$=100$

➡ 동생에게 준 노란색 구슬은 $100-96=4$(개)

4 단원

8-2 치타는 1초에 4걸음을 가고 한 걸음에 8 m를 이동하므로 1초에는 $4 \times 8 = 32$ (m)를 이동합니다.

타조와 치타가 1초에 이동하는 거리의 비는 5 : 8이고 타조가 1초에 이동하는 거리를 ☐ m라 하고 비례식을 세우면 5 : 8 = ☐ : 32입니다.

5 : 8 = ☐ : 32

⇨ $5 \times 32 = 8 \times$ ☐

☐ $= 20$

⇨ 타조와 치타 사이의 거리는 1초에

$32 - 20 = 12$ (m)씩 좁혀지므로 타조가 잡히는 때는 타조와 치타가 동시에 달리기 시작한 지

$120 \div 12 = 10$(초) 후입니다.

> 🔑 **문제해결 Key**
> ① 치타가 1초에 이동하는 거리를 구합니다.
> ② 타조가 1초에 이동하는 거리를 구합니다.
> ③ 타조가 잡히는 때는 달리기 시작한 지 몇 초 후인지 구합니다.

STEP 3 MASTER 심화 92~97쪽

01 7 : 50, 14 : 100, 21 : 150	
02 11 : 9	**03** 주황색, 3 g
04 27 cm²	**05** 5°
06 20 : 21	**07** 196권
08 7개	**09** 48 cm²
10 1250000 m²	**11** 오후 7시 56분
12 42장	**13** 160 cm²
14 165만 원	**15** 10 cm
16 529.2 L	**17** 60개
18 1.2 m	

01 0.14를 기약분수로 나타내면 $\frac{7}{50}$이므로

㉮ : ㉯ = 7 : 50입니다.

⇨ $7 : 50 = 14 : 100 = \underline{21 : 150} = 28 : 200$
(100−14=86) (200−28=172)
(50−7=43) (150−21=129)

$= 35 : 250 = \cdots$ 이므로
(250−35=215)

두 항의 차가 150 미만인 비는

7 : 50, 14 : 100, 21 : 150입니다.

> 🔑 **문제해결 Key**
> ① ㉮ : ㉯를 가장 간단한 자연수의 비로 나타냅니다.
> ② ①에 2배, 3배, 4배……합니다.
> ③ 조건에 맞는 비를 찾습니다.

02 지훈이와 윤서가 하루에 푼 문제집의 양은 각자 한 권의 $\frac{1}{45}, \frac{1}{55}$이므로

(지훈이가 하루에 푼 양) : (윤서가 하루에 푼 양)

$= \frac{1}{45} : \frac{1}{55}$

$= \left(\frac{1}{45} \times 495 \right) : \left(\frac{1}{55} \times 495 \right)$

$= 11 : 9$

> **참고**
> 매일 같은 양의 일을 할 때 하루에 한 일의 양을 분수로 나타내기
> 예 A가 어떤 일을 하는 데 5일이 걸렸다면 A가 하루에 한 일의 양은 전체 일의 $\frac{1}{5}$입니다.

> 🔑 **문제해결 Key**
> ① 지훈이와 윤서가 하루에 푼 문제집의 양을 분수로 나타냅니다.
> ② ①을 비로 나타냅니다.
> ③ ②를 가장 간단한 자연수의 비로 나타냅니다.

03 (주황색에 사용한 빨간색 물감)

$= 30 \times \frac{3}{3+2} = 30 \times \frac{3}{5} = 18$ (g)

(보라색에 사용한 빨간색 물감)

$= 27 \times \frac{5}{5+4} = 27 \times \frac{5}{9} = 15$ (g)

⇨ 18 > 15이므로 주황색에 사용한 빨간색 물감이 $18 - 15 = 3$ (g) 더 많습니다.

> 🔑 **문제해결 Key**
> ① 주황색에 사용한 빨간색 물감의 양을 구합니다.
> ② 보라색에 사용한 빨간색 물감의 양을 구합니다.
> ③ 어느 색에 사용한 빨간색 물감이 몇 g 더 많은지 구합니다.

04

직사각형의 가로를 ☐ cm라 하고 비례식을 세우면

3 : 4 = 6 : ☐입니다.

3 : 4 = 6 : ☐

⇨ $3 \times$ ☐ $= 4 \times 6$

$3 \times$ ☐ $= 24$

☐ $= 8$

⇨ 직사각형의 가로는 8 cm입니다.

직사각형은 마주 보는 두 쌍의 변이 평행하므로 색칠하지 않은 부분은 사다리꼴입니다.

(색칠한 부분의 넓이)

= (직사각형의 넓이)

 − (색칠하지 않은 사다리꼴의 넓이)

$= (8 \times 6) - \{(4+3) \times 6 \div 2\}$

$= 48 - 21 = 27 \, (cm^2)$

(참고)

직사각형을 나눈 도형은 모두 사다리꼴입니다.

🔑 문제해결 Key

① 직사각형의 가로를 구합니다.

② 색칠한 부분의 넓이를 구합니다.

05 1시간 동안 긴바늘은 $360°$를 움직이므로 짧은바늘은 $360° \div 12 = 30°$를 움직입니다.

10분 동안 긴바늘은 $360° \div 60 \times 10 = 60°$를 움직입니다. 10분 동안 짧은바늘이 움직인 각도를 $\square$라 하고 비례식을 세우면 $360 : 30 = 60 : \square$입니다.

$360 : 30 = 60 : \square$

$\Rightarrow 360 \times \square = 30 \times 60$

$360 \times \square = 1800$

$\square = 5$

🔑 문제해결 Key

① 1시간 동안 긴바늘과 짧은바늘이 움직이는 각도를 알아봅니다.

② 긴바늘이 10분 움직이는 동안 짧은바늘이 움직이는 각도를 구합니다.

(다른 풀이)

1시간 $= 60$분이고, 짧은바늘이 1시간에

$360° \div 12 = 30°$를 움직이므로 10분 동안 짧은바늘이 움직인 각도를 $\square$라 하고 비례식을 세우면 $60 : 30 = 10 : \square$입니다.

$60 : 30 = 10 : \square$

$\Rightarrow 60 \times \square = 30 \times 10$

$60 \times \square = 300$

$\square = 5$

06 필통의 가격이 5% 올랐으므로 오르기 전의 가격을 $\square$원이라 하면

$\square \times \left(1 + \dfrac{5}{100}\right) = 5250$, $\square \times 1.05 = 5250$,

$\square = 5000$입니다.

$\Rightarrow$ (오르기 전 가격) : (오른 후 가격)

$= 5000 : 5250$

$= (5000 \div 250) : (5250 \div 250)$

$= 20 : 21$

🔑 문제해결 Key

① 오르기 전의 가격을 구합니다.

② 오르기 전과 오른 후의 가격의 비를 가장 간단한 자연수의 비로 나타냅니다.

07 책꽂이에 꽂혀 있는 위인전은 전체의 $\dfrac{4}{3+4} = \dfrac{4}{7}$

위인전의 $\dfrac{1}{4}$이 28권이므로 책꽂이에 꽂혀 있는 책의 수를 $\square$권이라 하면 $\square \times \dfrac{4}{7} \times \dfrac{1}{4} = 28$,

$\square \times \dfrac{1}{7} = 28$, $\square = 196$입니다.

$\Rightarrow$ 책꽂이에 꽂혀 있는 책은 모두 196권입니다.

🔑 문제해결 Key

① 책꽂이에 꽂혀 있는 위인전은 전체의 몇 분의 몇인지 구합니다.

② 책꽂이에 꽂혀 있는 책의 수를 $\square$권이라 하고 비례배분하는 식을 세웁니다.

③ 책꽂이에 꽂혀 있는 전체 책의 수를 구합니다.

08 ㉮와 ㉯의 회전수의 비는

㉮ : ㉯ $= 76 : 95 = (76 \div 19) : (95 \div 19) = 4 : 5$입니다.

㉮와 ㉯의 톱니 수의 비는 $5 : 4$이므로 ㉯의 톱니 수를 $\square$개라 하고 비례식을 세우면 $5 : 4 = 35 : \square$입니다.

$5 : 4 = 35 : \square$

$\Rightarrow 5 \times \square = 4 \times 35$

$5 \times \square = 140$

$\square = 28$

$\Rightarrow$ (두 톱니바퀴 ㉮와 ㉯의 톱니 수의 차)

$= 35 - 28 = 7(개)$

🔑 문제해결 Key

① ㉮와 ㉯의 회전수의 비를 구합니다.

② ㉮와 ㉯의 톱니 수의 비를 구합니다.

③ ㉯의 톱니 수를 $\square$개라 하고 비례식을 세우고 비례식을 풉니다.

④ 두 톱니바퀴의 톱니 수의 차를 구합니다.

09

$15\,\% \Rightarrow \dfrac{15}{100}=\dfrac{3}{20}$ 이고, ㉮의 $\dfrac{1}{5}$ 과 ㉯의 $\dfrac{3}{20}$ 이 같

으므로 ㉮$\times\dfrac{1}{5}$＝㉯$\times\dfrac{3}{20}$ 입니다.

㉮$\times\dfrac{1}{5}$＝㉯$\times\dfrac{3}{20}$

$\Rightarrow$ ㉮ : ㉯＝$\dfrac{3}{20}$: $\dfrac{1}{5}$＝$\left(\dfrac{3}{20}\times20\right)$: $\left(\dfrac{1}{5}\times20\right)$＝3 : 4

㉮와 ㉯의 넓이의 비는 3 : 4이므로

㉯의 넓이를 □ cm^{2}라 하고 비례식을 세우면

3 : 4＝36 : □ 입니다.

3 : 4＝36 : □

$\Rightarrow 3\times\square=4\times36$

$\quad 3\times\square=144$

$\qquad \square=48$

$\Rightarrow$ ㉯의 넓이는 48 cm^{2}입니다.

> 🔑 **문제해결 Key**
> ① 15 %를 분수로 나타냅니다.
> ② 겹쳐진 부분을 이용하여 곱셈식을 세웁니다.
> ③ 곱셈식을 비례식으로 나타냅니다.
> ④ ㉯의 넓이를 구합니다.

10 밭의 실제 가로를 □ cm라 하면 □ : 4＝25000 : 1,
□＝100000이므로 가로는 1000 m이고, 실제 세로
를 △ cm라 하면 △ : 5＝25000 : 1, △＝125000이
므로 세로는 1250 m입니다.

$\Rightarrow$ (밭의 실제 넓이)＝1000×1250＝1250000 (m^2)

> 🔑 **문제해결 Key**
> ① 밭의 실제 가로를 구합니다.
> ② 밭의 실제 세로를 구합니다.
> ③ 밭의 실제 넓이를 구합니다.

11 정오 $\xrightarrow{\text{12시간}}$ 자정 $\xrightarrow{\text{12시간}}$ 다음날 정오
$\xrightarrow{\text{8시간}}$ 다음날 오후 8시

정오에서 다음날 오후 8시까지는 32시간입니다.
어느 날 정오부터 다음날 오후 8시까지 늦어진 시간을
□분이라 하고 비례식을 세우면 24 : 3＝32 : □ 입니다.

24 : 3＝32 : □

$\Rightarrow 24\times\square=3\times32$

$\quad 24\times\square=96$

$\qquad \square=4$

$\Rightarrow$ 다음날 오후 8시에 이 시계가 가리키는 시각은 4분
늦은 오후 7시 56분입니다.

> 🔑 **문제해결 Key**
> ① 정오에서 다음날 오후 8시까지는 몇 시간인지 구합니다.
> ② 늦어진 시간을 □분이라 하고 비례식을 세우고 비례식
> 을 풉니다.
> ③ 다음날 오후 8시에 이 시계가 가리키는 시각을 구
> 합니다.

12 처음에 지호가 가진 우표를 $(7\times\square)$장,
윤주가 가진 우표를 $(3\times\square)$장이라고 하면,
$(7\times\square-6) : (3\times\square+6)=3 : 2$

$\Rightarrow (7\times\square-6)\times2=(3\times\square+6)\times3,$

$\quad 14\times\square-12=9\times\square+18$

$\qquad 5\times\square=30$

$\qquad\quad \square=6$

$\Rightarrow$ 처음에 지호가 가진 우표는 7×6＝42(장)입니다.

> 🔑 **문제해결 Key**
> ① 처음에 지호가 가진 우표 수와 윤주가 가진 우표 수를
> □를 이용하여 나타냅니다.
> ② ①을 이용하여 비례식을 세우고 비례식을 풉니다.
> ③ 처음에 지호가 가진 우표 수를 구합니다.

13 나와 다의 넓이의 합은 전체의 100－40＝60(%)입니다.

나의 넓이는 전체의 $60\times\dfrac{1}{1+2}=20\,(\%)$,

다의 넓이는 전체의 $60\times\dfrac{2}{1+2}=40\,(\%)$입니다.

가는 전체의 40 %, 나는 전체의 20 %이고 나의 넓이
가 80 cm^{2}이므로 가의 넓이는 80×2＝160 (cm^2)입
니다.

> 🔑 **문제해결 Key**
> ① 나와 다의 넓이의 합은 전체의 몇 %인지 구합니다.
> ② 나의 넓이와 다의 넓이는 각각 전체의 몇 %인지 구합
> 니다.
> ③ 가의 넓이를 구합니다.

14 (B가 투자한 금액)＝120만×$1\dfrac{1}{5}$＝144만 (원)

(A와 B가 투자한 금액의 비)＝120만 : 144만＝5 : 6

(B의 이익금)＝198만－144만＝54만 (원)

이익금의 비는 투자한 금액의 비와 같으므로 A의 이익
금을 □만 원이라 하고 비례식을 세우면

5 : 6＝□ : 54입니다.

5 : 6＝□ : 54

$\Rightarrow 5\times54=6\times\square$

$\quad 6\times\square=270$

$\qquad \square=45$

$\Rightarrow$ A가 돌려받을 금액은 120만＋45만＝165만 (원)
입니다.

문제해결 Key
① B가 투자한 금액을 구합니다.
② A와 B가 투자한 금액의 비를 구합니다.
③ B의 이익금을 구합니다.
④ A의 이익금을 구합니다.
⑤ A가 돌려받을 금액을 구합니다.

문제해결 Key
① 1분 동안 새는 물의 양을 □ L라 하고 비례식을 세웁니다.
② 비례식을 풉니다.
③ 1분 동안 받을 수 있는 물의 양을 구합니다.
④ 1시간 12분 동안 받을 수 있는 물의 양을 구합니다.

15 (가로)+(세로)=200÷2=100 (cm)

⇨ (세로)$=100 \times \dfrac{2}{3+2} = 40$ (cm)

(세로) : (태극 문양의 지름)=2 : 1이므로
태극 문양의 지름을 □ cm라 하고 비례식을 세우면
2 : 1=40 : □입니다.
2 : 1=40 : □

⇨ 2×□=1×40
   2×□=40
      □=20

(태극 문양의 지름) : (괘의 길이)=2 : 1이므로
괘의 길이를 △ cm라 하고 비례식을 세우면
2 : 1=20 : △입니다.
2 : 1=20 : △

⇨ 2×△=1×20
   2×△=20
      △=10

문제해결 Key
① 태극기의 세로를 구합니다.
② 태극 문양의 지름을 구합니다.
③ 괘의 길이를 구합니다.

다른 풀이

(가로) : (세로) : (태극 문양의 지름)
  3   :   2   :   1
⇨ 3 : 2 : 1=60 : 40 : 20
⇨ (괘의 길이)=20÷2=10 (cm)

16 1분 동안 새는 물의 양을 □ L라 하고 비례식을 세우면 8 : 1=8.4 : □입니다.
8 : 1=8.4 : □

⇨ 8×□=1×8.4
   8×□=8.4
      □=1.05이므로

1분 동안 받을 수 있는 물의 양은
8.4−1.05=7.35 (L)입니다.

⇨ 1시간 12분=72분 동안 7.35×72=529.2 (L)의 물을 받을 수 있습니다.

17 설아가 맞힌 문제 수가 40개이므로 호진이가 맞힌 문제 수를 □개라 하고 비례식을 세우면
2 : 1=40 : □입니다.
2 : 1=40 : □

⇨ 2×□=1×40
   2×□=40
      □=20

⇨ (호진이가 맞힌 문제 수)=20개
설아와 호진이가 틀린 문제 수의 비는 2 : 3이므로 틀린 문제 수를 각각 2×△, 3×△라고 하면
(40+2×△) : (20+3×△)=6 : 5

⇨ (40+2×△)×5=(20+3×△)×6
   200+10×△=120+18×△
   △=10이므로
설아가 푼 문제는 모두
40+2×10=40+20=60(개)입니다.

문제해결 Key
① 호진이가 맞힌 문제 수를 구합니다.
② (푼 문제 수)=(맞힌 문제 수)+(틀린 문제 수)를 이용하여 비례식을 세웁니다.
③ 비례식을 풉니다.
④ 설아가 푼 문제 수를 구합니다.

4 단원

18

→막대 ㉮, ㉯

길이가 다른 2개의 막대를 바닥이 평평한 수영장의 같은 곳에 수직으로 세웠더니 물 위로 나온 막대의 길이는 각각 막대 길이의 $\frac{1}{3}$, $\frac{1}{4}$이었습니다. 두 막대의 길이의 합이 3.4 m라면 막대를 세운 수영장의 물의 깊이는 몇 m인지 소수로 쓰시오. (단, 막대의 부피는 생각하지 않습니다.)

→ (물의 깊이)=㉮×$(1-\frac{1}{3})$, (물의 깊이)=㉯×$(1-\frac{1}{4})$

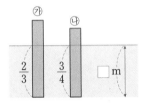

두 막대의 길이를 각각 ㉮ m, ㉯ m, 물의 깊이를 □ m라 하면

$㉮×\frac{2}{3}=□$, $㉯×\frac{3}{4}=□$

⇨ $㉮×\frac{2}{3}=㉯×\frac{3}{4}$

$㉮:㉯=\frac{3}{4}:\frac{2}{3}=9:8$

⇨ $㉮=3.4×\frac{9}{9+8}=\frac{34}{10}×\frac{9}{17}=\frac{18}{10}=1.8$이므로

□$=1.8×\frac{2}{3}=1.2$입니다.

🔑 **문제해결 Key**
① 물의 깊이를 □ m라 하여 두 막대의 길이를 □를 이용하여 나타냅니다.
② 두 막대의 길이의 비를 구합니다.
③ 비례배분하여 ㉮의 막대 길이를 구합니다.
④ 막대의 길이를 이용하여 물의 깊이를 구합니다.

STEP 4 TOP 최고수준 **98~99쪽**

01 48 cm **02** 37.5 m
03 오후 12시 40분 **04** 140 g, 280 g
05 5번, 19개 **06** 1 : 9

01 (선분 ㄱㄷ) : (선분 ㄷㄴ)=7 : 5=14 : 10
(선분 ㄱㄹ) : (선분 ㄹㄴ)=5 : 3=15 : 9이므로
(선분 ㄷㄹ) : (선분 ㄹㄴ)=1 : 9입니다.

선분 ㄷㄹ의 길이가 2 cm이므로 선분 ㄹㄴ의 길이를 △ cm라 하고 비례식을 세우면
1 : 9=2 : △ ⇨ 9×2=1×△, △=18
⇨ 선분 ㄱㄴ의 길이를 □ cm라 하면
□$×\frac{3}{5+3}=18$, □$×\frac{3}{8}=18$, □=48입니다.

💬 **다른 풀이**
선분 ㄱㄹ의 길이를 ■라 하면
5 : 3=■ : 18
3×■=5×18
3×■=90
■=30
⇨ (선분 ㄱㄴ)=30+18=48 (cm)

🔑 **문제해결 Key**
① 비의 성질을 이용하여 (선분 ㄷㄹ) : (선분 ㄹㄴ)을 구합니다.
② 선분 ㄹㄴ의 길이를 △ cm라 하고 비례식을 세워 비례식을 풉니다.
③ 선분 ㄱㄴ의 길이를 구합니다.

02 기차의 길이를 □ m라 하고 비례식을 세우면
30 : 22=(900+□) : (650+□)입니다.
30 : 22=(900+□) : (650+□)
⇨ 30×(650+□)=22×(900+□)
19500+30×□=19800+22×□
8×□=300
□=37.5
⇨ 기차의 길이는 37.5 m입니다.

🔑 **문제해결 Key**
① 기차의 길이를 □ m라 하고 비례식을 세웁니다.
② □를 구합니다.

03 이상한 시계는 한 시간에 45초$=\dfrac{45}{60}$분$=\dfrac{3}{4}$분씩 빨라지므로 정확한 시계가 60분 가는 동안 이상한 시계는 $60+\dfrac{3}{4}=60\dfrac{3}{4}$(분)씩 갑니다. 이상한 시계는 어느 날 오전 10시부터 다음날 오후 1시까지 27시간을 갑니다. 정확한 시계가 간 시간을 $\square$시간이라 하고 비례식을 세우면 $60:60\dfrac{3}{4}=\square:27$입니다.

$$60:60\dfrac{3}{4}=\square:27$$

$$\Rightarrow 60\dfrac{3}{4}\times\square=60\times27$$

$$60\dfrac{3}{4}\times\square=1620$$

$$\square=26\dfrac{2}{3}$$

$26\dfrac{2}{3}$시간은 26시간 40분이므로 오전 10시에서 26시간 40분 지난 후는 다음날 오후 12시 40분입니다.

🔑 문제해결 Key

① 정확한 시계가 60분 가는 동안 이상한 시계는 몇 분 가는지 알아봅니다.
② 이상한 시계가 오전 10시에서 다음날 오후 1시까지 간 시간을 알아봅니다.
③ ②의 시간 동안 정확한 시계가 간 시간을 구합니다.
④ 정확한 시계가 가리키는 시각을 구합니다.

04 만들어진 혼합물에서 (설탕)$:$(소금)$=2:1$이고 무게는 $420\,\text{g}$이므로

설탕: $420\times\dfrac{2}{2+1}=420\times\dfrac{2}{3}=280\,(\text{g})$

소금: $420\times\dfrac{1}{2+1}=420\times\dfrac{1}{3}=140\,(\text{g})$

설탕: 가$\times\dfrac{1}{1+1}+$나$\times\dfrac{3}{3+1}$
　　　$=$가$\times\dfrac{1}{2}+$나$\times\dfrac{3}{4}=280$ …… ①

소금: 가$\times\dfrac{1}{1+1}+$나$\times\dfrac{1}{3+1}$
　　　$=$가$\times\dfrac{1}{2}+$나$\times\dfrac{1}{4}=140$ …… ②

①$-$②를 하면 나$\times\dfrac{2}{4}=140$, 나$=280\,\text{g}$이므로

가$=420-280=140\,(\text{g})$입니다.

🔑 문제해결 Key

① 비례배분하여 설탕의 양과 소금의 양을 각각 구합니다.
② 설탕과 소금이 각각 가와 나에 얼마나 있는지 알아보는 식을 씁니다.
③ 혼합물 가와 나를 각각 몇 g씩 섞었는지 구합니다.

05 바구니 안에 100원짜리 동전과 500원짜리 동전이 섞여 있었습니다. 이때 100원짜리 동전의 수는 500원짜리 동전의 수의 3배입니다. 바구니 안에서 100원짜리 동전 5개와 500원짜리 동전 3개를 동시에 몇 번 꺼냈습니다. 10번 미만으로 동전을 몇 번 꺼내고 나니 남은 100원짜리 동전 수는 500원짜리 동전 수의 8배가 되었습니다. 동전을 몇 번 꺼냈고, 처음에 바구니 안에 있던 500원짜리 동전은 몇 개였는지 차례로 쓰시오.

→ 10 미만의 자연수　　→ 자연수

→ $5:3$의 비율로 꺼냄 $\Rightarrow 5:3=10:6=15:9=\cdots$

(처음 500원짜리 동전의 수)$=\square$개

(처음 100원짜리 동전의 수)$=(3\times\square)$개

100원짜리 동전과 500원짜리 동전을 $5:3$의 비로 꺼내므로 $\triangle$번 꺼낼 때

(꺼낸 100원짜리 동전 수)$:$(꺼낸 500원짜리 동전 수)
$=(5\times\triangle):(3\times\triangle)$가 됩니다.

(남은 100원짜리 동전 수)$=(3\times\square-5\times\triangle)$개,

(남은 500원짜리 동전 수)$=(\square-3\times\triangle)$개

남은 100원짜리 동전의 수와 500원짜리 동전 수의 비가 $8:1$이므로

$(3\times\square-5\times\triangle):(\square-3\times\triangle)=8:1$

$\Rightarrow 3\times\square-5\times\triangle=8\times\square-24\times\triangle$

$5\times\square=19\times\triangle$

$\square=\dfrac{19}{5}\times\triangle$

$\square$는 자연수이고 $\triangle$는 10 미만의 자연수이므로 $\triangle=5$, $\square=19$입니다.

$\Rightarrow$ 동전을 5번 꺼냈고 500원짜리 동전은 19개였습니다.

🔑 문제해결 Key

① 처음 500원짜리 동전의 수를 $\square$개라 할 때, 처음 100원짜리 동전의 수를 식으로 나타냅니다.
② 꺼낸 동전의 수의 비를 이용하여 $\triangle$번 꺼낸 동전의 수를 식으로 나타냅니다.
③ 남은 동전 수의 비를 이용하여 $\square$, $\triangle$를 구합니다.

4 단원

06

다음에서 (선분 ㄴㅁ)=(선분 ㅁㅂ)=(선분 ㅂㄷ)
이고 (선분 ㄱㄹ) : (선분 ㄹㄷ)=2 : 1입니다. 각
ㄴㅁㅅ과 각 ㅂㅁㄹ의 크기가 같을 때 삼각형
ㄴㅅㅁ의 넓이와 삼각형 ㄱㄴㄷ의 넓이의 비를 가
장 간단한 자연수의 비로 나타내어 보시오.
　　(단, 선분 ㄱㅅ과 선분 ㄹㅂ은 서로 평행합니다.)

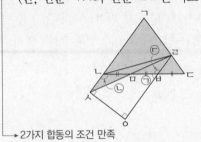

→ 2가지 합동의 조건 만족
→ 나머지 1가지 합동의 조건을 찾기

위 그림과 같이 선분 ㄹㅂ의 연장선을 그어 직선 ㄹㅇ을
만들어 선분 ㄱㅅ과 직선 ㄹㅇ에 수선을 긋습니다.
㉠+㉡+90°+90°=360°, ㉠+㉡=180°이고
㉠+㉢=180°이므로 ㉡=㉢입니다.
(선분 ㄴㅁ)=(선분 ㅁㅂ), (각 ㄴㅁㅅ)=(각 ㅂㅁㄹ)이
므로 삼각형 ㄴㅅㅁ과 삼각형 ㅂㄹㅁ은 합동입니다.
(삼각형 ㄹㄴㄷ의 넓이)

$$=(삼각형\ ㄱㄴㄷ의\ 넓이)\times\frac{1}{3}$$

(삼각형 ㄹㅁㅂ의 넓이)

$$=(삼각형\ ㄹㄴㄷ의\ 넓이)\times\frac{1}{3}$$

(삼각형 ㄹㅁㅂ의 넓이)

$$=(삼각형\ ㄱㄴㄷ의\ 넓이)\times\frac{1}{3}\times\frac{1}{3}$$

→ (삼각형 ㄴㅅㅁ의 넓이)

$$=(삼각형\ ㄱㄴㄷ의\ 넓이)\times\frac{1}{9}$$

⇨ (삼각형 ㄴㅅㅁ의 넓이) : (삼각형 ㄱㄴㄷ의 넓이)

　　　=1 : 9

🔑 문제해결 Key
① 삼각형 ㄴㅅㅁ과 삼각형 ㅂㄹㅁ이 합동임을 구합니다.
② 삼각형 ㄴㅅㅁ의 넓이는 삼각형 ㄱㄴㄷ의 넓이의 몇 분
　의 몇인지 구합니다.
③ ①과 ②를 이용하여 비를 구합니다.

5 원의 넓이

STEP 1 START 개념　　　　103쪽

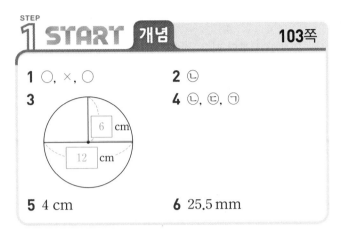

1 ○, ×, ○　　　　2 ㉡
3 （그림）　　　　4 ㉡, ㉢, ㉠
5 4 cm　　　　6 25.5 mm

1 원의 크기와 관계없이 원주율은 항상 일정합니다.

2 ㉡ 원주율은 일정합니다.

3

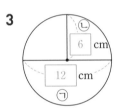

㉠ (지름)=(원주)÷3
　　　=36÷3=12 (cm)
㉡ (반지름)=12÷2=6 (cm)

4 지름으로 비교합니다.
㉠ 7×2=14 (cm)
㉡ 10 cm
㉢ 40.82÷3.14=13 (cm)
⇨ ㉡<㉢<㉠

다른 풀이
원주로 비교합니다.
㉠ (원주)=7×2×3.14=43.96 (cm)
㉡ (원주)=10×3.14=31.4 (cm)
㉢ 40.82 cm
⇨ ㉡<㉢<㉠

5 (반지름)=(원주)÷3.1÷2
　　　=24.8÷3.1÷2
　　　=8÷2=4 (cm)

참고
원의 반지름은 지름의 반입니다.

6 가장 큰 동전: 500원

→ (원주)=26.5×3=79.5 (mm)

가장 작은 동전: 10원

→ (원주)=18×3=54 (mm)

⇨ 79.5−54=25.5 (mm)

STEP 1 START 개념 **105쪽**

1 예 48 cm²	**2** 좁습니다.
3 151.9 cm²	**4** 78.5 cm²
5 ㉡, ㉠, ㉢	**6** 11.14 m²

1 (정사각형의 한 변의 길이)

=(원의 지름)

=(마름모의 대각선의 길이)

(정사각형의 넓이)=8×8=64 (cm²)

(마름모의 넓이)=8×8÷2=32 (cm²)

32 cm²<(원의 넓이)<64 cm²로 어림하면 맞습니다.

2

지름이 16 cm인 원은 한 변의 길이가 16 cm인 정사각형 안에 꼭 맞게 들어갑니다.

⇨ 원의 넓이는 정사각형의 넓이보다 좁습니다.

3 (원의 넓이)=7×7×3.1=151.9 (cm²)

4 (원의 지름)=(정사각형의 한 변의 길이)

=10 cm

(반지름)=10÷2=5 (cm)

⇨ (원의 넓이)=5×5×3.14=78.5 (cm²)

5 ㉠ 8×8×3=192 (cm²)

㉡ (반지름)=60÷3÷2=10 (cm)

⇨ 10×10×3=300 (cm²)

㉢ (반지름)=12÷2=6 (cm)

⇨ 6×6×3=108 (cm²)

⇨ ㉡>㉠>㉢

다른 풀이

반지름이 길수록 원의 넓이가 넓습니다.

㉠ (반지름)=8 cm

㉡ (반지름)=60÷3÷2=10 (cm)

㉢ (반지름)=12÷2=6 (cm)

⇨ ㉡>㉠>㉢

6

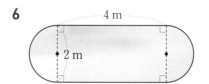

(땅의 넓이)=(직사각형의 넓이)+(원의 넓이)

=4×2+1×1×3.14

=8+3.14=11.14 (m²)

참고

반원 2개를 합치면 지름이 2 m인 원이 됩니다.

STEP 1 START 개념 **107쪽**

1 3.14 cm²

2 20.25 cm²

3 25 cm²

4 8 cm²

5 19.375 cm²

6 128 cm²

1

반원 부분을 옮겨 원의 넓이를 구합니다.

⇨ 1×1×3.14=3.14 (cm²)

2

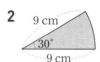

주어진 도형의 넓이는 반지름이 9 cm인 원의 넓이의

$\dfrac{30°}{360°}=\dfrac{1}{12}$입니다.

⇨ $9×9×3×\dfrac{1}{12}=20.25$ (cm²)

3

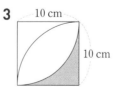

한 변의 길이가 10 cm인 정사각형의 넓이에서 반지름이

10 cm인 원의 넓이의 $\dfrac{1}{4}$을 뺀 것과 같습니다.

⇨ $10×10−10×10×3×\dfrac{1}{4}$

=100−75=25 (cm²)

5
단원

4

반원 부분을 옮겨 직사각형의 넓이를 구합니다.

➡ $4 \times 2 = 8 \,(\text{cm}^2)$

5

5 cm 5 cm

직각삼각형 부분을 옮겨 원의 넓이의 $\frac{1}{4}$을 구합니다.

➡ $5 \times 5 \times 3.1 \times \frac{1}{4} = 19.375 \,(\text{cm}^2)$

6

120° 8 cm

8 cm

(도형의 넓이) $=$ (원의 넓이) $\times \dfrac{240°}{360°}$

$= 8 \times 8 \times 3 \times \dfrac{2}{3} = 128 \,(\text{cm}^2)$

> **다른 풀이**
>
> (잘라낸 도형의 넓이) $= 8 \times 8 \times 3 \times \dfrac{1}{3}$
>
> $= 64 \,(\text{cm}^2)$
>
> (도형의 넓이) $=$ (원의 넓이) $-$ (잘라낸 도형의 넓이)
>
> $= 8 \times 8 \times 3 - 64$
>
> $= 128 \,(\text{cm}^2)$

STEP 2 JUMP 유형 108~115쪽

1-1 ❶ 예 $68.2 \div 3.1 = 22 \,(\text{cm})$

❷ 예 $49.6 \div 3.1 = 16$, $4 \times 4 = 16$이므로
(반지름) $= 4$ cm, (지름) $= 4 \times 2 = 8 \,(\text{cm})$
입니다.

❸ 예 지름으로 원의 크기를 비교하면 ⓒ>㉠>ⓒ
➡ 가장 큰 원은 ⓒ입니다.

; ⓒ

1-2 ⓒ

1-3 $452.16 \,\text{cm}^2$

2-1 ❶ 예 $70 \times 3.1 = 217 \,(\text{cm})$

❷ 예 굴렁쇠를 3바퀴 굴렸으므로 굴러간 거리는
$217 \times 3 = 651 \,(\text{cm})$입니다.

; 651 cm

2-2 502.4 cm

2-3 2바퀴

3-1 ❶ 예 $\left(\text{반지름이 } 12 \text{ cm인 원주의 } \dfrac{1}{4}\right)$

$= 12 \times 2 \times 3.14 \times \dfrac{1}{4} = 18.84 \,(\text{cm})$

❷ 예 $12 + 12 = 24 \,(\text{cm})$

❸ 예 $18.84 + 24 = 42.84 \,(\text{cm})$

; 42.84 cm

3-2 100 cm

3-3 37.7 cm

4-1 ❶ 예 $16 \times 16 = 256 \,(\text{cm}^2)$

❷ 예 (원의 반지름) $= 16 \div 2 = 8 \,(\text{cm})$

➡ (원의 넓이)

$= 8 \times 8 \times 3.14 = 200.96 \,(\text{cm}^2)$

❸ 예 $256 - 200.96 = 55.04 \,(\text{cm}^2)$

; 55.04 cm²

4-2 64.8 cm²

4-3 73 cm²

5-1 ❶ 예 (곡선 부분) $=$ (원주)

$= 10 \times 3.1 = 31 \,(\text{cm})$

❷ 예 (직선 부분) $=$ (원의 지름의 4배)

$= 10 \times 4 = 40 \,(\text{cm})$

❸ 예 $31 + 40 = 71 \,(\text{cm})$

; 71 cm

5-2 56.8 cm

5-3 3 cm

6-1 ❶ 예 $12 \times 12 \times 3 \times \dfrac{1}{4} = 108 \,(\text{cm}^2)$

❷ 예 $12 \times 12 \div 2 = 72 \,(\text{cm}^2)$

❸ 예 $(108 - 72) \times 2 = 36 \times 2 = 72 \,(\text{cm}^2)$

; 72 cm²

6-2 150 cm²

6-3 144 cm²

7-1 ❶

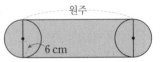

원주

6 cm

❷ 예 (가로) $= 6 \times 2 \times 3 = 36 \,(\text{cm})$

(세로) $= 6 \times 2 = 12 \,(\text{cm})$

➡ $36 \times 12 = 432 \,(\text{cm}^2)$

❸ 예 반지름이 6 cm인 원의 넓이와 같으므로
$6 \times 6 \times 3 = 108 \,(\text{cm}^2)$입니다.

❹ 예 $432 + 108 = 540 \,(\text{cm}^2)$

; 540 cm²

7-2 1550 cm²

7-3 208 cm²

8-1 ❶ 예 (트랙의 폭)×2×(원주율)만큼 늘어나므로
$1.2×2×3=7.2$ (m)입니다.

❷ 예 3번 트랙은 2번 트랙보다 7.2 m 더 늘어나
므로 1번 트랙보다 $7.2+7.2=14.4$ (m)
더 늘어납니다. 즉, 14.4 m 앞에서 출발해
야 합니다.

; 14.4 m

8-2 200.96 cm

1-2 반지름으로 원의 크기를 비교합니다.

ⓛ $75÷3=25$이고 $5×5=25$이므로
(ⓛ의 반지름)$=5$ cm입니다.

ⓒ (ⓒ의 반지름)$=18÷3÷2=3$ (cm)

반지름으로 원의 크기를 비교하면 ⓒ<ⓛ<㉠

⇨ 가장 작은 원은 ⓒ입니다.

1-3 지름으로 원의 크기를 비교합니다.

(㉠의 지름)$=12×2=24$ (cm)

(ⓒ의 지름)$=56.52÷3.14=18$ (cm)

지름으로 원의 크기를 비교하면 ㉠>ⓒ>ⓛ

⇨ 가장 큰 원은 ㉠입니다.

⇨ (㉠의 넓이)$=12×12×3.14=452.16$ (cm²)

> 🔑 **문제해결 Key**
> ① 지름으로 원의 크기를 비교합니다.
> ② 가장 큰 원의 넓이를 구합니다.

2-2 굴렁쇠가 한 바퀴 굴러간 거리는 굴렁쇠의 원주입니다.

(굴렁쇠의 원주)$=20×2×3.14=125.6$ (cm)

굴렁쇠를 4바퀴 굴렸으므로 굴러간 거리는

$125.6×4=502.4$ (cm)입니다.

2-3 접시가 한 바퀴 굴러간 거리는 접시의 원주입니다.

(접시의 원주)$=8×2×3.1=49.6$ (cm)

(접시의 원주)×(바퀴 수)$=99.2$

$49.6×$(바퀴 수)$=99.2$이므로

접시는 $99.2÷49.6=2$(바퀴) 굴렀습니다.

> 📎 **참고**
> 접시가 굴러간 거리를 접시의 원주로 나누면 몇 바퀴 굴렀
> 는지 알 수 있습니다.

> 🔑 **문제해결 Key**
> ① 접시의 원주를 구합니다.
> ② 접시가 굴러간 바퀴 수를 구합니다.

3-2

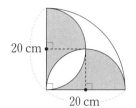

(색칠한 부분의 둘레)=(곡선 부분)+(직선 부분)

(곡선 부분)

$=\left($지름이 20 cm인 원주의 $\dfrac{1}{2}\right)×2$

$=20×3×\dfrac{1}{2}×2=60$ (cm)

(직선 부분)$=20+20=40$ (cm)

⇨ $60+40=100$ (cm)

3-3

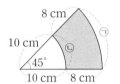

(색칠한 부분의 둘레)=(곡선 부분)+(직선 부분)

㉠과 ⓛ은 각각 반지름이 18 cm, 10 cm인 원주의

$\dfrac{45°}{360°}=\dfrac{1}{8}$입니다.

(곡선 부분)

$=㉠+ⓛ$

$=18×2×3.1×\dfrac{1}{8}+10×2×3.1×\dfrac{1}{8}$

$=13.95+7.75=21.7$ (cm)

(직선 부분)$=8+8=16$ (cm)

⇨ $21.7+16=37.7$ (cm)

> 🔑 **문제해결 Key**
> ① 곡선 부분의 길이를 구합니다.
> ② 직선 부분의 길이를 구합니다.
> ③ 색칠한 부분의 둘레를 구합니다.

4-2

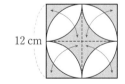

화살표로 표시한 부분은 서로 넓이가 같으므로 색칠한
부분의 넓이는 정사각형의 넓이에서 원의 넓이를 뺀
값의 2배입니다.

(정사각형의 넓이)$=12×12=144$ (cm²)

(원의 넓이)$=6×6×3.1=111.6$ (cm²)

(색칠한 부분의 넓이)

$=(144-111.6)×2=32.4×2=64.8$ (cm²)

4-3

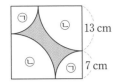

(색칠한 부분의 넓이)
= (정사각형의 넓이) − (㉠×2 + ㉡×2)
(정사각형의 넓이) = 20 × 20 = 400 (cm²)
(큰 반원의 넓이) = 13 × 13 × 3 ÷ 2 = 253.5 (cm²)
 ㉡×2
(작은 반원의 넓이) = 7 × 7 × 3 ÷ 2 = 73.5 (cm²)
 ㉠×2
⇨ 400 − (253.5 + 73.5) = 400 − 327 = 73 (cm²)

> **문제해결 Key**
> ① 정사각형의 넓이를 구합니다.
> ② 큰 반원의 넓이를 구합니다.
> ③ 작은 반원의 넓이를 구합니다.
> ④ 색칠한 부분의 넓이를 구합니다.

5-2

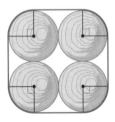

(사용한 끈의 길이)
= (곡선 부분) + (직선 부분)
(곡선 부분) = (원주)
　　　　　 = 8 × 3.1 = 24.8 (cm)
(직선 부분) = (원의 지름의 4배)
　　　　　 = 8 × 4 = 32 (cm)
⇨ (사용한 끈의 길이) = 24.8 + 32 = 56.8 (cm)

5-3

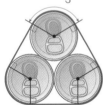

(곡선 부분) = (원주) = {(지름) × 3.14} cm
(직선 부분) = (원의 지름의 3배)
　　　　　 = {(지름) × 3} cm
음료수 캔의 지름을 ☐ cm라 하면
☐ × 3.14 + ☐ × 3 = 36.84
☐ × 6.14 = 36.84
☐ = 36.84 ÷ 6.14 = 6
음료수 캔의 지름은 6 cm입니다.
⇨ (음료수 캔의 반지름) = 6 ÷ 2 = 3 (cm)

> **문제해결 Key**
> ① 곡선 부분의 길이를 구합니다.
> ② 직선 부분의 길이를 구합니다.
> ③ 음료수 캔의 반지름을 구합니다.

6-2

 넓이가 같은 부분을 옮김 →
중심각이 60°인 부채꼴

중심각이 60°인 부채꼴의 넓이는
반지름이 10 cm인 원의 넓이의 $\frac{60°}{360°} = \frac{1}{6}$이 됩니다.
(색칠한 부분의 넓이)
$= 10 × 10 × 3 × \frac{1}{6} × 3 = 150$ (cm²)
　　　　　　　　　 → 중심각이 60°인 부채꼴이
　　　　　　　　　　 3개 있습니다.

6-3

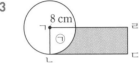

(원의 넓이) = 8 × 8 × 3 = 192 (cm²)
(㉠의 넓이)
$= (원의 넓이) × \frac{1}{4} = 192 × \frac{1}{4} = 48$ (cm²)
⇨ (색칠한 부분의 넓이)
= (직사각형 ㄱㄴㄷㄹ의 넓이) − (㉠의 넓이)
= (원의 넓이) − (㉠의 넓이)
= 192 − 48 = 144 (cm²)

> **문제해결 Key**
> ① 원의 넓이를 구합니다.
> ② ㉠의 넓이를 구합니다.
> ③ 색칠한 부분의 넓이를 구합니다.

> **다른 풀이**
> (㉠의 넓이) = (원의 넓이) × $\frac{1}{4}$
> ⇨ (색칠한 부분의 넓이)
> 　 = (원의 넓이) × $\frac{3}{4}$ = 8 × 8 × 3 × $\frac{3}{4}$ = 144 (cm²)

7-2

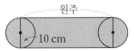

(직사각형의 넓이)
= 10 × 2 × 3.1 × 20 = 1240 (cm²)
(원의 넓이) = 10 × 10 × 3.1 = 310 (cm²)
⇨ 1240 + 310 = 1550 (cm²)

> **참고**
> (직사각형의 가로) = (원주)
> (직사각형의 세로) = (원의 지름)

7-3

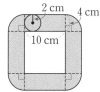

$90° × 4 = 360°$이므로 정사각형의 꼭짓점에 있는 원의
일부 4개를 합치면 반지름이 $4 cm$인 원 1개가 됩니다.
(원이 지나간 자리의 넓이)
$= 4 × 4 × 3 + 10 × 4 × 4$
$= 48 + 160 = 208 (cm^2)$

> **참고**
>
> (원이 지나간 자리의 넓이)
> $=$(반지름이 $4 cm$인 원의 넓이)$+$(직사각형의 넓이)$× 4$

> 🔑 **문제해결 Key**
>
> ① 원이 지나간 자리의 넓이 중 원의 넓이를 구합니다.
> ② 원이 지나간 자리의 넓이 중 직사각형의 넓이를 구합니다.
> ③ 원이 지나간 자리의 넓이를 구합니다.

8-2

물체와 벽 사이의 거리(cm)	10	12	14	16
벽에 생기는 원의 반지름(cm)	4	8	16	32

$⇨ 32 × 2 × 3.14 = 200.96 (cm)$

> 🔑 **문제해결 Key**
>
> ① 표를 이용해 물체와 벽 사이의 거리와 벽에 생기는 원의 반지름에 대한 규칙을 알아봅니다.
> ② 물체와 벽 사이의 거리가 $16 cm$일 때 벽에 생기는 그림자의 원주를 구합니다.

STEP 3 MASTER 심화 116~121쪽

01 ㉡, ㉠, ㉢	**02** $126 cm$
03 $315 m$	**04** $351.68 m$
05 $200 cm^2$	**06** $32 cm^2$
07 $6 cm$	**08** $289.6 cm^2$
09 $50 cm^2$	**10** 가, $20 cm$
11 $81 cm$	**12** $125 cm^2$
13 $1708.16 cm^2$	**14** $12 cm^2$
15 $625 cm^2$	**16** $25.56 cm^2$
17 $18.24 cm^2$	

01 지름이 더 길면 반지름도 더 길므로 지름의 길이로 비교해도 됩니다.
(㉡의 지름)$= 53.38 ÷ 3.14 = 17 (cm)$
(㉢의 지름)
$⇨$ (반지름)$×$(반지름)$× 3.14 = 113.04$
(반지름)$×$(반지름)$= 36$
$6 × 6 = 36$에서 반지름이 $6 cm$이므로 지름은
$6 × 2 = 12 (cm)$입니다.
지름을 비교하면 ㉡$>$㉠$>$㉢이므로 반지름이 긴 순서대로 쓰면 ㉡, ㉠, ㉢입니다.

> 🔑 **문제해결 Key**
>
> ① ㉡의 지름을 구합니다.
> ② ㉢의 지름을 구합니다.
> ③ 지름을 비교합니다.

> **다른 풀이**
>
> 원주가 더 길면 반지름도 더 길므로 원주를 비교해도 됩니다.
> (㉠의 원주)$= 15 × 3.14 = 47.1 (cm)$
> ㉢의 반지름은 $113.04 ÷ 3.14 = 36$에서 $6 cm$입니다.
> (㉢의 원주)$= 12 × 3.14 = 37.68 (cm)$
> $⇨$ ㉡$>$㉠$>$㉢

02 바깥쪽 원이 바로 안쪽 원보다 지름이 $6 cm$ 더 길므로 지름이 $8 cm$, $14 cm$, $20 cm$인 원주를 구하여 더합니다.
$⇨ 8 × 3 + 14 × 3 + 20 × 3 = 24 + 42 + 60$
$= 126 (cm)$

> 🔑 **문제해결 Key**
>
> ① 세 원의 지름을 각각 구합니다.
> ② 세 원의 원주를 각각 구합니다.
> ③ 수아가 그린 나이테의 둘레의 합을 구합니다.

03

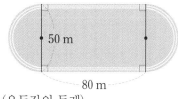

← 한쪽 곡선 부분은 지름이 $50 m$인 원주의 반입니다.

(운동장의 둘레)
$=$(지름이 $50 m$인 원주)$+$(직사각형의 가로)$× 2$
$= 50 × 3.1 + 80 × 2$
$= 155 + 160 = 315 (m)$

> 🔑 **문제해결 Key**
>
> ① 운동장의 둘레를 구하려면 어떤 길이를 더해야 하는지 알아봅니다.
> ② 지름이 $50 m$인 원주를 구합니다.
> ③ (직사각형의 가로)$× 2$를 구합니다.
> ④ 운동장의 둘레를 구합니다.

5 단원

04 굴렁쇠가 한 바퀴 굴러간 거리는 굴렁쇠의 원주와 같으므로 (굴렁쇠의 원주)=0.4×3.14=1.256 (m)
⇨ 집에서 학교까지의 거리는
1.256×280=351.68 (m)

05

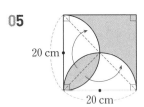

위의 그림과 같이 나누어 색칠한 부분의 일부를 옮기면 밑변의 길이와 높이가 각각 20 cm인 직각삼각형을 만들 수 있습니다. ⇨ 20×20÷2=200 (cm²)

> **🔑 문제해결 Key**
> ① 그림을 나누어 색칠한 부분의 일부를 옮겨 봅니다.
> ② 색칠한 부분의 넓이를 구합니다.

06

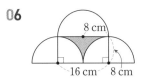

색칠한 부분의 넓이는 위의 그림과 같이 가로 16 cm, 세로 8 cm인 직사각형의 넓이에서 반지름이 8 cm인 반원의 넓이를 뺀 것과 같습니다.

$$16×8-8×8×3×\frac{1}{2}=128-96$$
$$=32 \text{ (cm}^2)$$

> **🔑 문제해결 Key**
> ① 선분을 그어 직사각형을 만듭니다.
> ② 직사각형의 넓이를 구합니다.
> ③ 반원의 넓이를 구합니다.
> ④ 색칠한 부분의 넓이를 구합니다.

07 (지름이 17 cm인 원주)
=17×3.14=53.38 (cm)
(지름이 11 cm인 원주)
=11×3.14=34.54 (cm)
(두 원주의 차)=53.38-34.54=18.84 (cm)
⇨ 원주가 18.84 cm인 원의 지름은
18.84÷3.14=6 (cm)

> **🔑 문제해결 Key**
> ① 지름이 17 cm, 11 cm인 원주를 각각 구합니다.
> ② 두 원주의 차를 구합니다.
> ③ ②에서 구한 값은 지름이 몇 cm인 원주인지 구합니다.

08

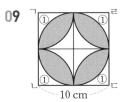

120°×3=360°이므로 삼각형의 꼭짓점에 있는 원의 일부 3개를 합치면 반지름이 4 cm인 원 1개가 됩니다.
(원이 지나간 자리의 넓이)
=(반지름이 4 cm인 원의 넓이)+(가로가 20 cm, 세로가 4 cm인 직사각형 3개의 넓이)
=4×4×3.1+20×4×3
=49.6+240=289.6 (cm²)

> **🔑 문제해결 Key**
> ① 원이 지나간 자리의 넓이 중 원의 넓이를 구합니다.
> ② 원이 지나간 자리의 넓이 중 직사각형의 넓이를 구합니다.
> ③ 원이 지나간 자리의 넓이를 구합니다.

09

(정사각형 ㄱㄴㄷㄹ의 넓이)=10×10=100 (cm²)
(원의 넓이)=5×5×3=75 (cm²)
(정사각형의 넓이)-(원의 넓이)
=100-75=25 (cm²)
(①×4)인 25 cm²는 가운데 색칠하지 않은 부분의 넓이와 같으므로 원의 넓이에서 (①×4)를 빼면
75-25=50 (cm²)입니다.

> **🔑 문제해결 Key**
> ① 정사각형 ㄱㄴㄷㄹ과 원의 넓이를 각각 구합니다.
> ② 정사각형의 넓이에서 원의 넓이를 뺍니다.
> ③ 원의 넓이에서 ②의 값을 뺍니다.

> **다른 풀이**
>
> 원의 넓이에서 마름모 ㅁㅂㅅㅇ의 넓이를 빼면 (①×4)의 넓이가 됩니다.
>
> 5×5×3-10×10÷2=75-50=25 (cm²)
> ①×4=②×4이므로
> 색칠한 부분의 넓이는 25×2=50 (cm²)입니다.

10 가에 필요한 끈:

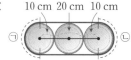

$(㉠+㉡)=(지름이\ 20\ cm인\ 원주)$

$20×3.14+(10+20+10)×2=62.8+80$
$=142.8\ (cm)$

나에 필요한 끈:

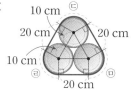

$(㉢+㉣+㉤)=(지름이\ 20\ cm인\ 원주)$

$20×3.14+20×3=62.8+60$
$=122.8\ (cm)$

⇨ 가가 $142.8-122.8=20\ (cm)$ 더 많이 필요합니다.

🔑 문제해결 Key
① 가에 필요한 끈의 길이를 구합니다.
② 나에 필요한 끈의 길이를 구합니다.
③ ①과 ②의 차를 구하여 어느 쪽이 몇 cm 더 많이 필요한지 구합니다.

다른 풀이
가: $(원\ 1개의\ 원주)+(지름)×4$
나: $(원\ 1개의\ 원주)+(지름)×3$
⇨ 가가 지름만큼 더 많이 필요합니다.

11

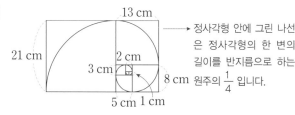

정사각형 안에 그린 나선은 정사각형의 한 변의 길이를 반지름으로 하는 원주의 $\frac{1}{4}$ 입니다.

한 변의 길이가 1 cm인 정사각형에 그린 나선부터 순서대로 길이를 구합니다.

$2×3×\frac{1}{4}=1.5\ (cm),\ 2×3×\frac{1}{4}=1.5\ (cm)$

$4×3×\frac{1}{4}=3\ (cm),\ 6×3×\frac{1}{4}=4.5\ (cm)$

$10×3×\frac{1}{4}=7.5\ (cm),\ 16×3×\frac{1}{4}=12\ (cm)$

$26×3×\frac{1}{4}=19.5\ (cm),\ 42×3×\frac{1}{4}=31.5\ (cm)$

⇨ $1.5+1.5+3+4.5+7.5+12+19.5+31.5$
$=81\ (cm)$

🔑 문제해결 Key
① 8개의 정사각형에 그린 나선의 길이를 각각 구합니다.
② ①에서 구한 나선의 길이의 합을 구합니다.

12

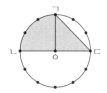

위의 그림과 같이 선분 ㄱㅇ을 그어 보면 각 ㄱㅇㄴ과 각 ㄱㅇㄷ이 90°이므로 원의 $\frac{1}{4}$과 직각삼각형으로 이루어져 있습니다.

⇨ (색칠한 부분의 넓이)

$=\left(10×10×3×\frac{1}{4}\right)+(10×10÷2)$

$=75+50=125\ (cm^2)$

🔑 문제해결 Key
① 각 ㄱㅇㄴ이 90°인 부채꼴의 넓이를 구합니다.
② 각 ㄱㅇㄷ이 90°인 직각삼각형의 넓이를 구합니다.
③ 색칠한 부분의 넓이를 구합니다.

13

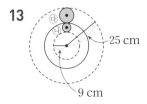

원 ㉯와 원 ㉰가 지나간 곳은
반지름이 $15+10=25\ (cm)$인 원의 넓이에서
반지름이 $15-6=9\ (cm)$인 원의 넓이를 뺀 것과 같습니다.

⇨ $25×25×3.14-9×9×3.14$
$=1962.5-254.34=1708.16\ (cm^2)$

🔑 문제해결 Key
① 원 ㉯와 ㉰가 지나간 곳의 넓이를 어떻게 구하는지 알아봅니다.
② 필요한 반지름을 구합니다.
③ 원 ㉯와 ㉰가 지나간 곳의 넓이를 구합니다.

14

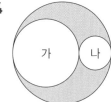

$(지름이\ 12\ cm인\ 원의\ 넓이)$
$=6×6×3=108\ (cm^2)$
(원 가, 나의 넓이의 합)$=108-48=60\ (cm^2)$
원 가, 나의 넓이의 비
⇨ $(2×2×3):(1×1×3)=12:3=4:1$
⇨ (원 나의 넓이)$=60×\frac{1}{5}=12\ (cm^2)$

5 단원

다른 풀이

지름이 12 cm이고 반지름의 비가 2 : 1이면
지름의 비도 2 : 1이므로
4 : 2 = 6 : 3 = 8 : 4 = ……

➡ 원 나의 지름이 4 cm이므로
(넓이) = 2 × 2 × 3 = 12 (cm²)

15 청소기가 닿지 않는 부분을 그림으로 표시하면 왼쪽 그림과 같고, 이 부분은 오른쪽 그림의 색칠한 부분과 같습니다.

➡ 50 × 50 − 25 × 25 × 3
= 2500 − 1875 = 625 (cm²)

문제해결 Key

① 청소기가 닿지 않는 부분을 그림으로 표시합니다.
② 청소기가 닿지 않는 부분의 넓이를 구합니다.

16

다음 그림은 한 변의 길이가 12 cm인 정사각형 안에 지름이 12 cm인 반원과 반지름이 12 cm인 원의 일부 2개를 그린 것입니다. 가와 나의 넓이의 차는 몇 cm²입니까? (원주율: 3.14)

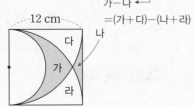

가−나
= (가+다) − (나+라)
$= \left(12 × 12 × 3.14 × \dfrac{1}{4} − 6 × 6 × 3.14 × \dfrac{1}{2}\right)$
$\quad − \left(12 × 12 − 12 × 12 × 3.14 × \dfrac{1}{4}\right)$
= (113.04 − 56.52) − (144 − 113.04)
= 56.52 − 30.96 = 25.56 (cm²)

참고

㉠ − ㉡ = (㉠ + ■) − (㉡ + ■)

문제해결 Key

① 가+다의 넓이를 구합니다.
② 나+라의 넓이를 구합니다.
③ ①−②의 값을 구합니다.

17

(색칠한 부분의 넓이)
= (부채꼴 ㄴㄱㄷ의 넓이)
$\quad − \left(\text{지름이 16 cm인 원의 넓이의 } \dfrac{1}{4}\right)$
$\quad − (\text{삼각형 ㄹㄴㅇ의 넓이})$
$= 16 × 16 × 3.14 × \dfrac{1}{8} − 8 × 8 × 3.14 × \dfrac{1}{4} − 8 × 8 ÷ 2$
= 100.48 − 50.24 − 32 = 18.24 (cm²)

문제해결 Key

색칠한 부분의 넓이는 부채꼴 ㄴㄱㄷ의 넓이에서 지름이 16 cm인 원의 넓이의 $\dfrac{1}{4}$과 삼각형 ㄹㄴㅇ의 넓이를 차례로 빼서 구합니다.

STEP 4 TOP 최고수준 122~123쪽

01 10번   **02** 64.325 m²
03 478.5 cm²   **04** 6.88 cm²
05 144 cm²

01

다음과 같이 반지름이 각각 20 cm, 30 cm인 두 바퀴가 있습니다. 두 바퀴는 길이가 4.32 m인 벨트로 연결되어 있습니다. 두 바퀴의 회전수의 합이 60번일 때, 벨트의 회전수는 몇 번입니까?

(큰 (작은) 바퀴가 움직인 거리) ÷ (벨트의 길이)   (원주율: 3)

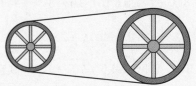

반지름의 비를 가장 간단한 자연수의 비로 나타내기
20 : 30 = (20 ÷ 10) : (30 ÷ 10) = 2 : 3

두 바퀴의 반지름이 각각 20 cm, 30 cm이므로 반지름의 비는 2 : 3이고, 원주의 비도 2 : 3입니다.

작은 바퀴가 3번 도는 동안 큰 바퀴는 2번 돌고
$(3 \times \square) + (2 \times \square) = 60$, $5 \times \square = 60$, $\square = 12$이므로
작은 바퀴는 $3 \times 12 = 36$(번), 큰 바퀴는 $2 \times 12 = 24$(번) 돕니다.
(큰 바퀴가 24번 회전할 때 움직인 길이)
$= 30 \times 2 \times 3 \times 24 = 4320$ (cm)
⇨ 벨트의 길이가 4.32 m = 432 cm이므로 벨트의 회전수는 $4320 \div 432 = 10$(번)입니다.

🔑 문제해결 Key
① 두 바퀴의 반지름의 비를 이용하여 두 바퀴의 회전수를 구합니다.
② 큰 바퀴가 24번 회전할 때 움직인 길이를 구합니다.
③ 벨트의 회전수를 구합니다.

02
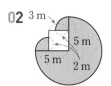

염소가 풀을 뜯기 위해 움직일 수 있는 범위는 색칠한 부분과 같습니다.
$5 \times 5 \times 3.1 \times \dfrac{3}{4} + 2 \times 2 \times 3.1 \times \dfrac{1}{4} \times 2$
$= 58.125 + 6.2 = 64.325$ (m²)

🔑 문제해결 Key
① 염소가 움직일 수 있는 범위를 그려 봅니다.
② 넓이를 구해야 할 원의 반지름을 구합니다.
③ 움직일 수 있는 범위의 넓이를 구합니다.

03 색칠한 부분을 모아보면 다음 그림과 같습니다.

 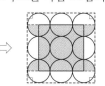

(색칠한 부분의 넓이)
= (한 변의 길이가 20 cm인 정사각형의 넓이)
   + (반지름이 5 cm인 원의 넓이)
$= (20 \times 20) + (5 \times 5 \times 3.14)$
$= 400 + 78.5 = 478.5$ (cm²)

🔑 문제해결 Key
① 넓이를 구할 수 있도록 색칠한 부분을 모아 봅니다.
② 정사각형의 넓이를 구합니다.
③ 원의 넓이를 구합니다.
④ 색칠한 부분의 넓이를 구합니다.

04 톱니바퀴가 지나가지 않은 부분의 넓이는 다음과 같이 색칠한 부분의 넓이와 같습니다.

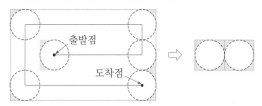

⇨ $4 \times 4 \times 2 - 2 \times 2 \times 3.14 \times 2 = 6.88$ (cm²)

🔑 문제해결 Key
① 톱니바퀴가 지나가지 않은 부분의 넓이를 그림으로 나타내어 봅니다.
② 톱니바퀴가 지나가지 않은 부분의 넓이를 구합니다.

05
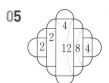

원주의 $\dfrac{1}{2}$만큼이 4개, 원주의 $\dfrac{1}{4}$만큼이 8개이므로 주어진 도형의 둘레는 원주의 4배와 같습니다.
반지름을 $\square$ cm라 하면
$\square \times 2 \times 3 \times 4 = 48$, $\square = 2$입니다.
⇨ 주어진 도형의 넓이를 위와 같이 나누어 계산하면
$(2 \times 2 \times 3) \times 4 + (4 \times 12) + (2 \times 8) \times 2 + (2 \times 4) \times 2$
$= 144$ (cm²)

🔑 문제해결 Key
① 도형의 둘레가 원주의 몇 배인지 알아봅니다.
② 도형의 둘레를 이용하여 원의 반지름을 구합니다.
③ 도형의 넓이를 구합니다.

5단원

6 원기둥, 원뿔, 구

1

	원기둥	사각기둥
밑면의 수	2	2
꼭짓점의 수	0	8
모서리의 수	0	12

2 예 위아래에 있는 면이 서로 합동이 아닙니다.

3

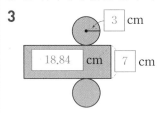

4 직사각형

5 37 cm

6 82 cm

1 원기둥에는 꼭짓점과 모서리가 없습니다.

> **참고**
> (각기둥의 꼭짓점의 수)=(한 밑면의 변의 수)×2
> (각기둥의 모서리의 수)=(한 밑면의 변의 수)×3

3 (옆면의 세로)=(원기둥의 높이)=7 cm
(옆면의 가로)=(한 밑면의 둘레)
$=3×2×3.14=18.84$ (cm)

4

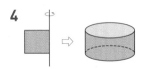

5 (옆면의 넓이)=(옆면의 가로)×(옆면의 세로)
(옆면의 가로)=370÷10=37 (cm)
⇨ (한 밑면의 둘레)=(옆면의 가로)=37 cm

6 (옆면의 가로)=(한 밑면의 둘레)
$=5×2×3.1=31$ (cm)
(옆면의 세로)=(원기둥의 높이)=10 cm
⇨ (옆면의 둘레)=(31+10)×2=82 (cm)

1 10 cm, 셀 수 없이 많습니다.

2 ⓒ   **3** 5 cm

4 4개   **5** 12 cm

6 원뿔

1 원뿔의 꼭짓점과 밑면인 원의 둘레의 한 점을 잇는 선분의 길이는 10 cm이고, 셀 수 없이 많습니다.

2 구는 어느 방향에서 보아도 원으로 보이며 모양이 같습니다.

3 돌리기 전 반원의 반지름이 구의 반지름이 되므로 반원의 반지름은 5 cm입니다.

4 ㉠ 1개 ㉡ 2개 ㉢ 1개
⇨ 1+2+1=4(개)

5 (구의 반지름)=(반원의 반지름)=6 cm
⇨ (구의 지름)=6×2=12 (cm)

6 회전축을 품은 평면으로 잘랐을 때 삼각형, 회전축에 수직인 평면으로 잘랐을 때 원인 입체도형은 원뿔입니다.

1-1 ❶ 예 모선에 사용한 철사는 5군데이고 모선의 길이는 모두 같습니다.
⇨ (모선에 사용한 철사의 길이)
$=10×5=50$ (cm)
❷ 예 (밑면에 사용한 철사의 길이)
$=65-50=15$ (cm)
; 15 cm

1-2 78 cm

1-3 46 cm

2-1 ❶ 예 옆면은 직사각형이고 옆면의 가로는 밑면의 둘레와 같습니다.
⇨ (옆면의 둘레)
$=(15+10)×2=50$ (cm)
❷ 예 (전개도의 둘레)
$=$(한 밑면의 둘레)×2+(옆면의 둘레)
$=15×2+50=80$ (cm)
; 80 cm

2-2 140 cm

2-3 5 cm

3-1 ❶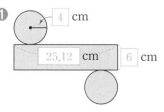

❷ 예) $25.12 \times 6 = 150.72$ (cm²)

; 150.72 cm²

3-2 74.4 cm²

3-3 150.72 cm²

4-1 ❶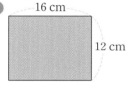

❷ 예) 원기둥을 앞에서 본 모양은 가로가 16 cm, 세로가 12 cm인 직사각형

⇨ (직사각형의 둘레)

$= (16 + 12) \times 2 = 28 \times 2 = 56$ (cm)

; 56 cm

4-2 72 cm

4-3 49 cm

5-1 ❶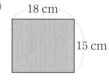

❷ 예) 원기둥을 앞에서 본 모양은 가로가 18 cm, 세로가 15 cm인 직사각형

⇨ (직사각형의 넓이)

$= 18 \times 15 = 270$ (cm²)

; 270 cm²

5-2 266 cm²

5-3 172 cm²

6-1 ❶

❷ 예) 회전축을 품은 평면으로 자른 단면은 직사각형 모양이므로

(단면의 넓이) $= 14 \times 18 = 252$ (cm²)

; 252 cm²

6-2 90 cm²

6-3 84 cm²

7-1 ❶

❷ 예) 반지름이 5 cm인 원이 됩니다.

⇨ (단면의 넓이) $= 5 \times 5 \times 3 = 75$ (cm²)

; 75 cm²

7-2 111.6 cm²

7-3 141.3 cm²

1-2 1.5 m = 150 cm, 모선에 사용한 철사는 4군데이고 모선의 길이는 모두 같으므로

(모선에 사용한 철사의 길이) $= 18 \times 4 = 72$ (cm)

⇨ (밑면에 사용한 철사의 길이) $= 150 - 72 = 78$ (cm)

1-3 선분 ㄱㄴ, 선분 ㄱㄷ, 선분 ㄱㄹ, 선분 ㄱㅁ, 선분 ㄱㅂ은 모두 모선이고 모선에 사용한 철사의 길이는 $387 - 157 = 230$ (cm)입니다. 모선의 길이는 모두 같으므로 (선분 ㄱㄷ) $= 230 \div 5 = 46$ (cm)입니다.

> 🔑 **문제해결 Key**
> ① 모선에 사용한 철사의 길이를 구합니다.
> ② ①에서 구한 것을 5로 나눕니다.

2-2 옆면은 직사각형이고 옆면의 가로는 밑면의 둘레와 같습니다.

(옆면의 둘레) $= (31 + 8) \times 2 = 78$ (cm)

(전개도의 둘레) $= 31 \times 2 + 78 = 140$ (cm)

> ◀ **다른 풀이** ▶
> (한 밑면의 둘레) $\times 4 +$ (옆면의 세로) $\times 2$
> $= 31 \times 4 + 8 \times 2 = 140$ (cm)

2-3 한 밑면의 둘레를 ☐ cm라 하면

(전개도의 둘레)

$= ☐ \times 2 + (☐ + 13 + ☐ + 13)$

$= ☐ \times 4 + 26 = 150, ☐ \times 4 = 124, ☐ = 31$

한 밑면의 둘레가 31 cm이고 밑면의 반지름을 ○ cm라 하면 $○ \times 2 \times 3.1 = 31, ○ = 5$

> 🔑 **문제해결 Key**
> ① 한 밑면의 둘레를 구합니다.
> ② 밑면의 반지름을 구합니다.

3-1 ❶ (옆면의 가로) = (한 밑면의 둘레)

$= 4 \times 2 \times 3.14 = 25.12$ (cm)

6 단원

3-2 12.4÷3.1÷2=2이므로 원기둥의 한 밑면의 반지름은 2 cm입니다.
(원의 넓이)=2×2×3.1=12.4 (cm²)
(옆면의 넓이)=12.4×4=49.6 (cm²)
(전개도의 넓이)=12.4×2+49.6=74.4 (cm²)

3-3

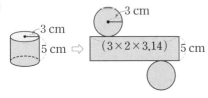

(원의 넓이)=3×3×3.14=28.26 (cm²),
(옆면의 가로)=3×2×3.14=18.84 (cm),
(옆면의 넓이)=18.84×5=94.2 (cm²)
⇨ (전개도의 넓이)=28.26×2+94.2
=150.72 (cm²)

🔑 **문제해결 Key**
① 원의 넓이를 구합니다.
② 옆면의 넓이를 구합니다.
③ 전개도의 넓이를 구합니다.

4-2 구를 위, 앞, 옆에서 본 모양은 모두 원입니다.
지름이 24 cm인 원주를 구합니다.
(원주)=24×3=72 cm

4-3

원뿔을 앞에서 본 모양은 위와 같이 밑변의 길이가 14 cm, 길이가 같은 두 변의 길이가 각각 17.5 cm인 이등변삼각형입니다.
(삼각형의 둘레)
=14+17.5×2=14+35=49 (cm)

🔑 **문제해결 Key**
① 앞에서 본 모양을 알아봅니다.
② ①의 도형의 둘레를 구합니다.

5-2

앞에서 본 모양은 위와 같이 윗변의 길이가 14 cm, 아랫변의 길이가 24 cm, 높이가 14 cm인 사다리꼴입니다.
(사다리꼴의 넓이)=(14+24)×14÷2
=266 (cm²)

5-3 앞에서 본 모양은 다음과 같습니다.

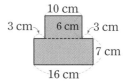

(10×6)+(16×7)=60+112=172 (cm²)

🔑 **문제해결 Key**
① 앞에서 본 모양을 알아봅니다.
② ①의 도형의 넓이를 구합니다.

6-2 원뿔을 회전축을 품은 평면으로 자른 단면의 모양은 삼각형 모양입니다.

⇨ (단면의 넓이)=12×15÷2=90 (cm²)

6-3 입체도형을 회전축을 품은 평면으로 자른 단면의 모양은 직사각형 모양 2개입니다.

⇨ (단면의 넓이)=(3×14)×2=84 (cm²)

🔑 **문제해결 Key**
① 자른 단면의 모양을 알아봅니다.
② 단면의 넓이를 구합니다.

7-2 회전축에 수직인 평면이 구의 중심을 지날 때 단면의 넓이가 가장 넓습니다.
⇨ 6×6×3.1=111.6 (cm²)

7-3 수직인 평면으로 자른 단면은 다음과 같습니다.

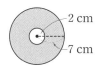

$\Rightarrow$ (단면의 넓이)$=7\times7\times3.14-2\times2\times3.14$
$$=153.86-12.56=141.3\,(\text{cm}^2)$$

> 🔑 **문제해결 Key**
> ① 자른 단면의 모양을 알아봅니다.
> ② 단면의 넓이를 구합니다.

STEP
3 MASTER 심화 **137~141쪽**

01 141.6 cm	**02** 12 cm
03 942 cm^2	**04** 243 cm^2
05 1364 cm^2	**06** 120 cm^2
07 1884 cm^2	**08** 32 cm
09 112 cm^2	**10** 4
11 4 cm	**12** 43.5 cm^2
13 29 cm^2	**14** 235.5 cm^2
15 320 cm^2	

01 (옆면의 가로)$=251.2\div8=31.4$ (cm)이므로
한 밑면의 둘레도 31.4 cm입니다.
(전개도의 둘레)
$=$(한 밑면의 둘레)$\times2+$(옆면의 둘레)
$=31.4\times2+(31.4+8)\times2$
$=62.8+78.8=141.6$ (cm)

> 📌 **참고**
>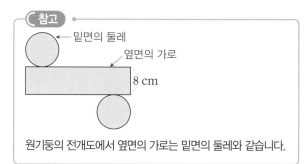
> 밑면의 둘레
> 옆면의 가로
> 8 cm
> 원기둥의 전개도에서 옆면의 가로는 밑면의 둘레와 같습니다.

02 원기둥의 밑면의 지름은 정육면체의 한 모서리의 길이와
같고 원기둥의 높이와도 같습니다.
$\Rightarrow 6\times2=12$ (cm)

---

03 20 cm인 변을 축으로 하여 돌렸을 때 자른 단면:
$10\times10\times3.14=314\,(\text{cm}^2)$
10 cm인 변을 축으로 하여 돌렸을 때 자른 단면:
$20\times20\times3.14=1256\,(\text{cm}^2)$
$\Rightarrow 1256-314=942\,(\text{cm}^2)$

> 📌 **참고**
>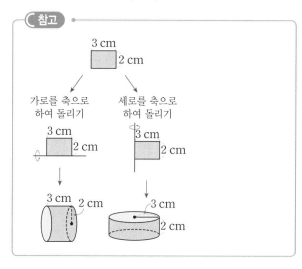
> 3 cm
> 2 cm
> 가로를 축으로 하여 돌리기   세로를 축으로 하여 돌리기
> 3 cm   2 cm   3 cm   2 cm
> 3 cm   2 cm   3 cm   2 cm

04 구의 중심을 지나도록 자르면 자른 면의 넓이가 최대가
됩니다.
$\Rightarrow 9\times9\times3=243\,(\text{cm}^2)$

> 🔑 **문제해결 Key**
> ① 회전축을 품은 평면으로 잘랐을 때의 도형을 알아봅니다.
> ② ①의 도형의 넓이를 구합니다.

05 (한 밑면의 넓이)$=11\times11\times3.1=375.1\,(\text{cm}^2)$
(옆면의 넓이)$=11\times2\times3.1\times9=613.8\,(\text{cm}^2)$
$\Rightarrow$ (원기둥의 전개도의 넓이)
$=375.1\times2+613.8$
$=1364\,(\text{cm}^2)$

> 🔑 **문제해결 Key**
> ① 한 밑면의 넓이를 구합니다.
> ② 옆면의 넓이를 구합니다.
> ③ 원기둥의 전개도의 넓이를 구합니다.

06 돌리기 전의 평면도형은 다음과 같습니다.

26 cm   24 cm
10 cm

$\Rightarrow$ (넓이)$=10\times24\div2=120\,(\text{cm}^2)$

> 🔑 **문제해결 Key**
> ① 돌리기 전의 평면도형을 알아봅니다.
> ② ①의 평면도형의 넓이를 구합니다.

07 (롤러의 옆면의 넓이)
$=5 \times 2 \times 3.14 \times 20 = 628\,(cm^2)$
원기둥 모양의 롤러에 페인트를 묻혀 3바퀴 굴렸으므로
(페인트가 칠해진 부분의 넓이)
$=628 \times 3 = 1884\,(cm^2)$

> 🔑 **문제해결 Key**
> ① 롤러의 옆면의 넓이를 구합니다.
> ② 페인트가 칠해진 부분의 넓이를 구합니다.

08

원뿔을 앞에서 본 모양은 위의 그림과 같은 세 각의 크기가 $60°$인 정삼각형이고 한 변의 길이는 각각 $8+8=16\,(cm)$입니다. 개미는 모선을 따라 올라갔다가 내려왔으므로 개미가 움직인 거리는 $16 \times 2 = 32\,(cm)$입니다.

09 단면의 모양은 한 대각선의 길이가 $16\,cm$, 다른 대각선의 길이가 $14\,cm$인 마름모가 됩니다.
⇨ (단면의 넓이)$=16 \times 14 \div 2 = 112\,(cm^2)$

> 🔑 **문제해결 Key**
> ① 단면의 모양을 알아봅니다.
> ② 단면의 넓이를 구합니다.

10 원뿔을 앞에서 보았을 때의 넓이:
$12 \times 8 \div 2 = 48\,(cm^2)$
원기둥을 앞에서 보았을 때의 넓이: $(\square \times 2 \times 6)\,cm^2$
⇨ $48 = \square \times 2 \times 6$, $12 \times \square = 48$, $\square = 4$

> 🔑 **문제해결 Key**
> ① 원뿔을 앞에서 본 도형의 넓이를 구합니다.
> ② 원기둥을 앞에서 본 도형의 넓이 구하는 식을 씁니다.
> ③ $\square$ 안에 알맞은 수를 구합니다.

11 각 입체도형을 앞에서 본 모양은 다음과 같습니다.
〈변 ㄱㄷ을 기준으로 돌렸을 때〉

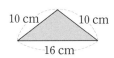

〈변 ㄴㄷ을 기준으로 돌렸을 때〉

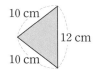

변 ㄱㄷ을 기준으로 돌렸을 때 앞에서 본 모양의 둘레:
$10+16+10 = 36\,(cm)$
변 ㄴㄷ을 기준으로 돌렸을 때 앞에서 본 모양의 둘레:
$10+10+12 = 32\,(cm)$
⇨ (둘레의 차)$=36-32 = 4\,(cm)$

> 🔑 **문제해결 Key**
> ① 변 ㄱㄷ을 기준으로 돌렸을 때 앞에서 본 모양의 둘레를 구합니다.
> ② 변 ㄴㄷ을 기준으로 돌렸을 때 앞에서 본 모양의 둘레를 구합니다.
> ③ ①과 ②에서 구한 둘레의 차를 구합니다.

12 돌리기 전의 평면도형:

⇨ (평면도형의 넓이)
$=$(삼각형의 넓이)$+$(직사각형의 넓이)
$=(6 \times 4.5 \div 2) + (6 \times 5)$
$=13.5 + 30 = 43.5\,(cm^2)$

> 🔑 **문제해결 Key**
> ① 돌리기 전의 평면도형을 알아봅니다.
> ② 평면도형의 넓이를 구합니다.

13 ㉮의 입체도형을 앞에서 본 모양은 밑변의 길이가 $12\,cm$, 높이가 $6\,cm$인 삼각형이므로
(넓이)$=12 \times 6 \div 2 = 36\,(cm^2)$입니다.
㉯의 입체도형을 앞에서 본 모양은 윗변의 길이가 $10\,cm$, 아랫변의 길이가 $16\,cm$, 높이가 $5\,cm$인 사다리꼴이므로 (넓이)$=(10+16) \times 5 \div 2 = 65\,(cm^2)$입니다.
⇨ (넓이의 차)$=65-36 = 29\,(cm^2)$

> ⚠ **주의**
> ㉯의 입체도형을 회전축을 품은 평면으로 자른 단면
>
>
>
> ㉯의 입체도형을 앞에서 본 모양
>
> 따라서 앞에서 본 모양을 돌리기 전 평면도형의 2배라고 생각해서는 안됩니다.

문제해결 Key
① ㉮와 ㉯를 돌려 만든 입체도형을 각각 앞에서 본 모양을 알아봅니다.
② ㉮와 ㉯를 돌려 만든 입체도형을 각각 앞에서 본 모양의 넓이를 구합니다.
③ ②에서 구한 넓이의 차를 구합니다.

14 가장 큰 단면은 반지름이 10 cm인 원이므로 넓이는
$10 \times 10 \times 3.14 = 314$ (cm²)입니다.
가장 작은 단면은 반지름이 5 cm인 원이므로 넓이는
$5 \times 5 \times 3.14 = 78.5$ (cm²)입니다.
⇨ $314 - 78.5 = 235.5$ (cm²)

문제해결 Key
① 단면의 넓이가 가장 클 때의 넓이를 구합니다.
② 단면의 넓이가 가장 작을 때의 넓이를 구합니다.
③ ①과 ②에서 구한 넓이의 차를 구합니다.

15 한 직선을 축으로 하여 한 바퀴 돌리면 왼쪽과 같고 자른 단면은 오른쪽과 같습니다.

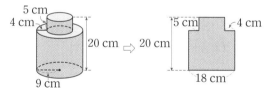

(단면의 넓이) $= 18 \times 20 - 4 \times 5 \times 2$
$\qquad\qquad = 360 - 40 = 320$ (cm²)

문제해결 Key
① 입체도형을 그려 봅니다.
② 자른 단면을 그려 봅니다.
③ 자른 단면의 넓이를 구합니다.

다른 풀이
$18 \times 15 + 10 \times 5 = 270 + 50 = 320$ (cm²)

01 한 직선을 축으로 하여 한 바퀴 돌려 만든 입체도형은 다음과 같습니다.

이 입체도형을 조건에 따라 자른 단면은 다음과 같습니다.

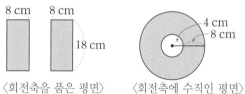

〈회전축을 품은 평면〉   〈회전축에 수직인 평면〉

⇨ (단면의 넓이의 차)
$= (12 \times 12 \times 3 - 4 \times 4 \times 3) - 8 \times 18 \times 2$
$= 384 - 288 = 96$ (cm²)

문제해결 Key
① 입체도형을 그려 봅니다.
② 자른 단면 두 가지를 그려 봅니다.
③ 자른 단면의 넓이의 차를 구합니다.

02

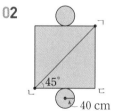

원기둥의 전개도에서 알아봅니다.
벌레가 움직인 길은 선분 ㄴㄱ입니다.
(옆면의 가로) = (한 밑면의 둘레)
$\qquad\qquad = 40 \times 2 \times 3.14 = 251.2$ (cm)
또, 삼각형 ㄱㄴㄷ은 이등변삼각형이므로 선분 ㄱㄷ의 길이도 251.2 cm입니다.
⇨ 원기둥의 높이는 251.2 cm

문제해결 Key
① 원기둥의 전개도를 그려 보고 벌레가 움직인 길을 그려 봅니다.
② 옆면에서 가로를 구합니다.
③ 원기둥의 높이를 구합니다.

6 단원

03 (음료수 캔의 옆면의 넓이)=565.2÷3=188.4 (cm²)

(음료수 캔의 옆면의 가로의 길이)=188.4÷10

=18.84 (cm)

밑면의 둘레는 옆면의 가로의 길이와 같습니다.

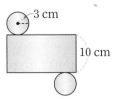

➡ (전개도의 둘레)

=18.84×4+10×2=95.36 (cm)

🔑 **문제해결 Key**

① 음료수 캔의 옆면의 넓이를 구합니다.
② 음료수 캔의 옆면의 가로의 길이를 구합니다.
③ 전개도의 둘레를 구합니다.

04 가장 큰 단면의 지름이 20 cm이므로 선분 ㄷㄹ의 길이는 20÷2=10 (cm)입니다.

선분 ㅁㄷ의 길이를 ☐ cm라 하면

{3×(8−☐)+(3+10)×☐÷2}×2=90입니다.

3×(8−☐)+13×☐÷2=45

24−3×☐+6.5×☐=45

3.5×☐=21

☐=6

➡ 선분 ㅁㅂ의 길이는 6×2=12 (cm)

05 돌리기 전의 평면도형의 모양은 다음과 같습니다.

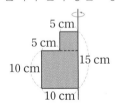

➡ (평면도형의 둘레)

=(가로 10 cm, 세로 15 cm인 직사각형의 둘레)

=(10+15)×2=50 (cm)

🔑 **문제해결 Key**

① 돌리기 전의 평면도형을 알아봅니다.
② ①의 둘레를 구합니다.

06 다음 그림과 같은 사다리꼴 ㄱㄴㄷㄹ이 있습니다. 변 ㄱㄹ과 변 ㄹㄷ을 각각 축으로 하여 한 바퀴 돌려 만든 두 입체도형을 회전축을 품은 평면으로 자른 단면의 넓이의 합은 552 cm²입니다. 사다리꼴 ㄱㄴㄷㄹ의 둘레는 몇 cm인지 구하시오.

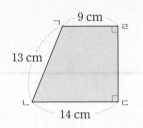

〈변 ㄱㄹ을 회전축으로 할 때〉

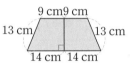

〈변 ㄹㄷ을 회전축으로 할 때〉

두 단면의 넓이의 합은 사다리꼴 ㄱㄴㄷㄹ의 넓이의 4배입니다.

(사다리꼴 ㄱㄴㄷㄹ의 넓이)

=552÷4=138 (cm²)

(변 ㄹㄷ)=138×2÷(9+14)=12 (cm)

따라서 사다리꼴 ㄱㄴㄷㄹ의 둘레는

13+14+12+9=48 (cm)입니다.

🔑 **문제해결 Key**

① 변 ㄱㄹ을 회전축으로 했을 때 만든 입체도형의 단면의 넓이를 구합니다.
② 변 ㄹㄷ을 회전축으로 했을 때 만든 입체도형의 단면의 넓이를 구합니다.
③ 사다리꼴 ㄱㄴㄷㄹ의 둘레를 구합니다.

꼼꼼 풀이집

초등학교   학년   반   번

이름